LIRE
LES LIGNES
DE LA MAIN

GRÉGOIRE CHÉKÉRIAN

LIRE LES LIGNES DE LA MAIN

nouvelle édition

France Loisirs
123, Boulevard de Grenelle - PARIS

Édition du Club France Loisirs, Paris
avec l'autorisation des Éditions Solar.

ISBN 2-7242-4252-1

L'enfant vient au monde avec des lignes dans les mains.
Après la mort, toutes les lignes disparaissent.

Paragraphes 428 et 429 de ce livre.

PRÉFACE

Grégoire Chékérian, chirologue-praticien et l'un des plus éminents professeurs de chirologie, publie en 1958 *La Science de lire dans les mains* qui eut un écho mondial. C'est cet ouvrage de référence, qui va bientôt entrer dans sa trentième année de succès, que nous avons le privilège de rééditer.

Grégoire Chékérian a aussi publié *La Chirologie et l'Amour* (1961), et un nombre impressionnant d'articles notamment dans la presse spécialisée.

L'auteur, dont le rayonnement et l'influence se révèlent avec vigueur sur la nouvelle génération de chirologues, se base sur sa longue pratique et ne se contente pas d'une vue d'ensemble de la matière, mais il apporte, en raison de sa très large expérience, un nombre incalculable de données particulières et de commentaires extrêmement précieux. Le propos étant abondamment fouillé dans ses plus fins détails : *Lire les lignes de la main* est un véritable traité approfondi de chirologie, accessible à tous. Les analyses, la clarté d'expression et la richesse d'illustration de l'œuvre en font la « Bible » de la Chirologie.

Son petit-fils,
Jean-Pierre Pamoukdjian.

AVANT-PROPOS

L'ORIGINE DE LA CHIROLOGIE

La chirologie n'est pas une science neuve, mais, au contraire, si ancienne qu'elle était déjà connue dans l'Antiquité la plus reculée.
Quelques exemples pour preuves :
Dans les Écritures saintes, Job, aux versets 5 et 7 du chapitre XXXVII, dit textuellement : « Dieu fait de grandes choses que nous ne comprenons pas. Il met un sceau dans les mains de tous les hommes afin que tous se reconnaissent comme ses créatures. »
Anaxagore, le philosophe grec du Ve siècle avant Jésus-Christ (époque de Périclès), s'intéressait à la chirologie.
Les personnalités les plus illustres de l'Histoire, tels Jules César et Aristote, croyaient aux révélations que l'on attribuait aux lignes et aux signes des mains, et pratiquaient volontiers la lecture des mains.
En 1667, parut à Paris un ouvrage intitulé : *La Science curieuse ou Traité de Chiromancie.* Il contenait plus de mille deux cent dix-neuf types de mains.
La chirologie ne fait pas partie de ces professions interdites par la religion, car elle n'a rien d'occulte, rien de divinatoire.
Le chirologue (honnête) ne « voit » rien, ne « devine » rien. Il ne fait qu'interpréter des signes. Tout comme, par exemple, l'horticulteur, lorsqu'il voit un dard sur une branche, prédit, longtemps à l'avance, qu'à sa place il y aura, la saison prochaine, une pousse à bois. Et lorsqu'il voit un bouton, il prédit, toujours plusieurs mois à l'avance, un bouquet de fleurs. Et il ne se trompe jamais. Le chimiste nous dit, d'avance, que nous obtiendrons du chlorure de sodium, lorsque nous mettons en contact l'acide chlorhydrique avec la soude.
L'horticulteur, le chimiste ne peuvent pourtant pas être taxés de « sorcellerie » ni d'« ultra-

lucidité ». Ils ne font qu'exposer le fruit de leur expérience et de leurs observations.
Il en est absolument de même pour le chirologue.

L'ÉTYMOLOGIE DU MOT CHIROLOGIE

Le mot chirologie, qui est composé de deux mots grecs, signifie science des mains ; l'étymologie de ce mot étant *kheir*, qui signifie main, et *logos*, parler de ou discourir.
La chirologie n'est donc pas uniquement la science des lignes, mais la science des mains tout entières, y compris, naturellement, les lignes.

LES DIVISIONS DE LA CHIROLOGIE

La science de chirologie doit être principalement divisée en deux parties, dont l'une doit s'intéresser à tout ce qui pourra se trouver dans la paume de la main, comme lignes, signes et monts. L'autre doit s'occuper particulièrement des éléments d'appréciation basés sur l'aspect général des mains, comme la forme, les dimensions et la consistance des doigts et des mains, ainsi que leur couleur.
La première de ces subdivisions est appelée (arbitrairement d'ailleurs) chiromancie. Et la deuxième, *chirognomonie*.
Toutefois, je me fais un devoir de préciser que le mot « chiromancie » est une hérésie. Car il n'existe pas de « mancie » en chirologie (du grec *manteia*, divination), le chirologue (honnête) ne pouvant rien deviner.
Cela dit, voyons maintenant comment on pratique la chirologie, c'est-à-dire comment on doit étudier les mains.

COMMENT PROCÉDER A L'ÉTUDE DES MAINS

A mon avis, nous abordons ici la partie essentielle de l'étude de la chirologie.
Apprendre comment examiner des mains est beaucoup plus important que la révélation particulière des lignes et autres indices.
A tel point que celui qui connaît parfaitement la signification des lignes et des autres indices

mais méconnaît la façon d'examiner les mains, prononcera rarement un avis valable.

Tout d'abord, trois erreurs à ne pas commettre :

La première est de se précipiter sur la paume des mains pour y « lire » les lignes, les signes et les monts.

Cette façon d'examiner les mains est d'ailleurs tellement répandue que, lorsque l'on parle de chirologie, on pense tout de suite aux lignes, et chaque fois qu'une personne désire faire examiner ses mains, elle les ouvre pour exposer ses paumes.

Loin de moi pourtant la volonté de sous-estimer l'importance de la révélation des lignes, des monts ou des signes. Mais plutôt d'attirer l'attention du lecteur sur le fait que la constitution de l'être (avec ses goûts et ses penchants naturels et instinctifs) peut sérieusement contrebalancer les révélations (bénéfiques ou maléfiques) des lignes ou des signes. Il faut ajouter que l'inverse est aussi vrai.

Qualités et défauts accompagnent un être durant toute son existence, et agissent, forcément, sur tous ses comportements et même sur sa résistance physique et intellectuelle. Nous avons donc grand intérêt à les connaître, avant de passer à l'étude des lignes, des monts et des signes.

Or, avant et mieux que tout autre indice, la base fondamentale psychique est révélée par l'aspect extérieur des mains et des doigts, c'est-à-dire par leur consistance, leur forme, leur dimension et par leur couleur.

Prenons par exemple un homme grossier et emporté de naissance. Il pourra très bien acquérir une culture très étendue ainsi qu'une parfaite éducation. Mais il est hors de doute que, malgré toutes ses perfections apparentes, il restera un homme sec et cassant dans ses paroles, son comportement et ses actes.

La deuxième erreur à éviter est de n'examiner qu'une seule main.

Les néophytes en chirologie n'examinent, presque toujours, que la main gauche. Ils commencent et terminent leur étude en se basant

uniquement sur ce qu'ils pourront déceler dans cette main.
Je reviendrai un peu plus loin (chapitre 30) sur la question de la différence de révélations de la main gauche et de la main droite. Je puis dire cependant, dès maintenant, que l'étude d'une seule main, droite ou gauche, ne suffit nullement pour examiner rationnellement des mains et émettre un avis définitif valable.
Car, quelques très rares exceptions mises à part, on ne trouvera jamais les lignes, les signes et les monts absolument semblables dans les deux mains.
Il arrive même qu'une des lignes importantes qui existe normalement dans l'une des mains fasse entièrement défaut dans l'autre.
Or, nous savons que si le même indice se retrouve dans les deux mains (avec, naturellement, la même netteté, ou, au contraire, avec la même défectuosité) cela confirme sa signification (bénéfique ou maléfique). Et, dans le cas inverse, c'est-à-dire si un élément révélateur n'apparaît que dans une seule main, sa signification (bonne ou mauvaise) se trouvera considérablement diminuée. Nous en verrons d'ailleurs plusieurs cas au cours de ce livre.

La troisième consiste à se baser uniquement sur la révélation d'un seul indice.
Par exemple : dans une main nous trouvons une ligne de vie courte. Par acquit de conscience, nous examinons l'autre main aussi, et nous y voyons un ligne de vie aussi courte que celle de la première main examinée. Devons-nous en conclure que notre consultant mourra absolument à l'âge où les deux lignes s'arrêtent ?
Non, pas toujours. Pour émettre un avis définitif, il importe de réunir la signification de tous les autres indices (bénéfiques ou maléfiques) en faisant une synthèse de leur ensemble. Il ne faudra donc, en aucun cas, se baser sur la révélation d'un seul signe.
En résumé, veiller à :

1. Examiner d'abord l'aspect général des mains avant de passer aux lignes. Cet examen nous renseignera sur le fond de la constitution psychique de notre consultant, et c'est sur ce fond que nous bâtirons notre étude ;

2. Ne jamais se contenter de l'examen d'une seule main, gauche ou droite, car l'autre main peut réserver des surprises modifiant profondément la révélation de tout ce que nous avons pu voir sur la première main ;

3. Ne pas se baser sur la révélation d'un seul indice, même confirmé dans les deux mains. Individuellement pris, les indices n'ont aucune valeur absolue. La révélation de chaque signe doit rester en suspens jusqu'à ce que nous ayons examiné *tous les autres*. C'est à ce moment seulement que nous ferons une synthèse de la totalité des indices. Nous rectifierons les uns ou accentuerons les autres, et nous baserons sur la valeur globale des révélations dans leur ensemble.

CHAPITRE 1

Aspect Général des Mains

Ayant longuement insisté sur la nécessité absolue de commencer l'examen des mains par leur aspect extérieur et général, il serait illogique de ma part de commencer l'étude de la chirologie autrement.

Par « aspect général des mains », j'entends, d'une part, les gestes des mains et des doigts, et, d'autre part, leur forme, leurs dimensions, leur consistance, leur couleur, leur souplesse ou leur raideur.

Ces particularités, à cause de leur très grande importance, seront étudiées dans des chapitres successifs.

Par ailleurs et maintenant que nous pénétrons dans l'étude proprement dite de la chirologie, je tiens tout particulièrement à attirer l'attention du lecteur sur les deux faits suivants :

Premièrement : Ne perdons pas de vue qu'il ne nous arrivera presque jamais d'examiner les mains d'un assassin potentiel ni celles d'un saint descendu en ligne directe du paradis.

Deuxièmement : Ne perdons pas non plus de vue que tout est modifiable et relatif.

Par voie de conséquence, nous devons faire preuve d'une très grande circonspection pendant nos examens, et d'une certaine modération dans nos jugements, surtout lorsqu'il s'agira d'événements d'importance vitale.

LES GESTES DES MAINS ET DES DOIGTS

L'étude des gestes des mains et des doigts rentre indiscutablement dans le domaine de la chirologie. Il n'est donc pas superflu de les passer en revue, au moins sommairement.
En voici quelques-uns :

1. En cours de conversation, agiter les mains de manière exagérée révèle une personnalité à la fois nerveuse et sans-gêne qui ne mettra pas longtemps à se « familiariser ».
La personne étudiée sera également « soupe au lait », et ceci dans toutes les circonstances de la vie. Elle sera capable de prendre rapidement et presque séance tenante une décision, mais changera aussi rapidement d'avis.

2. L'homme aux gestes restreints et presque mesurés est un formaliste qui essaiera toujours d'arrondir ses phrases, y mettra de la forme, même lorsqu'il s'adressera à un enfant. Aussi, adoptera-t-il difficilement une nouvelle idée, une nouvelle façon de travailler ou de faire, et mettra, presque toujours, beaucoup de temps à prendre une décision importante. Cependant, une fois sa décision prise, il restera relativement stable.

3. Aux gestes exagérés ou restreints des mains s'ajoutant souvent la souplesse ou la raideur des doigts, il faudra, suivant le cas, joindre aux définitions des paragraphes 1 et 2 celles des paragraphes 19, 20 et 21.

4. En marchant dans la rue, balancer librement les bras est le signe d'une certaine indépendance d'esprit.

5. Celui qui, en marchant, fait des gestes des bras et des jambes presque mesurés se soumettra facilement à tous les règlements et respectera toujours les « convenances ».

6. Cacher souvent les mains dans ses poches révèle, d'une part de la prétention, d'autre part fourberie et sournoiserie.

7. Lors d'une conversation, chercher à cacher presque continuellement ses paumes (par exemple, en les frottant l'une contre l'autre) indique un manque de conviction, de décision, ou bien tout simplement un manque de sincérité.

8. Toutes considérations d'étiquette et de convenances mises à part, poser carrément les mains et surtout les bras sur la table, révèle, avant tout, un être d'action et d'entreprise. Il aura souvent une grande confiance en lui-même et ne s'embarrassera pas de scrupules pour arriver à ses fins.
En revanche, et toujours à table, cacher souvent ses mains dans sa serviette ou entre ses genoux indique de la timidité, un manque de confiance en soi et d'esprit d'entreprise.

9. Une main franchement tendue (pour serrer la vôtre) paume ouverte et tournée vers le ciel est signe de franchise, sympathie et décision.

10. La main timidement et mollement tendue, paume tournée vers le sol, indique un manque de franchise et de décision.

11. Lorsque vous voyez que votre interlocuteur ne sait plus où mettre ses mains ni quoi faire de ses doigts, et qu'il cherche, par exemple, à ranger les objets de son bureau, sachez qu'il souhaite conclure l'entretien.

12. En parlant, pointer souvent son index révèle une personne prétentieuse et sûre de son fait. Elle ne tolérera donc pas facilement d'objection, et encore moins de modification à ce qu'elle expose ou demande.
Pour terminer l'étude des gestes de la main, je me permettrai de soumettre à mes lectrices la question suivante, qui ne cesse de m'intriguer :
Pourquoi les femmes, dans la rue, portent-elles toujours quelque chose dans la main, parfois dans les deux, alors que les hommes préfèrent marcher les mains libres ?

L'ÉCARTEMENT DES DOIGTS

Demandez à votre consultant d'écarter énergiquement ses doigts, et regardez par le côté de la paume l'espace qui existe entre leurs bases. Vous constaterez que certains doigts sont, à leur base, plus ou moins écartés ou rapprochés. Ces écartements sont révélateurs du caractère.

ÉCARTEMENT DU POUCE

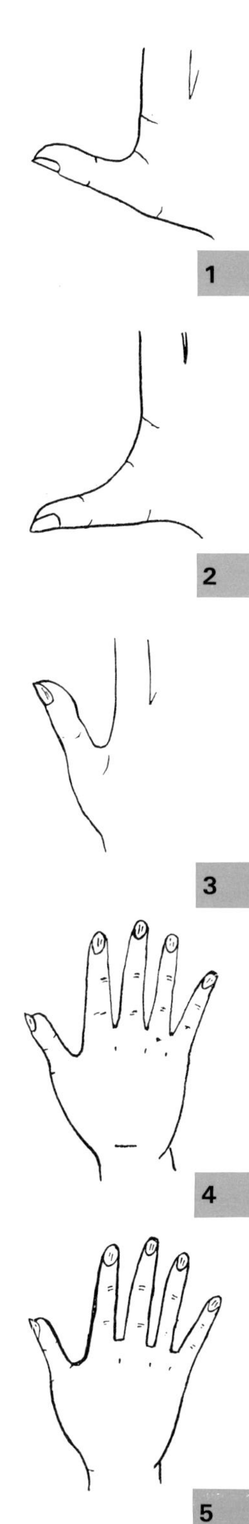

13. La personne dont le pouce peut s'écarter de l'index de façon à former un angle droit est un être entreprenant et indépendant, dans ses idées et dans ses actes. Mais cet esprit d'indépendance et d'entreprise ne va pas jusqu'à l'insoumission absolue aux règlements et aux ordres. C'est-à-dire qu'elle préférera toujours créer et diriger, plutôt que de travailler comme employé. Dans ce dernier cas, son employeur aura intérêt à lui confier un poste de responsabilité nécessitant de l'initiative. Elle deviendra pour lui un collaborateur très précieux *(fig. 1).*

14. Un pouce encore plus écarté que celui du paragraphe précédent et formant, par conséquent, un angle obtus avec l'index, est le signe d'une indépendance absolue. Si, par nécessité ou par crainte, le sujet est obligé de vous obéir, il exécutera vos ordres, mais toujours un peu à son idée.
Dans la vie, sa vraie place est à la tête d'une entreprise ou à un poste de commandement et de responsabilité. Il ne fera jamais un bon employé *(fig. 2)*

15. Très peu d'écart entre le pouce et l'index révèle une insuffisance de personnalité, une insuffisance d'esprit d'entreprise et de goût du risque.
Le consultant sera donc toujours très prudent et plus ou moins craintif. Dans la vie conjugale, il sera un conjoint facile *(fig. 3).*

LES AUTRES DOIGTS

16. Quant aux interstices se trouvant à la base des autres doigts, les quatre doigts très rapprochés, presque sans aucun écart, sont l'indice d'une extrême prudence, tant dans les paroles que dans les actes et les dépenses *(fig. 4).*

17. Trop d'écart à la base des quatre doigts révèle une personne ayant tendance à être bavarde mais généreuse, et toujours beaucoup plus entreprenante que la personne signalée au paragraphe précédent *(fig. 5).*

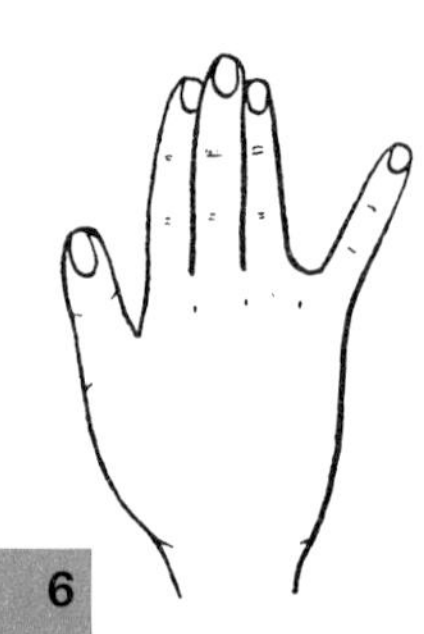

6

AURICULAIRE ÉCARTÉ

18. L'auriculaire (le petit doigt) est le doigt de la facilité de parole et de la subtilité. Le dicton populaire : « Mon petit doigt me l'a dit » est donc bien à sa place.
L'auriculaire trop écarté de l'annulaire indiquera finesse et subtilité, ainsi que tact, dextérité et éloquence.
Certaines personnes écartent démesurément leur petit doigt en tenant, par exemple, leur tasse de café, afin de se donner une contenance et de passer pour des êtres raffinés *(fig. 6).*

DOIGTS SOUPLES

19. Des doigts souples et agiles révèlent une intelligence toujours en éveil, avec rapidité de perception, de décision et d'action.
Les hommes d'affaires vifs et actifs, ainsi que les boursiers et les joueurs ont les doigts très souples et presque continuellement en mouvement.

20. Celui qui peut courber ses quatre doigts à la fois vers le dos de sa main est un « débrouillard », un souple et un subtil.

DOIGTS RAIDES

21. Des doigts raides (impossible de les plier vers le dos de la main) indiquent un esprit lourd, saisissant et adoptant difficilement une nouvelle idée. Le sujet aux doigts raides mettra toujours longtemps à prendre une décision. Mais ajoutons qu'il sera relativement plus stable dans ses idées et ses attachements, en amour, en amitié ou en affaires.
L'agilité, la souplesse ou l'inflexibilité des doigts étant souvent accompagnées de gestes (exagérés ou modérés) des mains, il faudra, suivant le cas, ajouter aux définitions des paragraphes 19, 20 et 21 celles des paragraphes 1 et 2.

C H A P I T R E 2

Dimensions et Formes des Mains

22. Avant d'entrer dans les détails et l'étude des dimensions des mains, je tiens à attirer l'attention du lecteur sur le fait suivant :
Bien qu'il paraisse inutile de le signaler (cela ressemble à une vérité de La Palice), les dimensions des mains doivent être jugées en comparaison des dimension du corps.

23. Quant aux dimensions comparatives des doigts et des paumes, elles doivent être proportionnées entre elles. Ces dimensions comparatives sont étudiées un peu plus loin, dans un chapitre spécial (chapitre 6).

MESURE DES DIMENSIONS

24. Pour juger convenablement ces dimensions, il nous faut des mesures de comparaison. A ce jour, je n'en ai vu nulle part de précises.
Pour déterminer ces chiffres, je me base sur les considérations suivantes : la longueur d'une main normale et proportionnée aux dimensions du corps doit mesurer le dixième de la hauteur totale du corps. Un corps de 2 mètres, par exemple, doit normalement avoir des mains de 20 centimètres.

25. Mesurer la longueur de la main de l'extrémité du médius (doigt du milieu) jusqu'au premier bracelet de la rascette (poignet).

26. La longueur d'une paume normale doit faire 20 % de plus que celle des doigts. Une paume de 6 centimètres, par exemple, doit comporter des doigts d'une longueur de 5 centimètres (5 cm, plus 20 %, soit 1 cm, égale 6 cm).

27. Dans la pratique, contentez-vous de mesurer la longueur des doigts, en prenant la mesure de l'extrémité du médius jusqu'à sa base, où il se trouve toujours un ou plusieurs plis. Bien entendu, au cas où le médius est très long (comparé aux autres doigts) on prendra ce détail en ligne de compte.

28. Mesurer la longueur de la paume, de la base du médius jusqu'au premier bracelet de la rascette.

29. Dans une main normalement constituée, la largeur de la paume, à la base des doigts, doit être égale à la longueur du médius.

30. Cette façon de mesurer les mains, les doigts et les paumes n'est sûrement pas à l'abri de la critique, mais elle rend des services appréciables en facilitant et en accélérant les calculs.

MAIN DE DIMENSIONS NORMALES

31. Une main sera donc considérée comme normale, lorsque ses dimensions seront conformes aux mesures des paragraphes 24 à 29. Et cette main de dimensions normales sera l'indice d'une constitution normale, aussi bien du point de vue physique que psychique. Elle sera également un indice d'activité et de réalisme.

MAIN ÉLÉGANTE

32. La main élégante, avec des doigts lisses et sans défauts, révèle un amour pour tout ce qui est beau et fin. Elle dénote aussi une aversion pour la vulgarité.

DOIGTS TORDUS

33. Les mains ou les doigts tordus ou défectueux (de naissance, bien entendu, et non pas par maladie ou accident) indiquent un manque de droiture de caractère. Ils dénotent, également, de la vulgarité.

DOIGTS POINTUS

34. Si la main élégante possède des doigts pointus, on pourra lui appliquer toujours la définition du paragraphe 32, mais elle dénote, en plus, une nature rêveuse et imaginative.

MAINS LONGUES

35. Une main longue indique une tendance à examiner les faits dans leurs détails (à approfondir les choses). L'être aux mains longues n'est pas nécessairement un maniaque ou un pinailleur. Il ne se contentera pas, cependant, d'un exposé sommaire ou d'une affirmation non prouvée.

MAINS TRÈS LONGUES

36. La main très longue révèle une personne maniaque, lente à agir. Elle s'occupera exagérément des détails, cherchera souvent « la petite bête », à tel point que cette manie lui fera perdre de vue le principal. Elle n'arrivera donc à une décision finale qu'après de nombreuses et interminables réflexions.
La main très longue pourra également indiquer ruse et sournoiserie.

37. Si la main très longue est en même temps étroite, cela révélera, en plus des caractéristiques signalées au paragraphe 36, une personne insociable, égoïste et même despote ; tout doit être axé sur sa personne, même les conversations.

MAINS ÉTROITES

38. Les mains de longueur normale mais étroites (paragraphe 29) indiquent une imperfection dans la constitution physique, mais pas forcément une défectuosité. Par exemple, la femme aux mains étroites accouchera difficilement. (Voir aux paragraphes 87 à 89 : « Paumes étroites et petites »).

MAINS COURTES

39. Des mains courtes, à l'inverse des mains très longues, appartiennent aux personnes ayant la capacité de perception rapide de l'ensemble des faits.
Rapides à l'action, elles ne s'arrêteront pas longtemps sur les détails.
Lors d'une conversation, si vous avez affaire à elles, soyez bref et ne développez pas trop les détails.

MAINS TRÈS COURTES

40. La main très courte n'est pas bon signe. Elle indique une personne coléreuse et peu sociable.

CHAPITRE 3

La « Consistance » des Mains

La main du consultant dans la vôtre ne doit pas vous faire l'impression d'une collection d'os ni d'un morceau de graisse molle. Elle ne doit pas non plus être très dure ou très épaisse.

MAIN MAIGRE

41. La main maigre (ne pas confondre avec les mains étroites des paragraphes 37 et 38) révélera doute et méfiance ou tout au moins un excès de calcul et de prudence. Elle pourra donc annoncer également, et suivant les cas, égoïsme et avarice.

MAIN GRASSE

42. La main grasse dénote un certain « laisser-aller » et peu de goût pour la lutte ou la résistance. Elle annonce également un penchant net pour une vie de tranquillité, de confort, de bien-être et de plaisirs.

MAIN DURE

43. La main dure indique une personne qui n'a pas peur du travail manuel ni de la lutte. Elle sera active, combative, et pas indifférente aux plaisirs corporels, car elle aura une constitution vigoureuse et une vitalité considérable.

Réaliste, elle ne sera jamais aussi imaginative que la main molle, mais cependant pas dépourvue d'intelligence ni de capacité d'exécuter des travaux intellectuels.

MAIN ÉPAISSE

44. Les mains épaisses posséderont approximativement les mêmes significations que les mains dures. Elles privilégieront les goûts matériels, et seront faites pour les travaux manuels et les exercices physiques.
Il faudra cependant être attentif lors de l'examen d'une main épaisse pour ne pas la confondre avec la main grasse.

MAIN MOLLE

45. La main molle n'est pas faite pour les travaux manuels ni pour les exercices physiques. La personnes possédant des mains molles n'aura pas une vitalité excessive ni une vigueur exceptionnelle.
La main molle est la main du travailleur intellectuel et de l'imaginatif. Les poètes, les romanciers et les écrivains ont en général, des mains molles.
Mais cette mollesse ne doit pas être frappante, car dans ce cas elle annoncera la paresse et un manque d'ambition quasi total.

CHAPITRE 4

La Couleur des Mains

46. Si la longueur des mains doit être proportionnée aux dimensions du corps, leur couleur aussi doit être prise en considération et comparée à la pigmentation générale de l'épiderme.
Car il serait vraiment insensé d'appliquer, par exemple, aux mains d'une Noire la définition de la main brune du paragraphe 47, ou aux mains d'une personne de race jaune, celle de mains jaunes ou très jaunes des paragraphes 52 et 53.
Lors de la vérification de la couleur des mains, votre travail sera très facilité si vous les faites poser sur une feuille de papier blanc.
Je ne veux pas surcharger ce livre inutilement en m'arrêtant aux couleurs intermédiaires, plus ou moins foncées ou claires, l'interprétation de ces nuances étant aisée si l'on se conforme aux indications données pour chaque couleur principale. Je relève donc les colorations extrêmes.

MAIN BRUNE

47. Le fond de révélation de la main brune est un esprit dominateur, volontaire et ambitieux. La personne possédant des mains brunes sera, suivant le cas, lente à agir, mais elle aura assez de force de volonté et de personnalité pour persévérer dans la voie qu'elle aura choisie. Ces qualités lui permettront d'être opiniâtre dans ses désirs et ses idées.

MAIN BLANCHE

48. La main blanche est révélatrice de tranquillité et de calme. L'effort et la lutte ne seront pas tout à fait de son ressort, car elle n'aura pas suffisamment de force de volonté ni de fermeté de caractère. Elle préférera la luxure, les plaisirs et la paresse. Ses goûts seront matériels et ses plaisirs physiques. Son ambition se bornera à accumuler les éléments pouvant procurer l'aisance et le plaisir des sens.

MAIN BLANCHE ET ROSÉE

49. Les mains blanches et rosées révéleront, plus ou moins, les mêmes tendances que les mains blanches, ne seront pas beaucoup plus actives ni de caractère plus ferme. Elles n'aimeront pas beaucoup l'effort et la lutte.
Toutefois les mains blanches et rosées seront l'indice d'une bonne santé, de bienveillance et de bonté de cœur.

MAIN ROUGE

50. Les mains rouges (sans excès) appartiennent aux personnes actives et confiantes en l'avenir. Passionnées, instinctives et impulsives, elles seront donc impatientes, combatives et audacieuses.

MAIN TRÈS ROUGE

51. Mais si les mains sont très rouges (l'excès en tout étant nuisible), elles révéleront une mauvaise santé, avec tous les traits qui en découlent.
Les mains très rouges seront un signe d'irritabilité, de paresse et d'insociabilité.

MAIN JAUNE

52. La main jaune n'est pas instinctive, impulsive ni impatiente comme la main rouge. Elle

est pondérée, sait calculer, peser le pour et le contre, n'agir qu'après mûre réflexion.
Mais le fond de révélation de la main jaune est la finesse, la cachotterie et la ruse. Elle est en même temps sensible, artiste et impressionnable. Suivant le cas, cette impressionnabilité pourra être excessive et conduire le sujet au découragement et même au pessimisme.

MAIN JAUNE FONCÉ

53. La main de couleur jaune foncé annoncera égoïsme, avarice et orgueil. Elle dénotera également un tempérament coléreux, et même méchant.

CHAPITRE 5

Les Poils des Mains

54. On croit volontiers que les hommes sont plus poilus que les femmes. C'est une erreur, car la femme possède obligatoirement autant de poils que l'homme, à la seule différence que ces derniers se trouvent à l'état de duvet et donc beaucoup moins visibles.

55. D'ailleurs, et à titre de renseignement, sur toute l'étendue de l'épiderme d'un corps humain existent des poils ou des duvets, sauf dans la paume de la main et sous la plante des pieds. Par voie de conséquence, qu'elles appartiennent à une femme ou à un homme, les mains doivent normalement porter des poils.

MAINS SANS POILS

56. Les mains d'un homme dépourvues de poils visibles à l'œil nu révéleront une déficience de constitution et une insuffisance de vitalité et de virilité.

57. Soyez bien attentif, pourtant, lorsque vous examinez les mains d'une personne très blonde, car, dans ce cas, les poils peuvent être difficilement visibles.

EXCÈS DE POILS

58. En revanche, gardez-vous bien de croire que l'excès de poils est un signe de force

vitale ou de virilité exceptionnelles. L'homme qui a des mains très poilues aura une bonne constitution physique, des goûts et des penchants matériels, et sera attiré par l'amour charnel, mais ne sera pas capable d'aimer tendrement.
L'excès de poils indiquera également une instabilité de caractère et une intelligence lourde.

MAINS NORMALEMENT POILUES

59. Le dos des mains et des doigts normalement poilu (toujours suivant le sexe) est le signe d'une constitution, d'une activité et d'une vitalité normales.

60. Pour éviter cependant toute erreur d'interprétation, j'émets pour les poils des personnes brunes les mêmes réserves que pour les personnes très blondes. Les bruns *paraissent* posséder plus de poils que les blonds, alors qu'ils ont le même nombre de poils avec le même développement. Cette erreur, due à la pigmentation des poils, ne doit donc pas troubler notre examen.

CHAPITRE 6

Dimensions Comparatives des Doigts et des Paumes

61. Les dimensions comparatives des doigts et des paumes revêtent une importance toute particulière.

62. Par « dimensions comparatives » j'entends, naturellement, la longueur des doigts comparée à celle de la paume, ou vice versa.

63. Il est inutile d'insister sur le fait qu'une main idéale doit comporter des doigts et une paume proportionnels (voir paragraphes 26 à 29).

64. Il ne s'agit nullement ici des mains longues ou des mains courtes que nous avons déjà étudiées précédemment sous la rubrique « *dimensions et formes des mains* » (paragraphes 24 et 25). Il est question d'analyser les différences de dimensions des doigts et des paumes comparées entre elles. Car une main peut être longue avec des doigts courts, ou bien être courte avec des doigts longs.

ATTRIBUTS DES DOIGTS ET DES PAUMES

65. Chacun sait que l'homme est un animal, et qu'il ne se distingue de lui que par l'évolution de son cerveau.
Or, le cerveau est reflété dans la main par les doigts, et le côté animal et instinctif de l'être par la paume. Pour vous en convaincre,

regardez les « mains » d'un singe, par exemple.

DOIGTS LONGS OU PAUME VOLUMINEUSE

66. Des doigts longs (comparés à la longueur de la paume) indiqueront donc un être réfléchi, et des paumes volumineuses (comparées toujours à la dimension des doigts) révéleront un être d'action chez qui le comportement instinctif est plus accentué.

67. N'en déduisez pas, cependant, que l'homme aux doigts longs sera forcément plus intelligent que celui aux doigts courts. Bien au contraire, dans la vie pratique et du strict point de vue des résultats, c'est souvent à l'homme aux paumes volumineuses que l'on doit donner la préférence. Car non seulement il sera aussi intelligent, mais par son esprit de réalisme et sa capacité de passer à l'action il obtiendra des résultats réels plus rapidement que celui aux doigts longs.

68. Ainsi, pour parler moderne, on peut dire que l'homme aux paumes volumineuses réussira plus rapidement que celui aux doigts longs. Mais ce dernier, malgré sa lenteur, n'en sera pas moins riche à la fin. Une fois en possession d'une fortune, aussi petite soit-elle, il saura organiser minutieusement son affaire.

69. Un exemple. Exposez une affaire intéressante simultanément à un homme aux doigts longs et à un autre aux paumes volumineuses. Celui aux doigts longs vous demandera presque sûrement du temps pour réfléchir, alors que l'autre aura déjà saisi l'affaire dans son ensemble et se sera même forgé une opinion presque définitive.

70. En affaires, l'homme aux paumes volumineuses sera plus « coulant », plus souple et passera très facilement sur les détails, pour s'intéresser à l'affaire dans son ensemble.

71. Au contraire, l'homme aux doigts longs s'arrêtera sur tous les détails. La réalisation d'une transaction, avec lui, sera longue et pénible.

72. Tout cela pourra paraître, à première vue, en contradiction avec ce que j'ai déjà indiqué à propos des mains longues ou courtes. Le débutant pourra se demander laquelle de ces définitions il doit appliquer aux mains longues aux doigts courts, ou vice versa.

OBLIGATION DE FAIRE UNE SYNTHÈSE

73. En réalité, il n'existe aucune contradiction entre ces définitions.
Je mets à profit cette occasion pour rappeler ce que j'ai déjà développé, au début de ce livre, sous la rubrique « *troisième faute* ». Il s'agit de ne pas commettre l'erreur de se baser sur la révélation d'un seul indice pour émettre un avis définitif.

74. Un chirologue sérieux et expérimenté n'agira jamais aussi légèrement et évitera une erreur aussi grave. Il tiendra compte de tous les indices d'une main pour former et nuancer son opinion.

75. Pour le cas, par exemple, d'une main longue aux doigts courts, il appliquera la définition du paragraphe 35 concernant la main longue, et, sur cette définition, il greffera celle des paragraphes 66 à 70. Ceci lui permettra de conclure qu'il se trouve devant une personne d'action, mais capable de réfléchir utilement avant d'agir. En d'autres termes, la main longue tempérera « le ressort » et la fougue des doigts courts, qui ont tendance à passer immédiatement à l'action.

76. Si vous voulez pratiquer convenablement la chirologie, apprenez avant tout, à opérer une synthèse en unissant la signification de tous les indices qu'une main pourra comporter. En effet, la connaissance de la signification de tous les éléments révélateurs des mains ne suffit pas. Vous ne représenterez jamais une valeur technique réelle tant que vous ne saurez pas réaliser la synthèse des indices.

77. Par voie de conséquence, le paragraphe 75 doit rester, pour vous, un exemple à ne jamais perdre de vue.

C H A P I T R E 7

Les Dimensions des Paumes
La Main Creuse

LA FORME DES PAUMES

78. La largeur des paumes ne doit pas non plus échapper à notre attention. Ce détail important nous permettra déjà de nous faire une idée pratique du caractère de notre consultant et de son comportement éventuel dans la vie.

79. Avant d'aborder l'étude de la largeur des mains, il faudra remarquer que, comme c'est le cas pour la longueur comparative des doigts et des paumes, la largeur et l'étendue de l'ensemble de la paume doivent être également proportionnelles à la longueur totale de la main.

80. Si une paume vous donne l'impression d'être large ou étroite, évitez de la considérer comme telle avant de la mesurer soigneusement et comparativement. (Voir la façon de mesurer au paragraphe 29, chapitre 2.)

81. Pour que le lecteur puisse saisir facilement l'étude des paumes, je répéterai que la main, dans son ensemble, reflète l'âme de l'être humain, les doigts nous renseignant particulièrement sur l'intelligence, et la paume sur le côté instinctif et animal. En d'autres termes, et si je puis ainsi m'exprimer, la paume serait la « machine » et les doigts les « machinistes ».

PAUMES VOLUMINEUSES

82. Une paume volumineuse révélera un être dynamique, très actif, mais qui se laissera guider pas ses instincts plutôt que par son intellect.

83. Par conséquent, l'indice le plus caractéristique révélant un homme d'instinct est une paume à la fois large et longue.

84. La paume volumineuse appartiendra donc à un homme fougueux, emporté et même violent, qui agira très souvent instinctivement. Il sera sec et cassant, aussi bien dans ses actes que dans ses paroles. Sa vivacité innée lui communiquant une nette franchise, il se préoccupera peu de ce que ses paroles pourront éventuellement froisser son interlocuteur. Il parlera exactement comme il pense, et il se donnera rarement la peine de « ganter » ses phrases.

85. Ne prenez pas les mots « emporté » et « violent » uniquement dans leur sens défavorable, mais plutôt dans le sens d'une attitude qui ne s'embarrasse pas de réflexion. Car, il faut bien le dire, cet homme sera un dur travailleur, un débrouillard, un battant. Toutefois, il sera toujours vif, sec et abrupt.

86. L'homme aux paumes volumineuses aura une grande confiance en lui-même. Très bien placée d'ailleurs tant qu'il s'agira de la réalisation ou de la mise en œuvre d'idées demandant une puissante activité et beaucoup d'énergie. Mais assurément mal placée dans tous les cas nécessitant de la finesse d'esprit, de la diplomatie, et une grande souplesse dans les paroles et la manière de traiter.

PAUMES ÉTROITES ET PETITES

87. L'inverse des paumes volumineuses, c'est-à-dire les paumes étroites et petites, indiquera forcément le contraire de ce que révèlent les paumes volumineuses.

88. Les paumes étroites et petites seront donc l'indice de finesse, de souplesse et même d'un esprit « roublard ».

89. La personne possédant des mains de longueur normale mais étroites ne sera pas capable de fournir un effort physique considérable. Elle ne pourra pas supporter non plus la charge d'un travail de longue haleine ou exigeant une certaine dose d'audace ou d'énergie. Elle n'aura d'ailleurs pas beaucoup de confiance en elle-même. (Voir le paragraphe 38.)

90. Au cours de l'étude des paumes, le néophyte sera tenté de commettre une erreur d'appréciation. Il pourra croire que l'on ne trouve des paumes volumineuses que dans des mains longues. Il n'est donc pas tout à fait inutile de préciser que l'on rencontrera souvent des paumes larges dans des mains de longueur normale ou même courtes.
Pour ne pas rendre la lecture fastidieuse en multipliant les exemples, je dirai seulement que, dans ce cas (comme d'ailleurs dans tous les cas de ce genre), on interprétera correctement les indices en procédant avec soin à leur synthèse, comme je l'ai déjà expliqué au paragraphe 75.

91. Ainsi, on commettrait une erreur grave en épinglant immédiatement l'étiquette de « brutal » (dans le sens défavorable du terme) sur une personne possédant des paumes volumineuses. Car ces mains peuvent aussi porter les indices d'une vive intelligence ou d'autres indices bénéfiques qui nous révéleront un être d'une très grande valeur.

LA MAIN CREUSE

92. Voici un sujet dont les détails inquiètent bon nombre de personnes. A vrai dire, il y a de quoi s'alarmer, car l'interprétation que l'on en donne couramment est vraiment catastrophique.

93. On interprète souvent la main creuse comme étant le signe révélateur de ruine, de misère et de pauvreté. Et pour prouver cette affirmation, on dit que les mendiants ont la main creuse.

94. Il m'arrive souvent de recevoir des personnes s'occupant de transactions boursières ou d'autres affaires hasardeuses, qui sont littéralement affolées en constatant brusquement qu'elles ont les mains creuses, ou bien qu'un soi-disant chirologue le leur a révélé. C'est pourquoi je donne ci-dessous, et en détail, les révélations particulières de ces mains ainsi que la façon de les examiner.
Il faut d'abord dire qu'il n'est pas vrai que tous les mendiants ont les mains creuses ; ils ont plutôt les mains très molles et le pouce petit. La forme que leur main prend en mendiant (et qui donne l'impression d'être creuse) est tout à fait normale, et ceci pour tout le monde. On n'écarte pas les doigts lorsqu'on veut recevoir quelque chose « au creux » de la main.

95. La main que l'on pourra appeler sans erreur *creuse* doit montrer un creux bien marqué dans le milieu de la paume où l'on pourra loger facilement, par exemple, une noix.

96. Ce creux doit être visible même lorsqu'on étendra et qu'on ouvrira énergiquement la main.

97. Il faut s'assurer que ce creux n'est pas dû à un accident. La plupart des accidents de la main se produisent d'ailleurs, presque toujours, au milieu de la paume. De même, le travail manuel avec certains outils pourra créer une sorte de creux qui est passager et disparaît avec le repos.

DOIGTS PLIÉS VERS LA PAUME

98. La main qui vous fera l'impression d'être creuse à cause de la position des doigts, appartiendra à un avare ou, tout au moins, à un extrême égoïste. L'impression de creux que cette main vous donnera sera due au fait que le « grippe-sou » a toujours tendance à replier légèrement ses doigts sur sa paume, comme pour cacher ou pour protéger ce qu'elle contient, argent ou autres objets.

99. Mais la main vraiment creuse n'est pas le signe absolu de ruine, de misère ou de pauvreté.

100. A mon avis, elle est au contraire l'indice d'un attrait irrésistible pour les affaires et transactions comportant la possibilité de gains énormes et rapides, même si elles sont hasardeuses. La personne à la main creuse sera donc insatiable, condamnée à peiner et à lutter d'un bout à l'autre de sa vie. L'attrait du gain lui fera entreprendre des affaires très périlleuses, mais aussi très profitables lorsqu'elles réussissent. C'est peut-être ce manque de prudence qui a fait dire à certains auteurs que la main creuse pronostique ruine, misère et pauvreté.

101. Un détail qui paraîtra incroyable : la personne possédant des mains creuses ne sera jamais mesquine ni parcimonieuse, mais plutôt large et dépensière. Je la compare à ces pêcheurs qui s'acharnent toute la journée à attraper du poisson, mais qui n'aiment pas le manger.

LA FORME DES PAUMES

102. Lors de l'examen des dimensions des paumes, un détail peut attirer votre attention. Vous pourrez remarquer que certaines paumes sont plus larges vers la base des doigts, ou, au contraire, plus larges vers le poignet.

L'interprétation de ces cas sera aisée si vous vous rappelez que plus on se rapproche des doigts, plus l'intellectualité entre en jeu. La paume plus large à la base des doigts sera donc le signe d'un intellect évolué, de goût raffiné, d'intuition et de sensibilité. En revanche, si c'est la base de la paume qui est plus large que la partie supérieure, ce fait révélera des tendances matérialistes, au réalisme et aux plaisirs physiques.

CHAPITRE 8

La Température des Mains

103. Au toucher, la main peut donner l'impression d'être chaude ou froide, sans pour cela que la température du corps soit modifiée.
C'est ce cas précisément qui nous intéresse. Je dois souligner que cette sensation de différence de température, tout en ayant son indication propre, ne doit pas être interprétée à la légère, sous peine d'erreur.

Origine de la différence de température

104. La chaleur et la fraîcheur des mains peuvent provenir de multiples causes banales et passagères, dont la simple impression du moment, ce qui est le cas le plus fréquent.

105. Je rappellerai également qu'il n'est pas rare d'avoir froid aux pieds et aux mains immédiatement après le repas. Cela arrive aux personnes nerveuses et surtout à celles qui ont la digestion difficile. Naturellement, ces cas ne sont pas de nature à intéresser le chirologue.

106. Mais si j'insiste longuement sur ces détails, c'est que les débutants sont souvent tentés de les prendre hâtivement et très sérieusement en considération, au point d'essayer de les interpréter.

107. Personnellement, au cours de l'étude d'une main, je néglige volontiers l'examen et l'interprétation de ces détails, sauf, bien entendu, si ces différences de température sont nettement frappantes et que je connais, depuis un certain temps, la personne à qui les mains appartiennent.

108. Toutefois, je ne voudrais pas que ce que je viens de dire soit mal interprété et que l'on croie que la chaleur ou la fraîcheur habituelles des mains soient dépourvues de signification chirologique.

109. Bien au contraire, elles impliquent des révélations particulières, et ce que je vais en dire étonnera sûrement bon nombre de lecteurs qui y verront des idées tout à fait contraires à ce que l'on croit ordinairement des mains froides ou chaudes.

MAINS FROIDES

110. On pense, en général, que les mains froides sont l'indice d'un cœur amoureux et d'un cœur facilement emporté. « Mains froides, cœur chaud », dit-on couramment.
Eh bien ! c'est tout à fait le contraire.
J'écarte, évidemment, le cas du refroidissement momentané des mains qui se produit parfois chez certaines personnes nerveuses sous le seul effet de l'excitation, et qui disparaît rapidement. Ce qui pourra m'intéresser, ce sont les mains qui sont froides continuellement et non pas accidentellement.
L'individu qui a les mains habituellement froides peut en effet être considéré comme une personne manquant de fougue et d'ardeur sensuelle.

MAINS CHAUDES

111. A l'inverse, celui qui a très souvent les mains chaudes est un emporté sensuel et un ardent amoureux ; il ne pense, pour ainsi dire, qu'à l'amour. Pour éviter toute erreur éventuelle d'interprétation, je précise que cet emportement reste limité aux choses sensuelles. Ce serait une erreur de croire que les mains chaudes sont l'indice d'une extrême activité physique ou intellectuelle. C'est souvent le contraire qui se révèle exact.

CHAPITRE 9

L'Humidité et la Sécheresse des Mains

112. Avant l'étude de l'humidité et de la sécheresse des mains, j'émettrai les mêmes réserves que pour les mains chaudes ou froides. Ces deux états (humidité et sécheresse) peuvent parfaitement résulter d'un dysfonctionnement momentané des glandes sudoripares.

113. D'autre part, et pour aider le lecteur dans son travail, je rappellerai qu'il est admis par la médecine qu'à l'état normal et au repos, le corps doit exsuder 40 à 50 grammes de sueur à l'heure, soit environ un litre par jour. Ce qui nous conduirait à dire que la totalité de la peau humaine doit normalement être légèrement et continuellement humide. Les mains ne faisant pas exception à cette loi, nous ne prendrons en considération que les cas où l'humidité ou la sécheresse sont nettement perceptibles.

114. Toutefois, nous ne commettrons pas l'erreur de nous occuper du cas de forte transpiration due à la chaleur ou à un effort physique. Nous ne nous occuperons pas davantage des deux cas pathologiques suivants qui intéressent la peau tout entière : la diminution sensible de la sudation normale générale, que la médecine appelle *anhydrose*, ainsi que la forte augmentation de la transpiration appelée *hyperhydrose*.

ANHYDROSE

115. L'anhydrose générale est due aux maladies de la peau : impétigo, psoriasis, eczéma, etc. Elle peut être également due aux maladies nerveuses ou au diabète.

HYPERHYDROSE

116. L'hyperhydrose générale peut être due à plusieurs causes : grippe, thyphoïde, pneumonie, phtisie, rhumatisme aigu, ou à une cause tout à fait banale ou passagère.

117. Mais, étant donné que nous n'étudions pas ici la médecine, ne nous perdons pas dans le labyrinthe de ces maladies et de leur origine. Disons simplement qu'en cas d'anhydrose ou d'hyperhydrose générale, notre consultant nécessite plutôt une attention médicale particulière.

MAINS HUMIDES

118. Les cas qui pourront donc nous intéresser seront l'anhydrose et l'hyperhydrose locales, c'est-à-dire les cas où seules les mains sont touchées.

L'humidité continuelle des mains est l'indice d'une impressionnabilité et d'une émotivité très marquées. On la voit d'ailleurs chez les lymphatiques. L'être sujet à l'hyperhydrose locale pourra voir ses mains s'humidifier à la première émotion.

MAINS SÈCHES

119. Les mains sèches seront l'indice d'un dérangement nerveux ou, plus simplement d'un état de nerfs continuellement en surexcitation. Par la chirologie, nous nous efforcerons de trouver la ou les causes de ces états anormaux grâce aux autres indices de la main.

CHAPITRE 10

Les Formes et les Dimensions des Doigts

120. Tout comme la forme et les dimensions des mains, la forme des doigts peut également nous renseigner sur le caractère de notre consultant. Nous ne devons donc pas la négliger.

121. Cependant, avant d'entrer dans les détails, je signale, surtout à mes lectrices, qu'il ne faut pas toujours se fier à la beauté des doigts et des mains. Les mains les plus belles appartiennent parfois à des personnes de valeur nulle (paragraphe 129).

Classification des formes

122. Tous ceux qui se sont plus ou moins intéressés aux mains et aux doigts savent que ces derniers présentent, d'un individu à l'autre, des formes tout à fait différentes. Ces différences de formes sont tellement nombreuses qu'il est pratiquement impossible de les énumérer et de les définir individuellement dans un livre. Malgré cela, pour permettre d'en appréhender la diversité, il faut quand même les classer en les réduisant à un nombre raisonnable.

123. Dans ce but, certains auteurs ramènent le nombre des formes de doigts à trois, certains autres à quatre ou cinq. Personnellement, je préfère les diviser en quatre seulement. Quant aux formes qui existent, inévitablement, en dehors de cette classification, je les considère comme des variantes de ces quatre. Le chirologue, même débutant, pourra, après lecture de ce qui suit, et avec un peu de jugeote, les interpréter sans difficulté.

124. Les quatre catégories de base sont les suivantes :
1. Les doigts pointus ;
2. Les doigts coniques (en amande) ;
3. Les doigts carrés ;
4. Les doigts spatulés.

Pour éviter toute confusion, il faut savoir qu'en réalité un doigt pointu pourra très bien être un peu conique tout en restant, dans l'ensemble, pointu. Un doigt carré peut être légèrement rond, etc.
Je dois mentionner également que les doigts d'une même main n'auront pas forcément la même forme. Par exemple, certains peuvent être pointus et les autres carrés ou spatulés.

125. Je commencerai l'étude des formes des doigts par les deux extrêmes. Ces deux extrêmes sont les doigts pointus et les doigts spatulés.

LA MAIN POINTUE

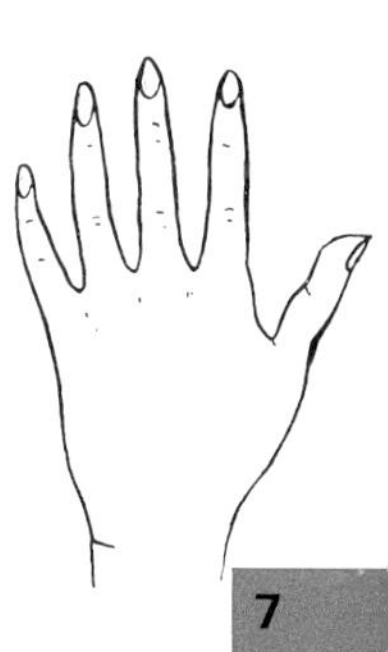

126. La main aux doigts pointus est rêveuse et imaginative. Ces deux caractéristiques peuvent lui en communiquer deux autres. Le rêve peut enfanter la paresse, et l'imagination un esprit inventif.

127. Par ailleurs, la personne ayant des mains pointues et lisses aura l'amour de tout ce qui peut être beau, fin, supérieur et agréable. Elle sera artiste dans l'âme, et cela malgré tous les défauts éventuels que je signale au paragraphe 129. Mais la fidélité ne sera pas son fort *(fig. 7)*.

128. Lorsque la main aux doigts pointus possède des indices d'intelligence, des indices d'activité et de persévérance, elle révélera un artiste, un poète ou un romancier de très grande valeur, qui sera estimé et aimé par la majorité du public. Par son imagination, le

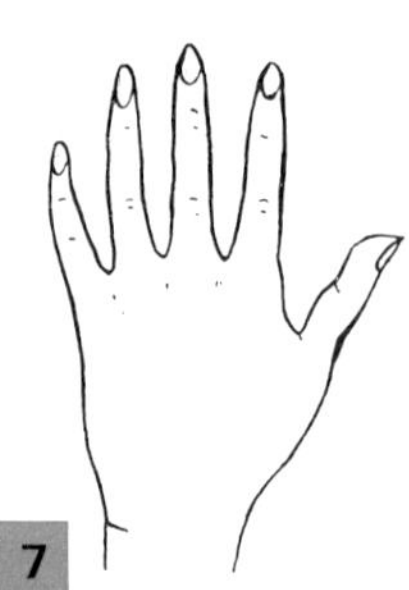
7

sujet pourra aussi devenir un inventeur de grand talent, pouvant rendre d'immenses services à l'humanité par ses idées et ses inventions.

129. Mais, en revanche, si l'être possédant des doigts pointus n'a pas une intelligence vive et qu'il manque par trop d'énergie et de persévérance, on se trouvera en présence d'une personne instable et infidèle, aux idées utopiques, et qui passera son temps à faire fonctionner son imagination à vide. La paresse aidant elle ne pensera qu'aux plaisirs et aux jouissances de toutes sortes, dans l'ambiance douillette de ses rêves.

LA MAIN SPATULÉE

130. Je relève maintenant l'opposé des doigts pointus, les doigts spatulés.
Les doigts spatulés comportent des attributs diamétralement contraires à ceux des doigts pointus *(fig. 8).*

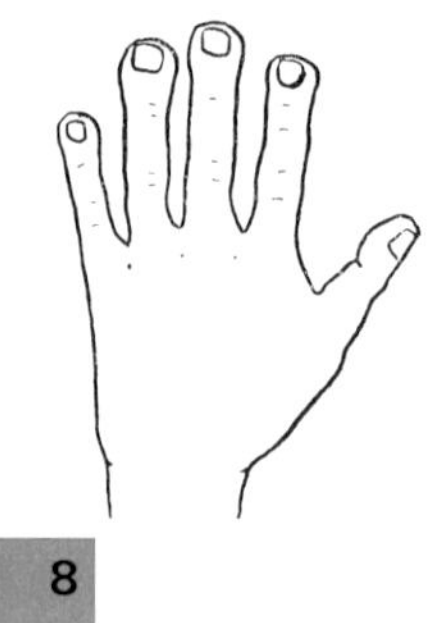
8

131. Les mots « imagination » et « esprit inventif » n'existent pas dans leur dictionnaire, le mot « rêve » encore moins.
La main spatulée est faite uniquement pour l'action.

132. Pour se faire une idée exacte des doigts spatulés, il faudra appliquer le mot « action » à toutes les phases et à toutes les circonstances de sa vie.
L'homme aux doigts spatulés est résolu, possède une très grande confiance en lui-même. Il est instinctif, égoïste et même vaniteux, mais toujours pratique. Il préfère l'opulence au luxe, l'abondance au raffinement.
L'activité et l'attrait du mouvement ne se manifestent pas uniquement chez lui par des comportements physiques. Son esprit, ses goûts et ses penchants en sont fortement imprégnés. Il a un caractère indépendant, est un grand travailleur, la lutte et la bagarre sont de son ressort.

133. Pour rester impartial, cependant, il faudra dire que l'homme aux doigts spatulés est plus stable et plus fidèle dans ses sentiments et ses engagements. Dans le domaine des affaires matérielles, comme dans le domaine sentimental, on peut compter sur son amitié, son attachement et sa fidélité.

134. Il faudra, naturellement, pour les mains spatulées, respecter les même réserves que pour les mains pointues aux paragraphes 128 et 129.

135. Les deux formes extrêmes des doigts (pointus et spatulés) étudiées, et leurs révélations assimilées, il sera maintenant plus facile d'expliquer les indications des doigts carrés et coniques.

DOIGTS CARRÉS

136. Les doigts carrés, par leur forme, tiennent forcément des doigts spatulés mais, si l'on peut s'exprimer ainsi, ils en sont une forme « adoucie ».
L'homme aux doigts carrés sera donc actif, travailleur et lutteur. Il sera réaliste et aura confiance en lui-même. Mais tout ceci sans excès. Il sera lutteur, mais pas bagarreur. Il sera plus sociable, plus arrangeant. Par ailleurs, étant donné que les doigts carrés tiennent également un peu (très peu) des doigts pointus, les arts, la littérature, la beauté et les plaisirs raffinés ne le laisseront pas indifférent *(fig. 9).*

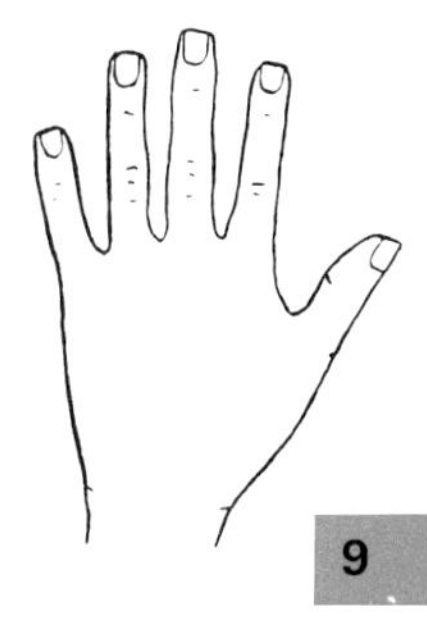
9

137. Pour être plus précis, dans le cas où l'on serait forcé de diviser les formes des doigts en deux catégories seulement (pointus et spatulés), on devra classer les doigts carrés parmi les spatulés. Car ils sont très loin de posséder les qualités et les défauts des doigts pointus. De ce fait, il ne faut pas s'attendre à trouver des rêveurs ou des personnes ayant un esprit inventif, et encore moins des paresseux parmi les sujets aux doigts carrés.

DOIGTS CONIQUES

138. Quant aux doigts coniques (en forme d'amande), ils se situent entre les formes carrée et pointue. Ils possèdent donc, obligatoirement, les qualités et les défauts de ces formes simultanément *(fig. 10).*

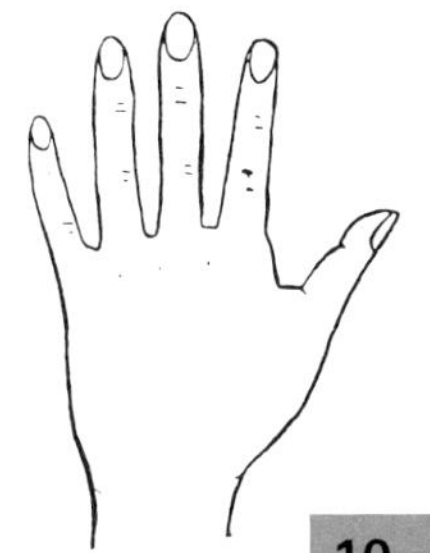
10

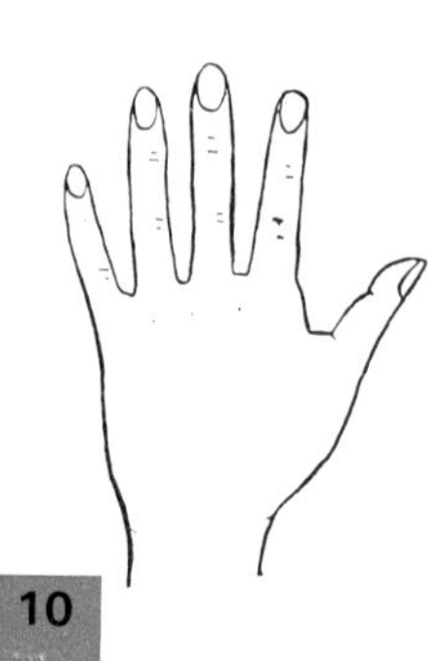

10

139. Ils seront donc actifs et travailleurs, mais dans la mesure seulement où la nécessité les obligera ; autrement, ils préféreront une vie calme, tranquille et luxueuse mais sans aller, pour cela, jusqu'à la paresse.

140. Les doigts coniques, par leur double parenté avec les doigts pointus et les doigts carrés, auront souvent tendance à rêver, et leur imagination sera fertile comme celle des doigts pointus. Ils auront, malgré cela, les deux pieds sur terre, comme c'est le cas pour les doigts carrés.

141. Les doigts coniques seront donc rêveurs, mais, en même temps, réalistes. Ils seront imaginatifs, mais n'auront pas toujours des idées utopiques, comme cela pourra souvent arriver aux doigts pointus.

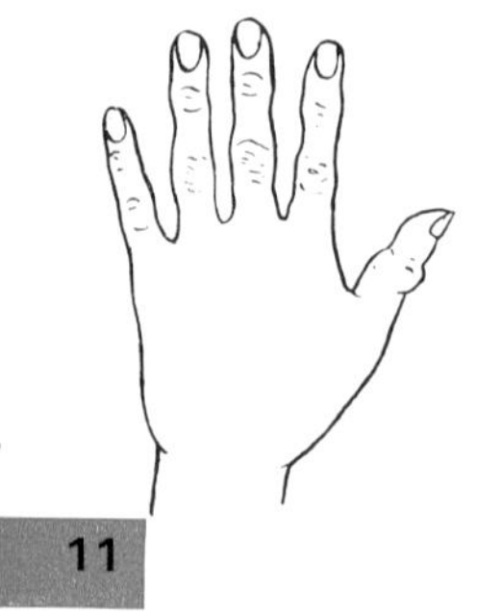

11

DOIGTS NOUEUX

142. Indépendamment de la forme de l'extrémité du doigt, le corps même du doigt pourra être lisse ou noueux aux phalanges.
Ayant déjà vu au paragraphe 127 le cas des doigts lisses, nous ne nous occuperons ici que des doigts noueux *(fig. 11).*

143. Les nœuds aux phalanges sont appelés, suivant leur emplacement, « nœuds philosophiques » ou « nœuds matériels ». Les nœuds aux premières phalanges onglées sont considérés comme philosophiques, et ceux des deuxièmes phalanges comme matériels.
Il est excessivement rare de voir des doigts noueux sur des mains jeunes, mais parfois un commencement de nouage y est perceptible.

144. Les nœuds philosophiques indiquent une capacité de réflexion, et les nœuds matériels un esprit de réalisme et de calcul.

145. D'ailleurs les deux faits ci-dessus, c'est-à-dire, d'une part, leur appellation « philosophiques » ou « matériels » et, d'autre part, leur apparition avec l'âge, révèlent déjà suffisamment leur signification.

146. Les doigts noueux seront donc réalistes et même matérialistes. Ils seront également très réfléchis et même méfiants.

Les nœuds aux phalanges n'apparaissant très souvent qu'avec l'âge, on n'apprendra rien à personne en disant que l'âge met toujours, plus ou moins, « du plomb dans la tête ». L'expérience de la vie rendra forcément les personnes âgées relativement plus raisonnables et circonspectes.

ÉPAISSEUR DES DOIGTS

147. Le doigt mince est signe d'intelligence fine et de plaisirs spirituels.
Les doigts maigres révèlent, en plus de l'intelligence, calcul, ténacité et même avarice. C'est pour se conformer à cette définition que sur les images les avares sont représentés avec des doigts maigres et noueux.
Par contre, les doigts épais dans leur ensemble seront le signe de lourdeur d'esprit, de goûts et de plaisirs matériels.
Mais si la base seulement des doigts est épaisse, ceci révélera une personne très attirée par les faits sensuels, par les plaisirs ainsi que par la luxure.

148. C'est pourtant une erreur de croire (comme l'affirment certains) que le doigt large à la base est complètement dépourvu de goût. Son amour pour la luxure, le beau et les plaisirs englobe aussi, naturellement, les plaisirs de l'ouïe et de la vue. Il sera donc souvent coquet, ne détestera pas les arts, et s'il s'agit d'une femme, elle aura un intérieur convenablement tenu, s'habillera de manière plaisante *(fig. 12).*

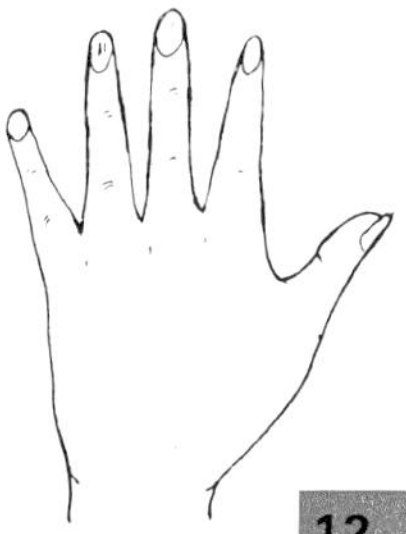

12

TRÈS LARGE A LA BASE

149. L'erreur d'interprétation que je signale ci-dessus provient en fait de la généralisation d'un cas particulier, celui du doigt exagérément enflé à la base, à tel point que le doigt semble continuer la paume.
Dans un cas pareil, on se souviendra que la paume communique aux doigts ses qualités et ses défauts instinctifs. On fera donc intervenir l'immuable principe de la synthèse des indices, ce qui ne sera d'ailleurs pas très difficile. (Voir les paragraphes 65, 81 et 82.)

CHAPITRE 11

Les Ongles

150. Du point de vue esthétique, la femme moderne s'intéresse à l'état et à la croissance de ses ongles.
Le chirologue aussi s'y intéresse. Lors de l'étude des mains, il n'en néglige pas l'examen, car ils fournissent d'intéressants indices sur la constitution physique et le caractère du sujet.
Pour votre synthèse chirologique, et pour comprendre facilement les révélations des divers états des ongles, ayez présents à l'esprit les faits suivants :
1. que l'ongle est d'origine épidermique ;
2. que son état et sa croissance sont intimement liés à la vitalité générale de l'organisme ;
3. que l'âge a une influence manifeste sur sa croissance ;
4. que le maximum de croissance de l'ongle s'observe jusqu'à l'âge de trente ans, cette croissance étant d'un millimètre en cinq jours.

151. Pour qu'un ongle soit considéré comme chirologiquement normal, il doit répondre aux cinq conditions suivantes :
1. être lisse, et non rayé ;
2. avoir des dimensions rationnelles, c'est-à-dire ni trop long ni trop court, ni très large ni très étroit ;
3. avoir une coloration rosée (pour les races blanches, bien sûr), ne pas être pâle ou gris, surtout pas noirâtre ;

4. posséder une solidité suffisante, donc ni mou ni cassant ;
5. être légèrement bombé, et non pas plat, surtout ne pas être déprimé. Il ne doit pas être non plus très bombé.

ONGLES LISSES

152. Les ongles lisses révèlent une constitution physique et psychique normale. Ils indiquent, par conséquent, une nature raisonnable et calme, et un état physique satisfaisant.

ONGLES RAYÉS

153. La révélation de l'ongle rayé est discutée. Certains auteurs y voient le signe d'exubérance des qualités ou des défauts du doigt concerné. Certains autres le considèrent comme un indice de maladie.
Personnellement, je l'interprète de la façon suivante : si un seul ongle est rayé, je me range à l'avis des premiers auteurs.
Mais si tous les ongles sont rayés (ce qui est le cas le plus fréquent), je considère le fait comme l'indice d'une nature d'activité fébrile. La personne possédant des ongles rayés est très active, agitée. Son activité est même irraisonnée et dépasse souvent la limite de sa résistance physique (et intellectuelle), à tel point qu'elle lui fait perdre la notion de prudence élémentaire, jusqu'à provoquer des ennuis de santé.

ONGLES COURTS

154. L'ongle court est un signe de nervosité, de combativité, et même de colère.
Les ongles rongés (par les dents) annoncent une extrême nervosité et, par voie de conséquence, impressionnabilité et instabilité.

ONGLES LONGS

155. L'ongle long dénote une personne réservée et réfléchie ne possédant pas l'esprit d'attaque de l'ongle court. Elle aime peser le pour et le contre avant de passer à l'action.

ONGLES ÉTROITS

156. L'ongle étroit est plutôt passif et n'a pas, par exemple, la capacité d'imposer à son entourage ses idées et encore moins sa volonté. La personne aux ongles étroits ne pourra faire autrement que subir ou suivre les ordres, l'exemple ou les idées des autres.

ONGLES LARGES

157. Contrairement aux ongles étroits, l'ongle large « sait ce qu'il veut », et cherche à imposer ses idées et sa façon de voir. Pour arriver à cela, il possède suffisamment de personnalité et de persévérance.

ONGLES ROSES

158. La coloration rosée étant la couleur normale des ongles de la race blanche, elle est l'indice d'un état physique satisfaisant et d'une nature équilibrée.

L'ONGLE PÂLE OU GRIS

159. L'ongle pâle ou gris révèle une personne irritable, coléreuse et peu sociable.

ONGLES BRUNS OU NOIRÂTRES

160. La coloration encore plus foncée que le gris, allant jusqu'au brun ou noirâtre, indique une constitution physique atteinte de plusieurs maladies à la fois qui peuvent, en cas de négligence, se transformer en maladies assez ennuyeuses.

COLORATION D'ORIGINE

161. En présence d'ongles colorés, il faut s'assurer que son consultant (qui peut avoir une peau bien blanche) n'a pas d'ancêtres de couleur. On connaît de nombreux cas d'enfants blancs nés de parents tout à fait noirs, et des enfants entièrement noirs nés de parents blancs. Souvenons-nous, en passant, des cas amusants (pas très amusants pour ceux qui en ont subi les inconvénients) des

procès qui ont eu lieu entre parents bien blancs ayant mis au monde un enfant entièrement noir.
Remarquons simplement ici que les Blancs de souche de couleur peuvent porter des ongles colorés pendant plusieurs générations.

ONGLES FRAGILES ET CASSANTS

162. L'ongle fragile, qui se casse facilement, sans être signe absolu de faiblesse générale, révèle cependant un état physique défectueux, dû à l'insuffisance de certains éléments constitutifs de l'ongle. L'état de l'épiderme doit également être surveillé. (Voir paragraphe 150.)

ONGLES MOUS

163. L'ongle mou est un signe au moins aussi néfaste que l'ongle cassant. Il annonce une défaillance dans la vitalité générale de l'organisme. (Voir paragraphe 150).

ONGLES PLATS OU CREUX

164. L'ongle normal doit être légèrement bombé. L'ongle plat, surtout déprimé ou creux, révèle un caractère manquant de fixité. Il révèle également une constitution physique défectueuse.

ONGLES TRÈS BOMBÉS

165. L'ongle qui est bombé d'une manière frappante annonce un caractère emporté, avec réplique facile.

TACHES SUR LES ONGLES

166. On rencontre souvent des taches sur les ongles. Ces taches, plus fréquemment blanches que noires, sont interprétées de différentes façons. On attribue une révélation heureuse aux taches blanches, telle que richesse et réussite. Aux taches noires, on attribue le contraire, soit misère et pauvreté. A mon sens, les taches blanches sont des indices de nervosité et d'irritabilité. Les taches

noires, elles, sont les signes d'une santé chancelante.
Je ne m'arrêterai pas sur les diverses formes que les ongles peuvent présenter, telles que pointues, coniques, carrées et spatulées, ces détails étant étudiés au chapitre 10, paragraphes 120 et suivants, sous le titre : « Les formes et les dimensions des doigts. »

CHAPITRE 12

La Rascette

167. Les lignes et les signes se trouvant sur la rascette (le poignet) ont souvent attiré l'attention des auteurs. Quant à moi, je pense que nous ne devons pas perdre de vue le fait que le poignet ne fait pas partie de la main proprement dite. Il se situe nettement en dehors d'elle. Par conséquent, ceux qui sont de mon avis sur ce détail admettront que les lignes et les signes s'y trouvant ne peuvent pas avoir de signification importante.

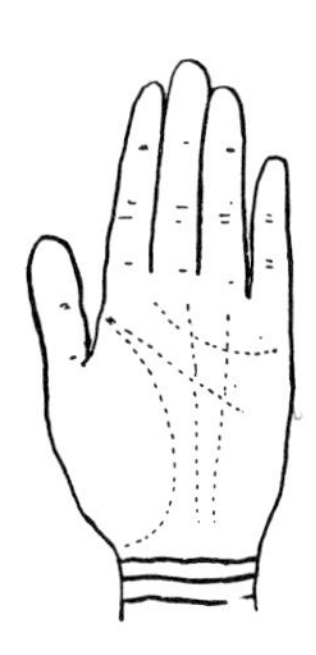

La rascette
Bracelets royaux

LES BRACELETS

168. Les lignes dessinées sur la rascette sont appelées des bracelets. Bien que je ne leur attribue pas de signification majeure, j'admets quand même que trois bracelets nettement tracés peuvent être de bon augure, mais en ce sens qu'ils peuvent venir en aide aux indices déficients, ou bien accentuer la valeur de ceux qui sont déjà nettement marqués.

169. Les admirateurs des lignes du poignet les appellent « bracelets magiques » ou « bracelets royaux » s'ils en trouvent trois entiers et bien dessinés.

170. Les bracelets sont considérés comme représentant chacun environ trente-trois ans de vie humaine ; trois lignes nettes et bien faites seraient donc le signe d'une longévité allant jusqu'à quatre-vingt-dix-neuf ans.

CROIX SUR LA RASCETTE

171. On dit également qu'une croix entre ou sur les bracelets est un très bon signe prédisant la richesse, la réussite, et même un héritage de très grande importance.

172. Je me permets d'insiter sur le fait que, sous quelque angle que l'on veuille envisager la valeur chirologique des bracelets, ils restent étrangers à la main, et qu'il faut donc les prendre, tout au plus, pour des indices complémentaires.

CHAPITRE 13

Courbures et Penchements des Doigts

173. Lorsqu'on regarde les doigts, on constate souvent que certains d'entre eux, au lieu d'être droits, sont courbés à droite ou à gauche, comme si l'os même en était cassé. Ou bien, tout en étant droits, et à l'état de repos, ils penchent vers leur voisin. Parfois même, tous les doigts ensemble sont attirés vers un seul doigt. Ces courbures et penchements sont assez significatifs sauf, bien entendu, s'il s'agit d'un accident ou de séquelles de maladie.

INCLINÉS VERS UN SEUL DOIGT

174. Si tous les doigts sont inclinés et attirés vers un seul doigt, ce fait signifie que la conformation psychique tout entière est imprégnée des qualités et des défauts de ce doigt. Par exemple, si tous les doigts se penchent vers celui de l'ambition, on aura devant soi une main excessivement ambitieuse.

INCLINÉS VERS LA PAUME

175. Tous les doigts (au repos) inclinés, d'une manière frappante, vers la paume sont un indice d'avarice et d'égoïsme.

13

COURBURE VERS LE DOS

176. Celui qui peut courber tous ses doigts vers le dos de la main est un débrouillard et un subtil.

LE POUCE INCLINÉ VERS LA PAUME

177. Le pouce doit normalement rester à l'écart des autres doigts. Si, à l'état de détente, il penche vers la paume de la main, il dénote l'égoïsme. Si ce penchement est plus marqué et que le pouce aille jusqu'au médius, c'est le signe d'une sensualité excessive *(fig. 13).*

INDEX VERS LE POUCE

178. L'index penché vers le pouce révèle un être ambitieux, mais d'une ambition sensée. Cet homme mettra délibérément tout en œuvre pour arriver à réaliser ses ambitions, et dans la plupart des cas il réussira.

INDEX VERS LE MÉDIUS

179. Si l'index se penche vers le médius, c'est l'étude, la science et le sérieux qui dominent. L'homme dont l'index se penche vers le médius se fera une très bonne situation dans toutes les carrières nécessitant la capacité d'étudier et de faire des recherches.

MÉDIUS VERS L'INDEX

180. Le médius penché vers l'index est un signe d'idéalisme doublé de réalisme.

MÉDIUS VERS L'ANNULAIRE

181. Mais si le médius se penche vers l'annulaire, cela révèle une âme artiste. L'être dont le médius se penche vers l'annulaire cherchera toujours à faire intervenir la beauté, la finesse et la belle présentation dans tous les domaines, même purement matériels.

L'ANNULAIRE VERS LE MÉDIUS

182. L'annulaire penché vers le médius, c'est le fatalisme.

L'ANNULAIRE VERS L'AURICULAIRE

183. L'annulaire penché vers l'auriculaire révèle un artiste matérialiste, qui pratique l'art pour le profit seulement.

L'AURICULAIRE VERS L'ANNULAIRE

184. Si l'auriculaire penche vers l'annulaire, c'est la subtilité fine. L'être ayant un tel doigt possédera l'art de la persuasion. Il possédera également l'art de séduire, par une conversation agréable et raisonnée.

DOIGTS SORTANT DE L'ALIGNEMENT

185. En regardant des doigts (toujours à l'état de détente) on pourra également constater que certains d'entre eux sortent de l'alignement des autres, et se penchent, soit vers la paume, soit au contraire vers le dos de la main.

186. Ces penchements, en avant ou en arrière, doivent être interprétés suivant la signification foncière du doigt en question. Si le doigt penche vers l'intérieur de la main, c'est l'essence de ce doigt qui domine l'être. Si, au contraire, il penche vers l'arrière, c'est le manque de qualités de ce doigt qui gouverne l'individu. Par exemple, si l'auriculaire seul penche vers la paume, cela indiquera un être pour qui l'intérêt et le profit passent avant tout.

RÉVÉLATIONS DES DOIGTS

187. Pour faciliter ces interprétations, je rappelle sommairement que le *pouce* est le doigt de la volonté et de la logique, l'*index* celui de l'ambition, le *médius* celui de l'étude, de la science et du sérieux, l'*annulaire* de l'art, et l'*auriculaire* de la subtilité, du commerce et de la facilité de parole.

Pour compléter ces renseignements rudimentaires sur les doigts, on pourra se reporter aux rubriques respectives du pouce (paragraphes 198 et suivants), de l'index (paragraphes 217 et suivants), du médius (paragraphes 238 et suivants), de l'annulaire (paragraphes 258 et suivants) et de l'auriculaire (paragraphes 281 et suivants).

CHAPITRE 14

Longueur Comparative des Doigts

188. Normalement, la longueur de l'index et de l'annulaire ne doit pas dépasser la moitié de la longueur de la première phalange onglée du médius. Ils doivent aussi être de longueur égale. L'auriculaire doit arriver à la jointure de la première et de la deuxième phalange de l'annulaire.

189. Cependant, il arrive parfois que les longueurs indiquées soient dépassées de manière frappante, par un seul doigt, ou plusieurs. Et inversement, certains doigts peuvent être insuffisamment longs.

190. L'interprétation de ces cas sera assez aisée si on se souvient, d'une part de la signification particulière de chaque doigt, d'autre part de leur longueur normale (paragraphes 187 et 188).

191. Par exemple, si l'annulaire est plus long que l'index, ce cas révélera un artiste qui exerce son art pour l'amour même de l'art et non par intérêt. Il sera donc un vrai artiste.

192. L'interprétation de la longueur comparative des autres doigts doit être calquée sur celle du paragraphe précédent.

INSUFFISANCE DE LONGUEUR

193. L'insuffisance de longueur comparative des doigts sera, naturellement, traduite dans le sens contraire.

EXAGÉRÉMENT LONG

194. Mais on peut aussi constater des longueurs exagérées. Dans ce cas, on prendra en considération les défauts du doigt en question. Gardons pour exemple l'annulaire : si ce doigt est plus long que le médius, l'amour de l'art se transformera en vanité, en prétention et en amour du jeu.

CHAPITRE 15

Les Révélations des Doigts et de leurs Phalanges

195. Jusqu'ici, nous avons certes parlé de la valeur significative des doigts, mais accidentellement et de manière tout à fait sommaire. Les révélations de chacun d'eux étant excessivement importantes, il convient de s'y arrêter et d'approfondir convenablement leurs indications.

196. Un autre fait, très important, nous oblige à étudier séparément et profondément la valeur significative de chaque doigt : la révélation d'une ligne sera foncièrement modifiée selon qu'elle se termine sous tel ou tel doigt. Le doigt sous lequel une ligne se termine communique à cette dernière ses qualités et ses défauts. Cette constatation est également exacte pour les signes. Par exemple, une ligne saturnienne venant aboutir sous l'index aura une signification tout à fait différente de celle qui se terminera sous le médius. Une étoile sous l'index ou sous les autres doigts indiquera des événements diamétralement opposés, allant du bonheur, de la richesse et de l'ascension, à la ruine, aux catastrophes, à la prison, etc.

197. Je commencerai donc l'étude des révélations des doigts et de leurs phalanges par le doigt le plus important : le pouce.

Je ne voudrais pas manquer cependant de dire quelques mots sur un cas particulier qui se constate parfois sur les premières phalanges onglées des doigts et qui intéresse beaucoup de personnes.
Il s'agit de la Goutte d'Eau.

LA GOUTTE D'EAU

Au bout des doigts, dans la partie interne de la phalange onglée, on peut trouver un petit « mont », une petite saillie arrondie et proéminente que l'on appelle la « Goutte d'Eau ».
On l'interprète de différentes manières, que je ne détaillerai pas ici. Personnellement, je la considère comme l'indice de sensibilité et même de sensualité. Elle révèle, en outre, une personne possédant du tact, aimant les belles manières et les belles choses.
Elle annonce également une assimilation et une compréhension rapides, ainsi qu'un intérêt très marqué pour le sexe opposé.

CHAPITRE 16

Le Pouce

198. Pour donner une idée de l'immense importance des attributs du pouce, je dirai, sans nuance, que l'homme qui n'a pas un bon pouce n'est pas un « homme », le mot « homme » revêtant alors toutes ses significations, tant populaires que générales.

ATTRIBUTS DU POUCE

199. Un bon pouce est en effet le signe de la force de volonté, de persévérance et d'énergie. Il communique à l'être la puissance de lutte, de résistance, la capacité de travailler dur.

200. Le deuxième attribut d'un bon pouce, qui complète très heureusement le premier, est la capacité de raisonner, de juger et de prendre une décision.

201. On voit donc qu'une déficience dans les dimensions du pouce sera l'indice d'une insuffisance de force de volonté, d'énergie et de persévérance. Elle sera également le signe d'une insuffisance de capacité de raisonner, de juger et de mener à bien l'idée qu'on aura éventuellement conçue, ou l'œuvre que l'on aura entreprise.
L'homme qui n'a pas un bon pouce restera un subalterne. Il sera obligé d'imiter ou de subir la volonté des personnes qui l'entourent.

L'IMPORTANCE DU POUCE

202. L'extrême importance du pouce ainsi posée, on pourra annoncer que si les autres doigts et même les lignes de la main se trouvent déficients, un bon pouce peut (jusqu'à un certain degré, bien sûr) combler leur déficience. Si vous en voulez une preuve de la vie pratique, la voici :

203. Je connais de près une personne qui possède une ligne de tête très superficiellement marquée dans une de ses mains et inexistante dans l'autre. Cet homme est donc théoriquement et effectivement un simplet, à cause de l'extrême déficience de ses lignes de tête. Eh bien, me croiriez-vous si je vous disais que ce « simplet » possède actuellement un fonds de commerce assez important et, par voie de conséquence, une fortune appréciable ?
A quoi est due cette situation matérielle que beaucoup de personnes se considérant intelligentes envieraient ?
Eh bien ! tout simplement à son pouce.
Il présente un très bon pouce, qui lui confère, d'une part la capacité de prendre tout seul une décision ferme, et d'autre part suffisamment de force et de volonté, d'énergie et de persévérance pour mener jusqu'à la réussite la décision qu'il aura prise.
De plus il travaille comme un forcené. Je sais qu'il lui arrive souvent de travailler vingt-quatre heures sur vingt-quatre, sans s'accorder le moindre repos.
Pour mettre davantage encore en relief l'importance et la suprématie des attributs du pouce sur les autres doigts, je signalerai certains faits. Lorsque nous plions les quatre doigts dans la paume, nous constatons que tous les doigts pliés devant le pouce présentent la même longueur, malgré leur différence naturelle de taille.
Nous pouvons également voir qu'une fois le pouce magistralement posé sur eux, il les soumet à sa volonté ; ils ne pourront plus s'ouvrir sans son autorisation.
Autre détail frappant : la complète disparition obligatoire des monts des doigts pliés, alors

que le mont du pouce (le mont de Vénus), une fois le pouce posé sur les autres doigts, deviendra plus dur et plus éminent, quoiqu'il soit mou ou même plat au naturel. Nous réaliserons toute l'importance de ce dernier fait lors de l'étude des monts.
Ne croyez-vous pas que l'égalité de la taille des doigts pliés devant le pouce, la domination de la volonté du pouce sur les autres doigts et l'augmentation du volume et de la consistance du mont du pouce aient une signification particulière ?
Moi, j'y crois.

POUCE PLIÉ DANS LA PAUME

204. L'écartement du pouce des autres doigts, ainsi que ses gestes, ayant une importance capitale, nous les avons déjà étudiés aux paragraphes 13, 14, 15 et 177. Nous n'y reviendrons donc pas.
Ce que je voudrais signaler ici est un autre geste du pouce interprété d'une manière très maléfique. Il s'agit de plier le pouce dans la paume et de le tenir enfermé par les autres doigts *(fig. 14).*

14

Ce geste est considéré comme le signe de l'approche de la mort. On dit que la personne qui fait ce geste ne vivra pas longtemps.
Je trouve que ce pronostic n'est pas conforme à la réalité, et j'interprète ce geste de la façon suivante :
La personne qui plie son pouce dans la paume et le tient enfermé par les autres doigts est en train de traverser une période ennuyeuse. Elle se trouve dans une situation de grande envergure, embarrassante, difficile à dénouer, et simultanément (bien que passagèrement), elle manque d'énergie et de dynamisme. En un mot, elle se perd dans une période de confusion due à l'impossibilité de trancher, et donc de solutionner la question qui l'intéresse. Une fois les difficultés aplanies et la situation éclaircie, elle ne fera plus ce geste.
Tout le monde a remarqué que les enfants en très bas âge font ce geste. Ils n'en meurent pas pour autant. Ils le font parce qu'ils

manquent encore d'individualité, de personnalité et de force de volonté.

LES PHALANGES DU POUCE

205. Chacun sait que tous les doigts, y compris le pouce, possèdent trois phalanges. La première est celle qui est onglée et la troisième part de la paume. A ce point de départ des doigts se trouvent, dans la paume, des proéminences que l'on appelle « monts ». La troisième phalange du pouce fait, cependant, exception à cette constitution générale des doigts, étant entièrement couverte par le mont du pouce, connu sous le nom de mont de Vénus ou bien d'Éminence Thénar. J'adopte la dénomination de mont de Vénus, car elle est la plus usitée *(fig. 15).*

15 *LE POUCE*

1re Phalange : Volonté
2e Phalange : Raison
3e Phalange : Amour

PREMIÈRE PHALANGE

206. La première phalange du pouce indique volonté, fermeté, décision et persévérance.

DEUXIÈME PHALANGE

207. La deuxième phalange révèle bon sens, logique et raison.
Suivant les dimensions de ces deux phalanges, leurs attributs se trouveront, naturellement, intensifiés ou diminués. En cas de différence frappante de dimensions entre les deux phalanges, ce sont les attributs de la plus volumineuse qui domineront chez le sujet. Par exemple, si la première phalange est plus longue et plus large que la deuxième, il aura plus de force de volonté que de pouvoir de raisonner.

TROISIÈME PHALANGE

208. La troisième phalange du pouce indiquera amour, mais un amour plutôt charnel que sentimental, l'amour sentimental étant surtout inscrit sur la ligne de coeur. Par ailleurs, cette phalange étant entièrement englobée dans le mont de Vénus, il vaudra mieux la considérer subsidiairement avec les révélations de ce mont, lesquelles seront étudiées un peu plus loin.

INTERPRÉTATION

209. Personnellement, dans la pratique, je prends l'ensemble du pouce, et lorsqu'il me fait bonne impression, je lui attribue, à la fois, les qualités énumérées aux paragraphes 206 et 207. Car, dans ce cas, j'estime que, si l'une est légèrement déficiente (le pouce dans son ensemble restant bon), les qualités supplémentaires de la phalange de volume supérieur combleront facilement le peu de déficit de l'autre.
Mais évidemment, je n'agis ainsi que lorsqu'il n'existe pas une différence bien accentuée entre les dimensions des deux. Car, au cas où il existerait une différence frappante, il faudrait obligatoirement relever une à une les deux phalanges en faisant ressortir les attributs dominants.

POUCE EN BILLE

210. Il serait intéressant de dire aussi un mot sur l'aspect particulier que peut présenter la première phalange du pouce. Il arrive quelquefois que cette première phalange se trouve sous forme de « bille », c'est-à-dire plutôt courte mais large, et l'ensemble faisant l'impression d'être rond, et parfois même le bout de ce pouce en bille se trouve spatulé *(fig. 16)*.

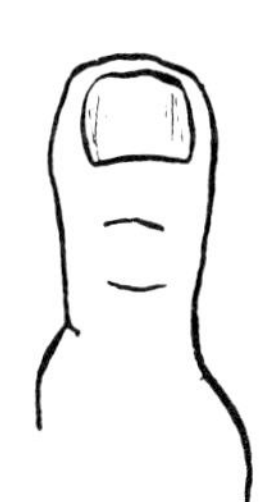

16

211. Interpréter ce cas ne sera pas difficile pour le lecteur, car il sait déjà par le paragraphe 206 que la première phalange du pouce est le siège de la volonté et de la fermeté. Il est par conséquent facile d'en déduire que la personne possédant une première phalange en bille (donc plus volumineuse que d'ordinaire) aura « trop » de volonté et « trop » de fermeté. Elle sera donc une entêtée et une violente. On greffera, éventuellement, sur tout cela les attributs des doigts spatulés, mentionnés aux paragraphes 130 à 133.

212. Toutefois, ici comme partout ailleurs, doit immédiatement intervenir le principe de la synthèse des indices. On examinera donc, avant de se prononcer, la deuxième phalange que nous connaissons comme étant source de bon sens, de logique et de raison (paragraphe 207). Si notre examen révèle que la deuxième phalange est de dimensions souhaitables, nous en déduirons que, bien que nous nous trouvions devant une personne qui s'entête facilement, elle pourra se faire logique et raisonnable en cas de besoin.

213. Mais si la deuxième phalange est courte (et cela arrive très souvent), donc dénotant insuffisance de bon sens et de logique, on se trouvera en présence d'un être têtu, violent, très coléreux et féroce. En un mot, on se trouvera en présence d'une brute capable, suivant le cas, de commettre même un assassinat. Ces défauts seront encore plus accentués si la main, dans son ensemble, est courte ou la paume volumineuse.

214. Toutefois, à cause même de la sévérité du jugement que nous émettons au paragraphe précédent, nous devons, par acquit de conscience, et avant d'arrêter définitivement un avis, vérifier aussi le pouce de l'autre main. Il se peut en effet que ce pouce soit tout à fait normal, cas que j'ai souvent constaté. Bien entendu, dans une telle éventualité, nous rectifierons notre jugement en conséquence.

17

PREMIÈRE PHALANGE COURBÉE EN ARRIÈRE

215. Une certaine forme de la première phalange du pouce pourra aussi, de temps en temps, attirer votre attention.
Il s'agit d'une première phalange se trouvant très nettement rejetée en arrière, au point de paraître cassée à la jointure.
Cette forme particulière de la première phalange du pouce révélera une personne bonne et généreuse, pouvant s'attacher fortement, et possédant une âme grande et élevée *(fig. 17).*

SYNTHÈSE

216. Je ne voudrais pas terminer ce chapitre sans faire la recommandation suivante :

Lors de l'étude des doigts et de leurs phalanges, et pour établir plus facilement des synthèses valables (suivant les diverses conjonctures), le débutant aura toujours intérêt à consulter d'avance les rubriques « Les formes et les dimensions des doigts » (paragraphes 120 et suivants), « Doigts noueux » (paragraphes 142 et suivants), et « Épaisseur des doigts » (paragraphes 147 et suivants).
Cette suggestion étant naturellement valable pour tous les doigts.

C H A P I T R E 17

L'Index, Doigt de Jupiter

217. L'importance considérable que j'attribue au pouce ne m'empêche pas d'avoir, en même temps, une très grande admiration pour l'index, aussi appelé doigt de Jupiter.
Et ce nom explique déjà, en grande partie, l'origine de ma considération pour ce doigt.

ATTRIBUTS DE JUPITER

218. Car Jupiter est ambitieux, fier et agissant. On attribue également au doigt de Jupiter des sentiments religieux.

AMBITION

219. Ce qui élève l'homme c'est son ambition, et ce qui l'empêche de commettre des bassesses c'est sa fierté. Ne confondez pas, cependant, ambition avec orgueil, et fierté avec prétentions vaniteuses.

220. « *Hinge your car to a star* »(accrochez votre voiture à une étoile), dit le dicton anglais.
Il faut viser haut, très haut, le plus haut possible. Vous n'atteindrez peut-être pas alors la situation souhaitée, mais vous pouvez être sûr d'obtenir une position de beaucoup supérieure à celle de l'homme totalement dépourvu d'ambition.
Vous avez sûrement remarqué que, chaque fois que vous voulez monter, à pied, au

septième étage d'un immeuble, vous ne vous sentez fatigué qu'au quatrième ou au cinquième étage. Mais si vous ne voulez monter qu'au quatrième étage, vous vous arrêtez, déjà essoufflé, au deuxième ou au troisième. Dans la vie sociale, le même phénomène se produit.

RELIGION

221. On a vu, au paragraphe 218, que l'on attribuait aussi au doigt de Jupiter des sentiments religieux.

INDEX NORMAL

222. Pour qu'un index soit considéré comme normal, il doit être sans défaut, c'est-à-dire ni tordu ni crochu. Il ne doit pas être non plus trop court ou trop long, très épais ou très mince, trop raide ou trop souple. Nous étudierons d'ailleurs toutes ces particularités.

223. L'index normal, donc, droit et sans défaut, révèle l'ambition, mais pas l'orgueil. Il dénote également la capacité de décision. Ces deux qualités réunies autorisent l'espoir de grandes réussites.

POSSIBILITÉ D'ASCENSION

224. Ici, j'ouvrirai une parenthèse destinée à faciliter votre raisonnement lorsqu'un de vos consultants exigera des éclaircissements quant à la grande réussite ou l'ascension importante que vous pronostiquez. Dans de pareils cas, qui se présentent souvent, souvenez-vous simplement de la petite anecdote orientale suivante :
Un garçon de café fait un rêve formidable. Et cela l'impressionne à tel point qu'il décide d'aller voir un voyant pour le faire interpréter. Pendant qu'il attend son tour, il entend, dans le cabinet du praticien, un monsieur raconter son rêve. A sa grande surprise, il constate que ce monsieur a fait exactement le même rêve que lui. Sa curiosité alertée, il écoute avec grande attention.

— Sous peu, vous deviendrez Premier ministre, décrète le voyant.
Notre garçon de café, pour ne pas payer inutilement une consultation (puisqu'il a fait exactement le même rêve), s'éclipse doucement. Mais, après avoir attendu un certain temps et ne se voyant pas devenir Premier ministre, il revient chez le praticien pour lui faire des remontrances.
— Mais, que faisiez-vous à l'époque de votre rêve ? lui demande le voyant.
— J'étais garçon de café, monsieur.
— Et maintenant ?
— Je suis propriétaire du café.
— Eh bien ! mon enfant, la personne qui me racontait son rêve était déjà ministre. Elle est actuellement et effectivement Premier ministre. Un ministre en « s'élevant » devient Premier ministre, et un garçon de café, propriétaire de café.

INDEX LONG ET TRÈS LONG

225. Reprenons l'étude de l'index. L'index long est orgueilleux et religieux.
Très long, il est encore plus orgueilleux, et cet excès d'orgueil communique une avidité d'autorité et un désir irréfrénable de considération. Dans le domaine religieux, l'index très long révèle le fanatisme. Il dénote la patience.

INDEX COURT

226. Si l'index est court, il révélera un manque d'orgueil mais pas un manque total d'ambition.
S'il n'a pas les défauts que je signale par ailleurs, l'index court ne sera pas tout à fait dépourvu d'ambition. Ce qui le caractérisera plutôt, c'est sa vivacité, son impatience et même sa violence. Il ne sera pas, comme c'est le cas pour l'index long, lent et patient.
Les autres qualités ou défauts des doigts longs ou courts s'appliquent, naturellement, à l'index ; aussi a-t-on intérêt à revoir la rubrique « Dimensions comparatives des doigts » pour compléter ces renseignements.

INDEX SOUPLE

227. L'index souple indique une nature conciliante, fine et diplomate. La personne possédant un index souple et long aura de grandes ambitions, mais elle agira avec circonspection, prudence et finesse, et non de manière brusque et grossière, comme c'est le cas pour l'index raide.

INDEX RAIDE

228. L'index raide annonce ambition et même orgueil, suivant ses dimensions. Mais il dénote surtout un caractère rigide et inflexible, sec et grossier.

229. Celui qui possède un index raide pourra devenir un chef autoritaire, voulant soumettre son monde.
Et, si l'index raide est en même temps long et surtout très long, il révélera un chef dur, roide et même un dictateur.

INDEX ÉPAIS

230. Si l'index est épais dans son ensemble, l'ambition se bornera aux choses purement matérielles et sensuelles. Il lui suffira d'avoir du bien-être, du confort et du plaisir pour être satisfait et même heureux.
La personne ayant un index épais ne sera pas orgueilleuse. Elle se familiarisera bien vite, n'aimera ni les manières ni les formes.

INDEX MINCE ET SEC

231. L'index mince et sec révèle tout à fait le contraire. Celui qui a l'index sec et mince est de tempérament sobre. Il est peu sensuel, très peu communicatif.
Contrairement à ce que l'on pense souvent, la personne possédant un index mince et sec n'est pas dépourvue d'ambition. Ce qui lui manque, c'est la capacité de réaliser ses désirs. N'ayant pas suffisamment d'élan et d'énergie, elle est bien obligée de se contenter de ce qu'elle est capable d'obtenir.

INDEX MAL FAIT

L'index mal fait, tordu ou crochu, révèle une ambition mal dirigée, une tendance à faire n'importe quoi (légal ou illégal) pour parvenir à son but.

LES PHALANGES DE L'INDEX

232. Pour ne pas avoir à y revenir lors de l'étude des phalanges, je reprendrai ici ce que j'ai exposé aux paragraphes 65 et 81.
Par les définitions détaillées de ces paragraphes on sait que, si la main dans son ensemble est le miroir de la constitution psychique de l'être humain, la paume reflète plus particulièrement son côté instinctif.

ATTRIBUTS DES PHALANGES

233. Par voie de conséquence, les troisièmes phalanges des doigts qui se sont implantées dans la paume, et qui en sont, pour ainsi dire, la continuation, comporteront forcément (jusqu'à un certain point, bien sûr,) les attributs de cette dernière. Elles révéleront donc des pulsions instinctives, sensuelles et matérielles.
Quant aux premières phalanges, étant les plus éloignées de la paume, elles auront obligatoirement trait aux aspirations spirituelles ou intellectuelles.

234. D'autre part, et pour ne pas alourdir cet ouvrage, j'indiquerai les révélations des phalanges dans les grandes lignes seulement. Je ne traiterai donc que les cas de longueur ou d'épaisseur importants, les intermédiaires étant facilement interprétables à partir de ces indications générales.

TROISIÈME PHALANGE

235. Longue, la troisième phalange de l'index indique orgueil pouvant aller, suivant le cas, jusqu'à la vanité.
Courte, elle révèle une insuffisance d'ambition et même une certaine timidité.

Épaisse, c'est l'égoïsme, le goût de la luxure, le penchant pour les satisfactions physiques, matérielles et instinctives.
Sèche, la troisième phalange de l'index dénotera la sobriété dans tous les domaines.

DEUXIÈME PHALANGE

236. Longue, la deuxième phalange de l'index révélera réalisme dans l'ambition, et non simplement orgueil ou vanité.
Courte, elle indiquera une insuffisance d'esprit de lutte, tant dans la vie matérielle qu'affective.
Épaisse, elle sera le signe d'attrait pour les plaisirs de cette terre.
Sèche, elle dénotera soif d'ascension et de gloire.

PREMIÈRE PHALANGE

237. Longue, la première phalange de l'index annonce un penchant très net pour la religion et la philosophie.
Courte, elle indiquera l'athéisme et l'incrédulité.
Épaisse, la religion inconsciente et le fatalisme.
Sèche, le fanatisme.

CHAPITRE 18

Le Médius, Doigt de Saturne

238. J'ai souvent remarqué que lors de l'étude des révélations du doigt et du mont de Saturne, la plupart des gens pensent immédiatement « tristesse », « mélancolie », « idées noires », etc.
Saturne, du moins en chirologie, n'est pas toujours triste, mélancolique ou de mauvais augure.
Ce qui est indiscutablement vrai, c'est que ses attributs ont toujours trait aux choses sérieuses et que, par voie de conséquence, les indices doivent être pris en considération.
Nous verrons d'ailleurs toute l'importance de cette affirmation un peu plus loin et, surtout, lors de l'étude des lignes et des signes se terminant ou se trouvant à sa base ou sur son mont.
Procédez donc à l'étude de ce doigt et de son mont avec soin et même gravité, mais non avec un préjugé de tristesse et de malheur.

APTITUDE AUX ÉTUDES

239. Cela dit, commençons par les sciences, et attribuons d'abord à ce doigt des aptitudes aux sciences, à l'étude de sujets sérieux, sujets qui feront appel au goût de la recherche.
Ces capacités conféreront forcément au médius un esprit sceptique pour ne croire qu'à ce qu'il aura étudié et vérifié lui-même.

En résumé, attirance et aptitude pour les domaines scientifiques ou la recherche pure.

GRAVE

240. Toujours dans le but de souligner la valeur révélatrice principale du médius, je continue mon raisonnement dans la série des choses sérieuses.
Si l'on augmente la dose du sérieux, on parvient à une nature grave. La gravité exagérée deviendra mélancolie et, la mélancolie engendrant forcément la tristesse, on se trouvera en présence d'idées tristes et même noires.
La deuxième considération relative aux révélations du médius est donc la gravité.

LA DESTINÉE

241. Dans la série des choses sérieuses, nous avons d'abord relevé, au paragraphe 239, des aptitudes aux sciences et à l'étude.
Ajoutons-y la destinée.
Le doigt et le mont de Saturne seront donc révélateurs, d'une part des aptitudes aux sciences et, d'autre part, de la destinée, celle-ci pouvant, naturellement, se définir comme bonne ou mauvaise, selon les indices que nous verrons incessamment.

MÉDIUS LONG

242. Le médius long comporte trois révélations.
Tout d'abord le scepticisme.
De très bonnes aptitudes aux études, surtout aux études scientifiques.
Et enfin, que la destinée est définitivement établie.
Pour se faire une idée complète et exacte de la destinée, on prendra également en considération *l'ensemble* des lignes et des signes se trouvant dans la main. Mais ce que je voudrais faire ressortir particulièrement ici est le fait que la destinée (bonne ou mauvaise) ne changera plus en cas de médius long.

Il en sera de même du médius raide, que je mentionne au paragraphe 251. Mais, dans le cas du médius raide, la modification de la destinée sera encore plus pénible.

243. Donc, en dehors du scepticisme et des aptitudes aux sciences, la révélation la plus importante du médius long est le fait que, la destinée étant définitivement écrite, il sera presque impossible de la modifier par la force de la volonté. Par exemple, dans une main malheureuse, en dépit de tous les efforts déployés, il sera quasiment impossible d'améliorer le mauvais sort.

MÉDIUS COURT

244. Si le médius court révélera une mentalité superficielle, également peu d'aptitude aux études, en revanche, il dénotera aussi que la destinée (toujours bonne ou mauvaise) pourra être modifiée par la volonté et les actes du sujet.

Je voudrais m'arrêter ici un instant sur la question de la possibilité de modification de la destinée.

Bon nombre de personnes admettent volontiers qu'elles pourraient modifier leur sort, mais se leurrent égoïstement en pensant que, puisqu'il existe dans leurs mains des indices de réussite et de bonheur, elles en bénéficieront tout au long de leur vie, malgré leurs erreurs.

Eh bien, dans la vie pratique le contraire peut se produire.

Je connais personnellement de ces personnes qui étaient destinées à des situations très élevées, et qui ont échoué à trop se débattre dans les difficultés, et même les malheurs.

Ces résultats désastreux sont parfois le résultat de la volonté de l'être humain, ou plus exactement, du manque de volonté, d'intelligence ou de circonspection dans les actes, du manque de réalisme. Nous verrons plus loin certains cas de ce genre.

Il est à peine nécessaire de préciser que, barrant la route de la destinée, ou contrecarrant sa marche par des imprudences, des actes irréfléchis et des erreurs grossières, on n'arrivera qu'à la modifier défavorablement et à provoquer un sort tout à fait contraire à celui auquel on était destiné.

TRÈS COURT

245. L'homme dont le médius est très court prendra tout d'une manière superficielle.
Chez lui, l'amour de l'étude disparaît complètement.
Le doigt de Saturne très court prédira aussi une fluctuation quasi continuelle de la destinée.

MÉDIUS ÉPAIS

246. Le médius épais annoncera un être matérialiste et grossier.
S'il n'est pas court, surtout pas très court, il pourra avoir un peu d'amour pour les études et les recherches mais seulement pour ce qui est d'utilité matérielle ou positive.

MÉDIUS MINCE

247. La personne dont le médius est mince sera incrédule et sceptique.
Contrairement au médius épais, le doigt de Saturne mince sera plutôt spirituel que matérialiste.

LISSE ET POINTU

248. Chez le doigt de Saturne lisse, et surtout lisse et pointu, on trouvera de l'inspiration et de la spontanéité. Mais il aura peu d'aptitude aux études et aux recherches qui demandent une certaine dose d'énergie et de persévérance.

MÉDIUS NOUEUX

249. Mais si le médius est noueux, on ne trouvera chez le sujet ni inspiration ni spontanéité. Car il annoncera exactement le contraire de ce que révèle le médius lisse, avec, cependant, un caractère méticuleux, méthodique et tenace.
En outre, la personne ayant un médius noueux n'admettra que ce qu'elle pourra voir et

vérifier par elle-même. Elle sera donc la vraie réaliste, la vraie sceptique, plus encore que le médius long.

MÉDIUS MAL FAIT

250. Un doigt (n'importe lequel) mal fait et tordu est toujours mauvais signe. La signification particulière du doigt mal fait change, naturellement, suivant le doigt.
En ce qui concerne le médius mal fait ou tordu, il sera le signe de possibilité de perte de situation, et, si d'autres signes maléfiques interviennent, sa révélation sera encore aggravée, au point d'indiquer crime, prison et même suicide.

MÉDIUS RAIDE

251. L'être dont un des doigts est raide aura un trait de caractère inflexible. Ce détail sera révélé suivant les attributs respectifs du doigt en question.
Le doigt de Saturne raide indiquera un manque quasi total d'adaptation. En d'autres termes, il dénotera un être renfermé, « cassant », brutal et égoïste.
Chez lui, la destinée restera telle qu'elle est, depuis sa naissance jusqu'à la fin de ses jours, comme c'est le cas pour le médius long, avec cette différence que, chez ce dernier, la modification sera comparativement moins pénible.

MÉDIUS SOUPLE

252. Le médius souple révélera un sujet de caractère sociable, gai et enjoué, qui aura la possibilité de modifier sa mauvaise destinée par la persévérance et la force de volonté. Le médius souple révèle aussi une adaptation facile.

LES PHALANGES DU DOIGT DE SATURNE

253. Les révélations des phalanges du doigt de Saturne sont au moins aussi importantes que celles des autres doigts. Le chirologue ne

doit donc jamais négliger de les détailler lors de l'étude des indices des mains.
Je signalerai un fait que tout le monde connaît, mais qui échappe souvent à l'attention. Le médius est le doigt le plus long et le plus saillant. Ce seul fait, qui est significatif, doit suffire à susciter la curiosité professionnelle.

TROISIÈME PHALANGE

254. Longue, la troisième phalange du doigt de Saturne indiquera une patience remarquable et un esprit de calcul excessif dans tous les domaines, surtout dans le domaine des choses matérielles.
Courte, elle annoncera économie, mais une économie raisonnée.
Épaisse, la troisième phalange du médius sera signe de matérialisme et, en même temps, de sociabilité.
Sèche, elle indiquera l'esprit de recherche.

DEUXIÈME PHALANGE

255. Longue, la deuxième phalange du doigt de Saturne révélera un goût assez marqué pour les sciences.
Courte, elle indiquera indifférence et incapacité de se livrer à des études minutieuses.
Épaisse, la deuxième phalange du médius indiquera une prédisposition aux travaux manuels, mais non intellectuels.
Sèche, l'aptitude aux travaux intellectuels plutôt que manuels.

PREMIÈRE PHALANGE

256. Longue, la première phalange du médius évoquera le scepticisme ou, tout au moins, un excès de prudence et de réserve.
Courte, elle révélera un esprit superficiel et insouciant.
Épaisse, vulgarité et matérialisme.
Sèche, la première phalange du doigt de Saturne annoncera orgueil et égoïsme.

CHAPITRE 19

L'Annulaire, Doigt du Soleil

257. La chirologie n'a rien de commun avec l'astrologie. J'écarte donc toutes considérations et interprétations astrologiques. Mais ce fait ne peut pas m'empêcher d'admettre que le nom de « soleil » est très bien choisi pour désigner l'annulaire.

258. Car une similitude quasi totale existe entre les effets du soleil sur l'univers et ceux de l'annulaire sur l'être humain.
L'annulaire, avec ses attributs d'art, de sensibilité et d'idéalisme, agit sur l'homme comme le soleil sur le monde. Sans soleil, tout serait fade, sans goût et sans couleur. Sans art, sans sensibilité et sans idéalisme, la vie humaine deviendrait terne, monotone et sans attrait.

259. D'autre part, il est à remarquer que la conjonction sur le même doigt des attributs d'art, d'idéalisme, de sensibilité et de chance en rehausse avantageusement la valeur révélatrice, et le rend, simultanément, attrayant et intéressant.

ATTRIBUTS ARTISTIQUES

260. Pour procéder méthodiquement, nous retiendrons d'abord, comme première révélation du doigt du soleil, le goût et l'amour de tout ce qui peut être fin, beau, haut et agréable, que nous pouvons résumer en un mot : ART.

L'attirance vers l'art ainsi que la sensibilité, l'inspiration et l'idéalisme, nous les chercherons donc plutôt sur ce doigt et sur son mont, car l'annulaire est, avant tout, ARTISTE.

261. Mais, il faut prendre le mot artiste dans sa signification la plus large, incluant l'amour des belles choses, de la vie luxueuse, un caractère large et même dépensier, et, naturellement, conception et inspiration artistiques, spontanéité ainsi qu'adaptation et assimilation faciles.

262. On doit également attacher une part importante au désir de devenir célèbre, de briller et d'être en vue.

263. La définition du mot artiste ainsi élargie, il nous sera interdit de croire qu'un bon annulaire fera de notre consultant, obligatoirement et uniquement, un artiste de cinéma ou de théâtre.
Il sera et restera un artiste dans l'âme.

ATTRIBUTS DE CHANCE

264. Essayons de regarder aussi le doigt du soleil et son mont (surtout son mont dans ce cas) du côté attributs « chance ». Car l'annulaire révèle également les vicissitudes de notre vie par ses attributs de chance et, suivant le cas, de malchance.
Pour discerner la valeur révélatrice de ce doigt sous cet aspect, je voudrais exposer la considération suivante :
Superficiellement vus, on croirait que la chance et l'esprit artistique sont de nature et d'origine différentes, mais en approfondissant la question nous constaterons qu'il n'en est rien. Les derniers attributs de ce doigt au paragraphe 261 nous édifieront d'ailleurs rapidement. L'esprit artistique comporte également le désir de devenir célèbre, de briller et d'être en vue.
Personne ne contestera que ces éléments psychologiques aideront considérablement le sujet à s'élever, en lui servant de ressort et en le poussant vers l'ascension.
C'est presque sûrement ce dernier fait qui est la cause principale de la localisation des

indices d'esprit artistique et de chance sur le même doigt et son mont.

TEMPÉRATURE ET POUVOIR DE GUÉRISON

265. Pour être à peu près complet dans la description du doigt du soleil, je signalerai les détails suivants :
Le doigt du soleil est le plus chaud des doigts, comme le soleil est l'astre le plus chaud.
Dans le domaine de la maladie, il est de constatation courante qu'en cas d'arthritisme, alors que tous les autres doigts se trouvent déjà déformés ou même tordus, l'annulaire reste presque intact.
Un autre détail curieux, toujours du domaine de la maladie : les Anciens croyaient que ce doigt possédait le pouvoir mystique de guérir, surtout lorsqu'il porte l'anneau de mariage. A cause de cette croyance, les pharmaciens remuaient les préparations avec ce doigt seulement et, à ce jour, il existe des préparateurs en pharmacie qui continuent (sans plus trop y croire).
Cette croyance était si répandue, que ce doigt de guérison, on le passait ou le posait sur la partie atteinte du corps et, suivant le cas, sur le corps malade tout entier.

ANNULAIRE LONG

266. L'annulaire long, plus long que l'index, est très bon signe du point de vue de révélation de goûts et de sensibilité artistiques, à la condition, bien entendu, qu'il ne possède pas les défauts que je signale ci-après.
La personne ayant un annulaire long aura un amour bien marqué pour tout ce qui peut être fin, beau, agréable et luxueux.
Elle sera également un être large et dépensier.
Elle cherchera à devenir célèbre et à être vue.
Un esprit observateur remarquera que la personne possédant un annulaire long ressentira, très souvent, le besoin d'y toucher par le pouce de la même main. Il y a matière à réflexion dans ce geste spontané et irrésistible.
L'annulaire long étant artiste et le pouce

source d'activité, d'énergie et de volonté, je suis tenté d'en déduire que ce geste est l'indice d'une constitution psychique entièrement pénétrée de sensibilité artistique.

ANNULAIRE MOYEN

267. Celui qui possède un annulaire moyen (ne dépassant pas la longueur de l'index) n'aura sûrement pas la même exquise sensibilité artistique que l'on trouve chez l'annulaire long. Mais il ne sera pas entièrement dépourvu de goût, de spontanéité et d'inspiration.
Dans la plupart des cas, cependant, l'annulaire moyen annoncera une personne plutôt réaliste, préférant les choses concrètes et ne s'intéressant qu'aux faits pouvant procurer un résultat tangible.
L'annulaire moyen n'a pas tendance à « rêver » souvent.

ANNULAIRE COURT

268. L'annulaire court révélera, obligatoirement, des aptitudes tout à fait contraires à celles que possède l'annulaire long.
Chez la personne possédant un annulaire court, ne perdez pas votre temps à chercher de la sensibilité artistique, de l'idéalisme et de l'inspiration.
Elle aura des instincts ordinaires et parfois vulgaires.

ANNULAIRE ÉPAIS

269. L'annulaire épais est matérialiste, et n'aime que les choses de cette terre.
Même long, donc artiste, il ne s'occupera d'art que pour le profit matériel qu'il pourra en tirer, ou, tout au plus, pour satisfaire sa vanité. Le seul fait en sa faveur est qu'il préférera l'art aux autres métiers.
Vous serez de mon avis si vous regardez l'annulaire de certaines femmes, soi-disant artistes en vue, mais qui ne présentent d'autres valeurs que la beauté, la forme ou tout simplement les formes. Les femmes de cette catégorie ont l'annulaire au moins aussi épais

que les autres doigts, et ne dépassant jamais l'index.

ANNULAIRE MINCE

270. L'annulaire mince révélera une sensibilité artistique de très haut degré.
L'annulaire mince, s'il est en même temps lisse, souple et long, annoncera un vrai artiste idéaliste. Il dénotera, également, spontanéité et inspiration, ainsi qu'adaptation et assimilation faciles.

ANNULAIRE SOUPLE

271. L'annulaire souple indique une adaptation et une assimilation faciles.

ANNULAIRE RAIDE

272. La personne possédant un annulaire raide aura la conception difficile et ne s'écartera que rarement des règles déjà connues et admises. Elle n'aura pas de spontanéité ni d'inspiration.

ANNULAIRE LISSE

273. Le vrai don de l'inspiration artistique, on ne le trouvera que chez l'annulaire lisse, surtout s'il est souple, mince et long.
D'ailleurs, les doigts lisses, en général, révèlent toujours spontanéité, goûts fins, idéalisme et un penchant bien prononcé pour tout ce qui peut être beau, fin et sublime. Ils annoncent également un esprit imaginatif.

ANNULAIRE NOUEUX

274. La personne dont l'annulaire est noueux n'aura sûrement pas le même don d'inspiration et de sensibilité artistiques que l'annulaire lisse. Elle n'aura pas non plus de spontanéité. Mais elle sera méthodique, et aura de l'ordre dans son travail et ses productions. De plus, elle aura du style et s'intéressera à l'art comme on s'occupe d'une science.

RÉVÉLATIONS DE CHANCE

275. Quant aux révélations de ce doigt concernant les faits de chance, je suis d'avis que l'on doit obligatoirement examiner d'abord son mont (mont du Soleil) et faire une synthèse, en considérant les signes et les lignes s'y trouvant, ainsi que sa consistance et son étendue.

PHALANGES DE L'ANNULAIRE

276. Les révélations attachées aux phalanges de l'annulaire auront forcément un lien étroit avec les attributs de ce doigt.

277. Nous y trouverons donc non seulement le goût, l'attrait de l'art ou l'inspiration artistique, mais aussi leurs exagérations ou même leur dégénérescence : vanité, avidité, plaisirs sensuels ou matériels, etc.

TROISIÈME PHALANGE

278. Longue, la troisième phalange de ce doigt révélera un désir irrésistible de publicité personnelle, donc la vanité. Elle révélera aussi l'avidité ; avidité de richesse, comme de situations élevées. Si le doigt, dans son ensemble, est artiste, l'être cherchera sans relâche à devenir une vedette, et il y arrivera sûrement s'il n'existe pas d'indices maléfiques.
Courte, elle indiquera absence de vanité et désintéressement quasi total.
Épaisse, elle dénotera un matérialiste et une personne se croyant, à tort, artiste.
Sèche, c'est l'artiste réaliste.

DEUXIÈME PHALANGE

279. Longue, la deuxième phalange aura du talent et de l'originalité. Elle aura, en plus, du sérieux ; elle ne voudra donc pas s'occuper de l'art superficiel ou fantaisiste.
Courte, elle ne pourra qu'imiter ou bien mettre en application les productions d'autrui.
Épaisse, elle sera réaliste, et n'aura pas la capacité de productions artistiques. Elle manquera aussi d'originalité.

Sèche, elle dénotera une intellectualité plutôt qu'un réalisme.

PREMIÈRE PHALANGE

280. Longue, la première phalange de l'annulaire annoncera finesse d'esprit, amour bien prononcé pour l'art, mais pour l'art vrai.
Courte, elle pourra, suivant le cas, révéler un artiste, mais un artiste ne possédant pas un esprit productif.
Épaisse, elle sera plutôt sensuelle que sensible ; elle aimera surtout ce qui est bon et agréable.
Sèche, elle dénotera une sensibilité bien accentuée.

CHAPITRE 20

Le Petit Doigt - L'Auriculaire
Doigt de Mercure

281. Avec l'auriculaire, nous arrivons au dernier et au plus petit des doigts que l'on appelle familièrement, et à juste titre, le petit doigt.
Mais, du point de vue de la révélation chirologique, est-il vraiment aussi petit qu'on veut bien le dire ?
A cause de sa taille, on le considère souvent comme un élément négligeable, et c'est tout juste si, lors de l'examen d'une main, on y jette un coup d'œil rapide. Car on pense que cet insignifiant petit doigt ne doit pas révéler grand-chose.
Nous verrons à quel point ont tort ceux qui le dédaignent.

EXPÉRIENCES

282. Avant tout, je demanderai au lecteur de faire les deux expériences suivantes, qui indiqueront mieux que de longues explications la place qu'occupe l'auriculaire dans la vie pratique :
Premier essai : posez sur une table très lisse une aiguille fine et essayez de l'attraper entre le pouce et l'index. Pendant que vous cherchez à la saisir, regardez votre petit doigt. Vous constaterez deux faits qui n'en font d'ailleurs qu'un. Le premier sera que, pendant

tout le temps où vous vous efforcerez de saisir l'aiguille, votre petit doigt bougera sans cesse ; il s'écartera considérablement de l'annulaire, s'en rapprochera, se rejettera en arrière puis se penchera en avant, etc. En un mot, il s'agitera, s'énervera et n'aura de cesse que vous n'ayez attrapé l'aiguille. Le second détail que vous ne manquerez pas de remarquer est que, pendant que vous vous appliquiez à saisir l'aiguille, il vous était très difficile de tenir le petit doigt accolé à l'annulaire.
Pourquoi cette agitation du petit doigt pendant que l'on exécute un travail demandant finesse, adresse, dextérité et même ruse ? Il est à remarquer que les autres doigts, pendant ce temps, restaient calmes et indifférents à l'opération.
Deuxième essai : pliez tous vos doigts dans la paume et posez sur eux votre pouce. Le pouce, qui est le chef et le maître des doigts, prendra immédiatement sous sa domination les deux premiers doigts et, avec un peu d'effort, le troisième aussi. Mais vous verrez qu'il n'arrivera presque jamais à soumettre à sa volonté l'insignifiant, le petit, le tout petit doigt.
Ce dernier exercice indique que le petit doigt peut ne pas se soumettre à la volonté du pouce et, suffisamment débrouillard, peut se tirer d'affaire tout seul. J'irai même encore plus loin : en cas d'insuffisance de constitution des autres doigts, et même de celle du pouce (ce qui n'est pas à souhaiter), un bon auriculaire nous permettra quand même de nous frayer un chemin dans la vie et d'arriver à notre but.
On voit maintenant à quel point on aurait tort de considérer comme élément négligeable l'un des doigts les plus significatifs de la main.

ATTRIBUTS DE L'AURICULAIRE

283. En se basant sur l'étymologie du mot auriculaire (du latin *auricula,* petite oreille), Larousse dit : « Le petit doigt de la main est

ainsi nommé parce que sa petitesse permet de l'introduire dans l'oreille. »
Pour les besoins de la cause, je modifierai cette définition et je dirai : « Le petit doigt est ainsi nommé parce qu'il a de l'oreille », et j'ajouterai même : « il a aussi de l'œil et une langue », car, à mon avis, un bon auriculaire est « oreille », « oeil » et « langue ». Il entend tout, il voit tout et possède une conversation facile, agréable et persuasive.

ATTRIBUTS DE MERCURE

284. Je ne dois pas manquer de mentionner aussi que l'auriculaire est également appelé « doigt de Mercure ».
Chacun sait que Mercure est le dieu de l'éloquence, des commerçants et des voleurs. L'auriculaire cumule donc tous les attributs énoncés dans ces deux derniers paragraphes.

AURICULAIRE LONG

285. L'auriculaire long (comme, d'ailleurs, tous les doigts longs) possède un esprit de réflexion mais, malgré cela, il est vif et toujours en éveil.
Il saisit et il voit rapidement les plus subtiles nuances des paroles et des faits. Il a la réplique facile et immédiate ; ayant également du savoir-faire, il arrivera toujours à se tirer d'affaire dans les circonstances les plus compliquées et les plus difficiles de la vie.

AURICULAIRE COURT

286. L'être à l'auriculaire court ne réfléchit pas beaucoup, et ceci lui fait souvent tort.
Ayant plus de « ressort » que la personne possédant un auriculaire long, il est très impulsif, à tel point qu'il risque souvent de commettre des gaffes et des erreurs qui peuvent lui être très nuisibles.
Il aura, cependant, l'assimilation rapide et un bon flair commercial. Mais, pour le placer convenablement, il faut dire que, si l'auriculaire long pourra devenir un bon industriel, un négociant ou un orateur, l'auriculaire

court fera un très utile et très appréciable collaborateur, à la condition toutefois de le freiner et de le diriger.

AURICULAIRE SOUPLE

287. L'auriculaire souple indiquera finesse, subtilité et sociabilité.
Ces qualités lui confèrent beaucoup de savoir-faire, de diplomatie et de dextérité. L'homme ayant un auriculaire souple saura dénouer les situations et les affaires les plus compliquées. Il pourra réussir là où l'homme à l'auriculaire raide échouera sûrement.

AURICULAIRE RAIDE

288. Car la personne ayant l'auriculaire raide manquera de subtilité, de sociabilité et de souplesse. Elle manquera, par conséquent, de tact et de diplomatie, sera inflexible, arrogante et insociable.

AURICULAIRE MINCE

289. L'auriculaire mince pourra indiquer une débilité physique. Mais il est plutôt l'indice d'adresse et de finesse.
Ne perdez pas de vue, cependant, que l'excès de finesse devient « ruse ». L'être dont l'auriculaire est mince d'une manière frappante sera donc un rusé et un fourbe.

AURICULAIRE ÉPAIS

290. L'auriculaire épais ne sera pas exempt de ruse. Mais sa ruse n'aura jamais la même finesse que celle de l'auriculaire très mince.
Celui qui possède un auriculaire épais sera imprégné de vulgarité ; il mentira grossièrement et sera exagérément avide de gain. A cause de cela il ne pourra même pas voiler sa fourberie et sa mauvaise foi, et sera capable de commettre un vol.

AURICULAIRE NOUEUX

291. Les noeuds à l'auriculaire sont de bons signes. L'être à l'auriculaire noueux sait ce

qu'il veut, ce qu'il fait et ce qu'il dit. Il a « du plomb dans la tête ».
Il pourra donc devenir un très bon industriel ou commerçant. Il pourra également devenir un très bon orateur, non pas de ces orateurs qui parlent agréablement disant ce que l'on a envie d'entendre, mais un orateur habile et persuasif. Il saura trouver les mots et les phrases, et les prononcer au moment propice. S'il est, par exemple, avocat, il obtiendra un acquittement non pas en faisant bonne impression sur le jury mais en lui inculquant la conviction de l'innocence de son client.

AURICULAIRE MAL FAIT

292. L'auriculaire (comme tous les autres doigts, d'ailleurs) ne doit pas être mal fait, tordu ou tortillé.
L'auriculaire mal fait révèle mensonge, ruse et avidité.
Ces défauts seront plus ou moins aggravés, ou plus ou moins atténués, suivant la consistance et les dimensions de ce doigt.
Si l'auriculaire mal fait sort visiblement de l'alignement des autres doigts et penche nettement vers l'intérieur de la main, il annoncera une personne pour qui seul compte l'intérêt et qui sera capable de faire n'importe quoi pour de l'argent. S'il n'existe pas des indices d'intelligence et de finesse dans les mains, vous pouvez prédire l'éventualité d'emprisonnement pour escroquerie et même pour vol.

LES PHALANGES DE L'AURICULAIRE

293. Les phalanges d'un doigt aussi significatif que l'auriculaire ne pouvant être dépourvues de révélations importantes, on aurait tort de les négliger lors de l'examen des mains. Je pense même que nous devons les examiner avec un peu plus d'intérêt que celles des autres doigts.

TROISIÈME PHALANGE

294. Longue, la troisième phalange de l'auriculaire annoncera ruse et mensonge.

Courte, elle indiquera une personne incapable de fourberie.
Épaisse, elle dénotera un net penchant pour les satisfactions purement matérielles ou physiques.
Sèche, c'est le calcul excessif. L'être dont la troisième phalange de l'auriculaire est sèche agira toujours par calcul dans tous les domaines, tant matériel que sentimental.

DEUXIÈME PHALANGE

295. La deuxième phalange de l'auriculaire, longue, appartiendra à une personne très réaliste, née pour le commerce, et qui ne verra que le côté pratique et profitable des choses.
Courte, elle appartiendra à un bon employé plutôt qu'à un commerçant.
Épaisse, elle indiquera une personne vulgaire, cherchant à gagner de l'argent par n'importe quel moyen.
Sèche, c'est l'industriel ou le commerçant qui sait gagner, mais qui sait aussi perdre, les pertes n'ayant aucun effet décourageant sur lui.

PREMIÈRE PHALANGE

296. Longue, la première phalange de l'auriculaire révélera éloquence et aptitude aux réalisations industrielles ainsi qu'à l'étude des sciences.
Courte, elle indiquera une intelligence lourde et un manque d'éloquence.
Épaisse, elle sera l'indice de grossièreté, de manque d'honnêteté et d'absence de finesse d'esprit.
Sèche, elle annoncera une capacité de conversation facile, agréable et persuasive.

CHAPITRE 21

Les Monts dans la Main

297. Pour appliquer rationnellement notre principe fondamental concernant la façon d'examiner les mains, nous ne pouvions faire, jusqu'ici, autrement que de nous occuper des éléments révélateurs se trouvant en dehors de la paume, et que nous avons réunis sous l'expression globale : « aspect général des mains ».
Nous envisageons maintenant l'étude des indices se trouvant à l'intérieur, donc dans la paume de la main.
Dans la paume, trois catégories distinctes d'éléments pourront retenir l'attention du chirologue :

A. Des éminences que l'on appelle « monts » ;
B. Des lignes ;
C. Des signes.

A cause de leur importance capitale, nous étudierons ces trois éléments séparément et en détail dans des chapitres indépendants.
Nous commencerons ici l'étude des monts.
Il existe sept monts dans la paume, dont cinq à la base même de chacun des cinq doigts et les deux autres vers la percussion de la main.
Les monts se trouvant à la base des doigts prennent le nom du doigt correspondant, mais on les désigne également par le nom d'une planète.

Les monts s'appellent donc comme suit (*fig. 18*) :
— le mont du pouce, ou le mont de Vénus, ou encore Éminence Thénar ;
— le mont de l'index, ou le mont de Jupiter ;
— le mont du médius, ou le mont de Saturne ;
— le mont de l'annulaire, ou le mont du Soleil ;
— le mont de l'auriculaire, ou le mont de Mercure ;
— le mont de Mars ;
— le mont de Lune, ou Éminence Hypothénar.
Pour ne pas avoir à me répéter à l'occasion de l'étude de chacun des monts, je voudrais que l'on retienne dès maintenant les dispositions des paragraphes suivants qui sont communes à tous les monts sans exception.

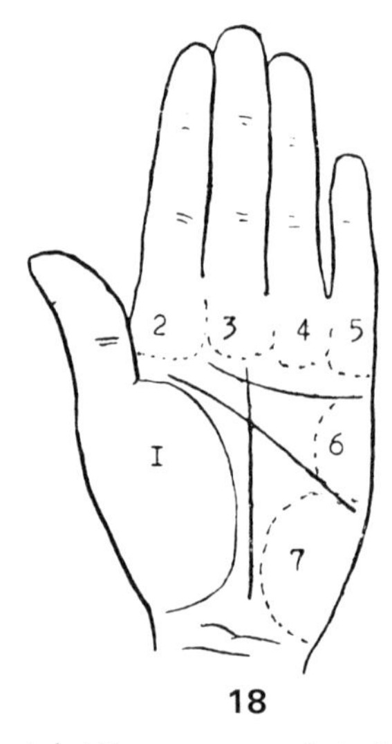

18

1. Le Mont de Vénus. *2. Le Mont de Jupiter*
3. Le Mont de Saturne. *4. Le Mont de Soleil*
5. Le Mont de Mercure. *6. Le Mont de Mars*
7. Le Mont de Lune

RELATIONS ENTRE DOIGT ET MONT

298. Du point de vue révélation, les doigts et les monts sont intimement liés, et à un tel degré que l'on pourra presque dire qu'ils forment un tout indivisible.
Par conséquent, pour interpréter correctement les révélations des doigts et des monts, il faudra prendre la totalité des indices se

trouvant aussi bien sur les uns que sur les autres.

299. Mais il faudra remarquer que le mont est plus agissant que le doigt.

C'est-à-dire que c'est le mont qui pourra augmenter ou diminuer la valeur du doigt.

Si, par exemple, un bon doigt possède un bon mont, sa signification sera considérablement renforcée. Au cas où un doigt serait déficient mais posséderait un bon mont, la supériorité de ce dernier comblera le déficit du premier. Par contre, si le doigt est bon mais son mont défectueux, non seulement la valeur individuelle de ce dernier sera diminuée mais il entraînera aussi celle du doigt en la diminuant dans la proportion de sa déficience.

LES RAIES SUR LES MONTS

300. Les raies sur les monts augmentent la signification de ces derniers.

Sur un bon mont, les raies exalteront la révélation de ses attributs, et sur un mont déficient elles en répareront la déficience.

301. Mais, lorsqu'un mont se trouve exagérément déficient (mont plat, surtout mont creux), les raies ne pourront agir que comme excitant et même, suivant le cas, elles révéleront les mauvais attributs du mont sur lequel elles se trouvent.

MONT IDÉAL

302. Pour qu'un mont soit considéré comme bon et comporte sa pleine signification, il doit être conforme aux conditions suivantes :

A. Il doit se trouver exactement à sa place, c'est-à-dire à la base même de son doigt, et ne pas être déplacé à droite ou à gauche ;

B. Il doit être suffisamment en saillie ; il ne doit pas être plat, et surtout pas creux ;

C. Il doit être suffisamment consistant, donc ni mou ni trop dur ;

D. Il doit être suffisamment large, occupant entièrement l'emplacement qui lui est propre ; sans, cependant, par ses dimensions excessives, déborder sur les autres monts.

LE MONT LE PLUS VISIBLE

303. En ouvrant une main pour examiner les indices s'y trouvant on doit, avant tout, s'occuper des monts, non pas dans le but de déceler leurs révélations individuelles mais surtout pour voir lequel d'entre eux est le plus important par sa proéminence, son étendue et sa consistance.

Car si un mont est nettement supérieur aux autres, il dominera, par ses attributs, toute la constitution psychique de notre consultant, les attributs des autres monts venant en deuxième lieu mais ne se trouvant pas cependant diminués uniquement de ce fait.

Par exemple, si le mont de l'ambition (le mont de l'index) est beaucoup plus important que les autres chez notre consultant, c'est l'ambition qui dominera. Il sera, avant tout, un ambitieux. Si d'autres indices bénéfiques viennent s'y greffer, de grandes réussites et de très hautes ascensions lui seront réservées.

Lorsqu'on jette un coup d'œil hâtif sur la paume des grandes personnalités (politiques ou autres) qui sont arrivées au sommet de leur carrière, on a l'impression qu'il n'y existe que le mont de Jupiter, ce dernier étant nettement plus étendu et plus proéminent que les autres. Personnellement, j'ai souvent eu l'occasion de constater ce fait.

Pour éviter, cependant, toute mauvaise interprétation je dirai encore une fois que la prédominance d'un mont n'entraîne pas forcément la diminution de la valeur des autres.

Autrement dit : si, par exemple, l'ambition domine chez un être, cela ne signifie pas qu'il sera dépourvu d'intelligence, de persévérance, d'aptitude aux études et aux sciences, etc.

Bien au contraire, on constate souvent dans la vie pratique que ces qualités vont de pair avec l'ambition. L'homme foncièrement ambitieux ne négligera jamais son instruction et cherchera sans relâche à se perfectionner. On connaît d'ailleurs plusieurs cas d'hommes d'origine très modeste, et presque sans instruction, arrivés à des situations très élevées par la seule force de leur volonté et, si je puis m'exprimer ainsi, à la force du poignet.

CHAPITRE 22

Le Mont du Pouce

LE MONT DE VÉNUS, L'ÉMINENCE THÉNAR

304. Le mont du pouce est appelé également « mont de Vénus », ainsi que « Éminence Thénar ». Mais l'expression de mont de Vénus étant la plus employée, je l'appelle souvent par ce nom.

305. Comme nous l'avons déjà dit, les monts de tous les doigts doivent se trouver à leur base, dans la paume. Mais en ce qui concerne le mont du pouce, exceptionnellement, il est confondu avec la troisième phalange de ce doigt en l'englobant entièrement, de façon que le pouce donne l'impression de ne posséder que deux phalanges.

306. Une autre particularité très importante attachée à ce mont est que, toutes choses égales, il est indiscutablement le mont le plus agissant. Son influence se répercute non seulement sur tous les autres monts, mais aussi sur tous les doigts, y compris le pouce.
Si le pouce domine les autres doigts, le mont du pouce (le mont de Vénus) domine l'ensemble des monts et des doigts.
Le rayonnement de son influence est tellement vaste et tellement important qu'il peut même modifier, parfois profondément, les révélations de tous les monts, de tous les doigts et même des lignes.

307. Par conséquent, après avoir fait une première inspection générale des monts (suivant paragraphe 303), on doit s'occuper immédiatement du mont de Vénus, et en priorité.

CONSTITUTION

308. Un bon mont de Vénus doit être de constitution conforme aux conditions mentionnées au paragraphe 302 (voir obligatoirement ce paragraphe). En plus de ces détails de constitution, il doit porter un nombre restreint de raies légères. Il ne doit pas être abondamment rayé ni présenter de lignes profondément creuses.

DIMENSIONS

309. Les dimensions du mont de Vénus sont délimitées par la ligne de vie. La ligne de vie est celle qui part de l'espace se trouvant entre le pouce et l'index. Elle décrit un demi-cercle dans la paume et puis se courbe pour aller aboutir vers la base de la troisième phalange du pouce.

19

310. Ce mont sera donc considéré comme suffisamment large lorsque la ligne de vie commencera au milieu de l'espace qui sépare le pouce de l'index et, continuant son trajet, tracera un large arc allant presque jusqu'au centre de la paume et se courbant ensuite *(fig. 19)*.

Il sera, par contre, considéré comme étroit lorsque la ligne de vie commencera à la racine de la deuxième phalange du pouce et ne tracera dans la paume qu'un demi-cercle étroit et rétréci *(fig. 20)*.

20

ÉTENDUE

311. Comme conclusion pratique des explications du paragraphe précédent, un bon mont de Vénus doit occuper environ le tiers de la paume.

MONT IDÉAL

312. Un bon mont de Vénus (conforme au paragraphe 308) sera, d'une part, l'indice

d'une bonne vitalité et d'énergie, et, d'autre part, révélera une personne capable d'« aimer ».
Mais croire que le mont de Vénus indique uniquement l'amour charnel serait une erreur grossière, bien que très répandue.
Il faut prendre le mot « amour » dans son sens le plus large, incluant forcément l'amour sensuel. Car, outre l'amour charnel, ce mont est le siège de tous les autres amours : amour familial, amitié, altruisme et philanthropie, et même amour religieux. En d'autres termes, ce mont indiquera la vitalité de l'affectivité.

313. Les révélations mentionnées dans le paragraphe précédent confirment l'éloge que j'ai fait du mont de Vénus au paragraphe 306. Car, dans la vie réelle, que peut-on attendre des attributs, même excellents, des autres monts ou de tous les doigts et même de toutes les lignes, s'il manque chez l'individu la vitalité, l'énergie et une âme capable d'amour et de passion ? Dans ce dernier cas, on se trouvera en présence d'une personne qui possédera peut-être de nombreuses qualités mais qui sera un être égoïste, passif et incapable d'agir.

TRÈS DÉVELOPPÉ

314. Un mont de Vénus très développé annoncera un excès de passion, d'énergie et de vitalité. Et si le mont de Vénus très développé est en même temps dur, il indiquera trop de passion, trop d'énergie et même de la brutalité.

20

ÉTROIT

315. Un mont de Vénus étroit dénotera, d'une part, une insuffisance de passion, d'énergie et de vitalité, et, d'autre part, s'il s'agit d'une femme, difficulté d'accouchement *(fig. 20).*

FAIBLE

316. Faible, plat ou mou, le mont de Vénus indiquera un manque, ou au moins une insuffi-

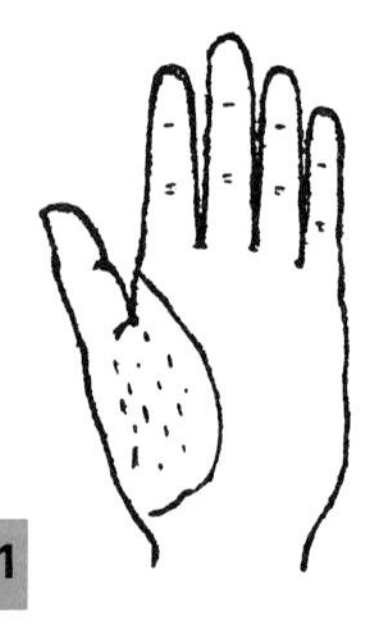

21

sance extrême d'énergie, de vitalité et de passion.

AVEC RAIES

317. Nous avons vu au paragraphe 308 qu'un mont de Vénus doit comporter de légères raies, car ces dernières augmenteront la valeur des révélations de ce mont *(fig. 21).*

318. Tant que ces raies seront peu nombreuses et peu profondes, elles seront de bon augure. Mais, si le mont de Vénus est très rayé et porte des lignes assez profondes, il révélera une passion excessive. Il annoncera une personne continuellement en état d'excitation, s'exaltant à la moindre occasion.

319. Sans raies (ou très peu), ce mont de la passion annoncera calme et modération, philanthropie et charité.

AVEC GRILLES

320. La « grille », quel que soit son emplacement, doit être considérée comme un mauvais signe. Lorsqu'elle se trouve sur un mont elle exalte exagérément les qualités de ce dernier qui se transforment, forcément, en défauts. Par exemple, sur le mont de l'imagination (le mont de Lune), la surexcitation qu'elle produira conduira à une imagination excessive et même maladive.
Il est donc facile de deviner l'effet qu'elle créera lorsqu'elle se trouvera sur le mont d'amour (le mont de Vénus). Sa présence annoncera un vicieux, un corrompu et un lascif *(fig. 22).*

22

CROIX ET ÉTOILES

321. Les révélations des croix et des étoiles sur ce mont se trouveront foncièrement modifiées suivant leur emplacement.
Mais, avant même de les étudier, je tiens à dire qu'une croix et une étoile, pour être considérées comme telles, doivent être nettement et parfaitement dessinées. Cette affirmation est également valable pour tous les autres signes quels qu'ils soient. La réunion de

quelques faibles signes faisant simplement l'impression d'une croix ou d'une étoile doit donc être délaissée. Je dois même ajouter que cet enchevêtrement confus de lignes devra être pris pour une grille, suivant le cas *(fig. 23).*

23

322. Un autre détail à retenir est que la croix et l'étoile ont approximativement la même valeur, avec la différence que l'étoile est plus agissante et son effet plus rapide.
Dans les cas où il faudra attribuer une signification particulière assez différente de celle que je viens d'énoncer, je traiterai les croix et les étoiles individuellement. Mais, partout ailleurs où je ne parlerai, par exemple, que d'étoile et où on trouvera à sa place une croix, on saura que cette dernière aura la même signification que l'étoile, mais amoindrie et moins agissante.

323. Une étoile se trouvant à la base même de la deuxième phalange du pouce (mais en dehors du mont de Vénus) est signe de malheur en amour.

324. Est également signe de malheur en amour l'étoile qui se trouve tout à fait en bas du mont de Vénus, à la condition qu'elle soit indépendante et non reliée à l'extrémité de la ligne de vie. Nous verrons ce dernier cas lors de l'étude de la ligne de vie.

325. Une seule étoile se trouvant au centre du mont de Vénus annoncera bonheur en amour. Mais si, à sa place, il existe simplement une croix, elle révélera amour unique.
Pour ce dernier cas, certains auteurs disent qu'il est également signe d'amour malheureux. Personnellement, je ne suis pas de cet avis. Je la considère comme indice maléfique au cas seulement où une ligne s'y trouve accrochée. (Voir, à ce sujet, les paragraphes 337, 338 et 339.)

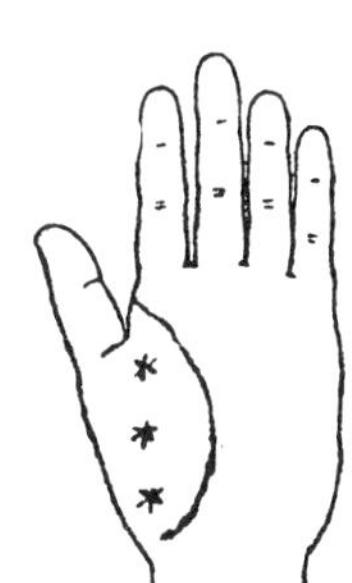

24

326. Mais si, au lieu d'une seule étoile ou d'une seule croix sur ce mont, il en existe plusieurs, cela sera de mauvais augure.
La multiplicité des croix et des étoiles sur le mont de Vénus sera le signe de mort de parents ou de personnes chères *(fig. 24).*

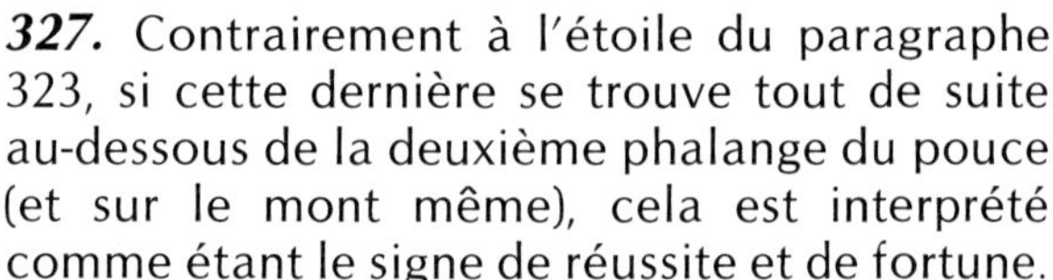

327. Contrairement à l'étoile du paragraphe 323, si cette dernière se trouve tout de suite au-dessous de la deuxième phalange du pouce (et sur le mont même), cela est interprété comme étant le signe de réussite et de fortune.

328. Pour faciliter l'assimilation des révélations des trois signes ci-dessous, je dirai que le carré est signe de protection, le triangle révèle calcul et capacité, et l'île indique défaillance physique ou morale. La différence dans la présentation de l'île et du triangle est que ce dernier possède des angles bien nets.

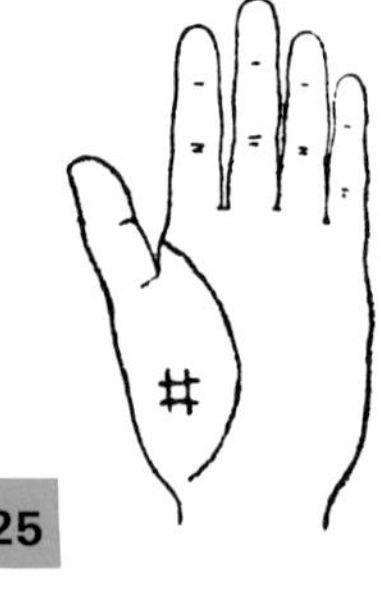

25

CARRÉ

329. Le carré, signe de protection, s'il se trouve sur le mont de Vénus, révélera le souci de se « protéger » contre les inconvénients possibles « d'aimer ». Donc, les personnes qui porteront ce signe sur le mont de Vénus resteront longtemps célibataires, et parfois même toute leur existence *(fig. 25).*

TRIANGLE

330. Le triangle sur le mont de Vénus révélera une personne qui fera toujours intervenir « le calcul » en amour et qui saura « monnayer » ses charmes.

En lisant cette définition, on pensera immédiatement, j'en suis sûr, aux femmes se livrant à la prostitution. Eh bien, permettez-moi de dire qu'en raisonnant ainsi on fera fausse route. Car on ne trouvera pas toujours un triangle sur le mont de Vénus de ces femmes ; ces dernières sont comparativement moins matérialistes et relativement plus probes que certaines femmes qui, sous le masque de l'honnêteté, se glissent dans la vie des hommes pour s'emparer de leur fortune, et les tuer moralement par le venin de leur infidélité *(fig. 26).*

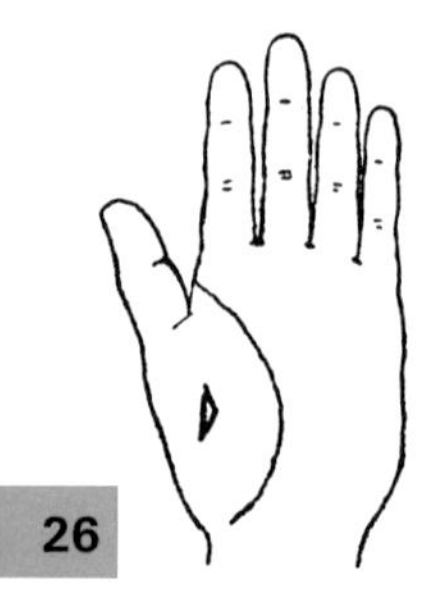

26

27

ÎLE

331. L'île, qui est signe de défaillance morale ou physique, indiquera l'adultère lorsqu'elle se trouvera sur le mont de Vénus *(fig. 27).*

TROUS

332. Les trous, ainsi que les points bleuâtres ou noirâtres, sont toujours de mauvais augure partout où ils peuvent se trouver (sur les monts comme sur les lignes). Sur le mont de Vénus, ces indices révéleront accidents ou maladies *(fig. 28).*

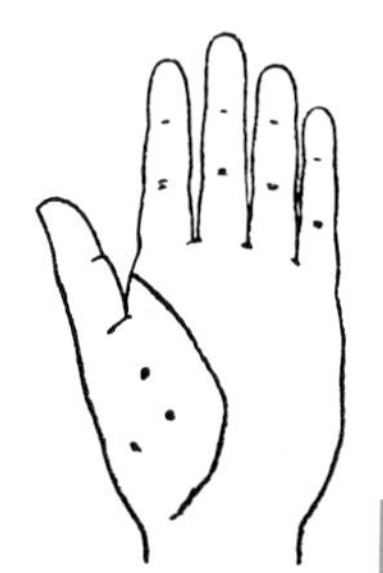

28

LIGNES SUR ET SOUS LE POUCE

333. Les lignes faisant le tour de la base de la deuxième phalange du pouce (en dehors du mont de Vénus) sont interprétées comme étant des signes de danger de mort par accident ou assassinat *(fig. 29).*

334. Mais, si ces lignes circulaires se trouvent un peu plus bas, sur le mont de Vénus même, encerclant la partie supérieure de la troisième phalange du pouce, elles seraient signes d'héritage, et l'importance de cet héritage serait en proportion du nombre des lignes : s'il existe, par exemple, quatre lignes, il s'agirait d'un héritage très important, et s'il n'en existe que trois ou deux, l'importance de l'héritage sera diminuée en conséquence *(fig. 30).*

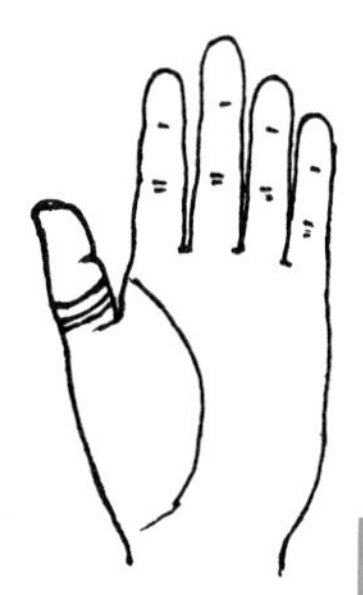

29

LIGNES TRÈS PROFONDES

335. Des lignes très profondes (nettement plus profondes que toutes les autres) peuvent partir presque de la base de la deuxième phalange du pouce et se diriger vers le centre de la paume (sans traverser la ligne de vie). Ces lignes sont des signes de profonds chagrins dans le passé, comme perte de personnes très chères (parents, époux, etc.) ou amour tragiquement malheureux. Le nombre de chagrins ressentis sera en proportion directe de celui de ces signes *(fig. 31).*

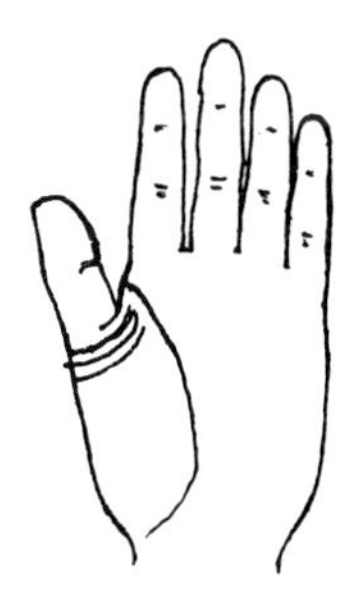

30

LIGNES DE DÉBAUCHE

336. Sur le mont de Vénus on rencontrera parfois une ou plusieurs lignes qui partent presque du point de départ de la ligne de vie, mais au cours de leur trajet elles s'en écartent

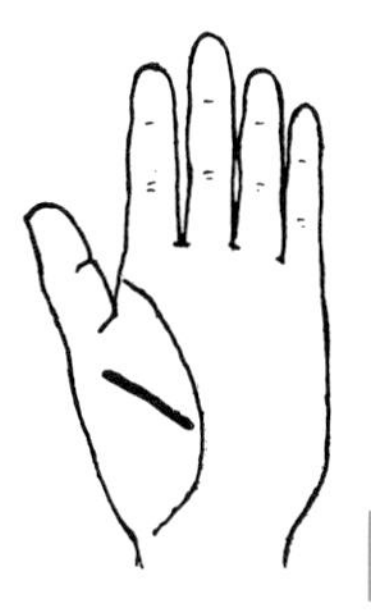

31

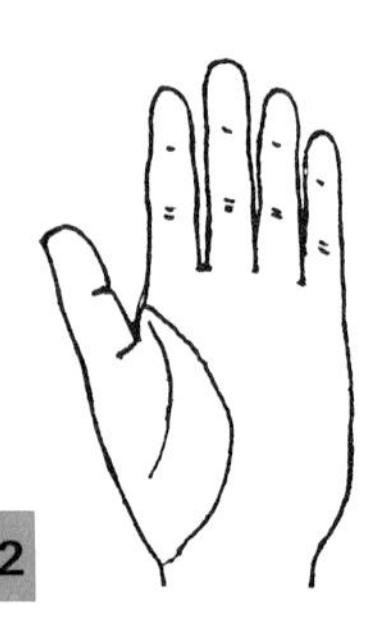

32

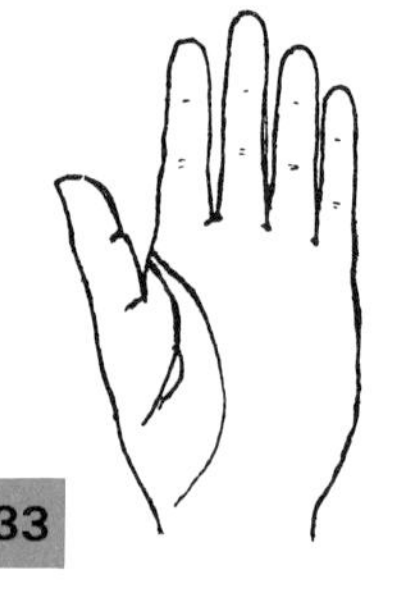

33

et se dirigent vers le milieu de la troisième phalange du pouce.
Ces lignes sont les signes d'un esprit de débauche mais, si une île se trouve accolée à l'une de ces lignes, elle sera effectivement le signe de débauche et d'adultère *(fig. 32 et 33).*

LIGNES PARTANT DU MONT DE VÉNUS

337. Des lignes qui, partant du mont de Vénus et coupant la ligne de vie, pénètrent dans la paume, apportent des modifications dans le cours normal de la vie. Ces modifications sont mentionnées en détail au chapitre 45, sous le titre « les lignes de modification ».

LIGNES DE VEUVAGE

338. Si une ligne, comme au paragraphe ci-dessus, part d'une croix se trouvant sur le mont de Vénus et coupe la ligne de tête, elle révélera un veuvage. (Pour de plus amples renseignements, voir « Veuvage ».)

LIGNES DE MÉSENTENTE ET DE DIVORCE

339. Si une ligne, partant du mont de Vénus, arrive jusqu'à la ligne de tête et qu'une croix se trouve à son extrémité, elle sera le signe de mésentente conjugale grave, qui pourra se terminer par le divorce. Cette croix pouvant se trouver à l'extrémité de cette ligne, ou un peu plus bas ou un peu plus haut. (Pour les lignes de divorce, voir « Divorce et séparation ».)

CHAPITRE 23

Le Mont de l'Index
Le Mont de Jupiter

340. Avec ses attributs d'ambition, de réussite, d'ascension et de riche mariage, le mont de Jupiter devient effectivement très attrayant.

341. Le mont de Jupiter est la proéminence qui se trouve dans la paume, immédiatement à la base du doigt de Jupiter (l'index) *(fig. 18, page 98).*

Cette façon de situer ce mont, ainsi que tous les autres monts, n'est, évidemment, que théorique et n'indique que *l'emplacement* qu'un mont doit normalement occuper.

Car, dans la pratique, on trouvera difficilement des monts occupant exactement l'emplacement qui leur est théoriquement réservé. On les trouvera souvent déplacés et débordant sur le mont voisin, et même deux monts se trouveront réunis en un seul. Nous verrons ces particularités au fur et à mesure qu'elles se présenteront.

Pour être considéré comme normal de constitution, le mont de Jupiter (comme d'ailleurs tous les autres monts) doit correspondre aux dispositions du paragraphe 302. Ne pas manquer de consulter ce paragraphe.

MONT IDÉAL

342. Le mont de Jupiter normalement constitué, c'est-à-dire conforme aux dispositions du

paragraphe 302, est signe d'ambition, d'ascension et de réussite.
Mais la réussite et l'ascension n'arriveront que par le travail honnête et la persévérance.
Le mont de l'index normalement constitué prédira également un mariage heureux, suivant les indices qu'il pourra porter.

MONT TRÈS EN SAILLIE ET DÉBORDANT

343. Au lieu d'être normal (aussi bien en saillie qu'en étendue), si ce mont se trouve très développé en largeur et est excessivement en saillie, il annoncera une ambition débordante, un désir irrésistible d'ascension, de commandement et de célébrité.

344. Et s'il déborde trop au point d'aller occuper une bonne partie de l'emplacement du mont de Saturne (le mont du médius), il révélera toujours, comme au paragraphe précédent, ambition et désir d'ascension, mais il dénotera, en même temps, une nature orgueilleuse.
Nous devons préciser qu'un tel mont indiquera une personne intellectuellement évoluée et ayant une inclination prononcée pour les études en général et scientifiques en particulier.
La personne possédant un mont de Jupiter en saillie et très étendu arrivera sûrement aux situations les plus élevées, à la condition, cependant, qu'il n'existe pas des indices désavantageux et contrariant cette ascension.
On voit infailliblement un tel mont dans les mains des personnes les plus en vue.

MONT FAIBLE

345. Si le mont de Jupiter est faible et presque invisible (sans être déprimé ou creux), il indiquera une personne manquant d'ambition et d'un caractère plutôt passif. Une telle personne arrivera probablement à une situation satisfaisante, mais jamais à des situations très élevées.

MONT DÉPRIMÉ

346. Le mont de Jupiter déprimé et surtout creux n'est pas un bon signe. Il dénotera une personne sans ambition, sans fierté, dépourvue d'amour-propre et de dignité.

CROIX ET ÉTOILES

347. J'ai déjà attiré l'attention du lecteur sur l'erreur qui consiste à croire que la croix ou l'étoile sont toujours et partout d'heureux présages.
J'ai souvent rencontré des personnes m'annonçant avec joie qu'elles possédaient une croix ou une étoile dans la main. Malheureusement pour elles, la croix ou l'étoile qui les incitait à rêver se trouvait dans des endroits qui lui conféraient une signification vraiment maléfique. Nous en avons déjà vu quelques-unes, bénéfiques ou maléfiques, lors de l'étude du mont de Vénus, et nous en verrons d'autres ailleurs.

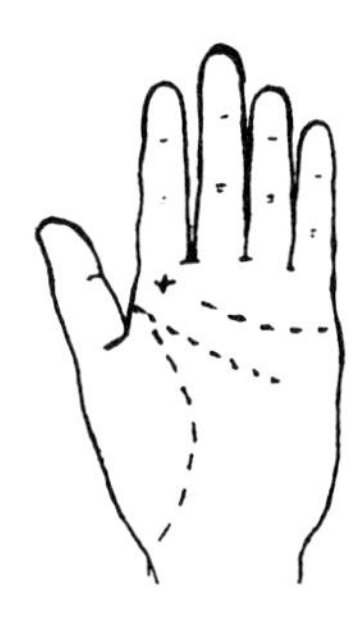
34

348. Mais, sur le mont de Jupiter, aussi bien la croix que l'étoile sont infailliblement de bon augure, à la condition, cependant, qu'elles soient bien nettement décrites (voir paragraphe 321).
La croix sur ce mont révèle mariage. La révélation de l'étoile étant toujours supérieure à celle de la croix, l'étoile sur le mont de Jupiter indiquera, d'une part, mariage, et, d'autre part, possibilité de très haute ascension, de réalisation d'ambitions et prédestination à des situations honorifiques *(fig. 34 et 35).*

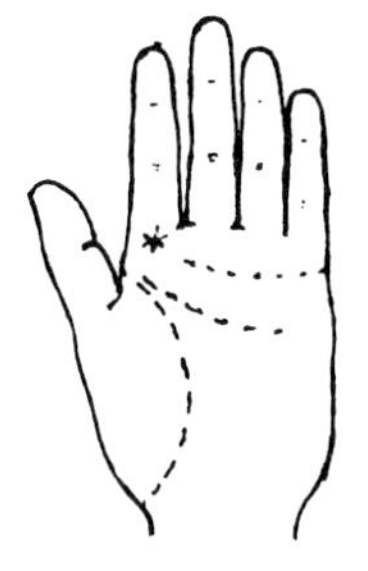
35

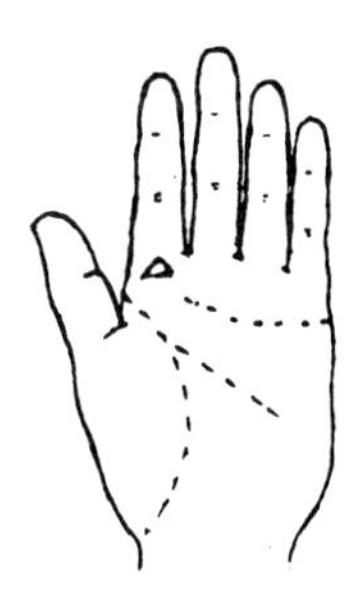
36

TRIANGLE

349. Le triangle sur le mont de Jupiter révèle réussite par le travail et la persévérance, mais il dénote surtout des aptitudes aux études sociales et diplomatiques *(fig. 36).*

LES RAIES

350. Sur le mont de l'index, les raies en travers, presque horizontales, sont révélatrices

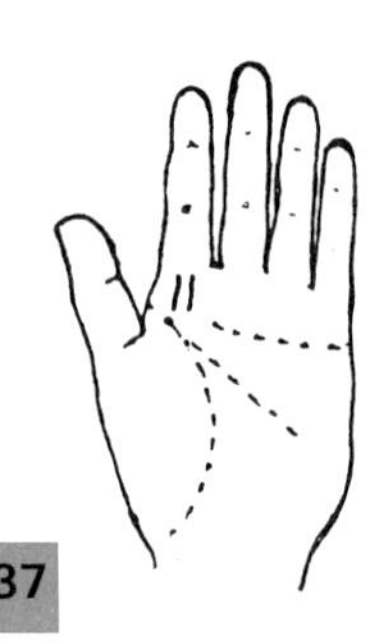

37

de mésentente, de chagrin ou de malheur en famille ou en ménage.
S'il s'agit des mains d'un célibataire, elles indiqueront de nombreux tourments sentimentaux ainsi que des déceptions.
Lors de l'étude des lignes de divorce ou de mésentente conjugale, on ne doit pas manquer de consulter également le mont de Jupiter pour vérifier l'existence des raies en travers.

LIGNES ASCENDANTES

351. Les lignes ascendantes sur le mont de Jupiter prédisent réussite et même fortune. Ces lignes partant souvent de la ligne de vie, nous les examinerons en détail lors de l'étude de cette dernière *(fig. 37).*

CROIX ET ÉTOILE SIMULTANÉMENT

352. Il arrive parfois de trouver sur le mont de Jupiter simultanément une croix et une étoile. On voit également ces indices reliés l'un à l'autre par une petite ligne.
L'existence simultanée d'une croix et d'une étoile sur ce mont est de très bon augure. Elles révéleront une très haute et rapide ascension de la personne, ainsi que la réalisation de presque toutes ses ambitions.
Cette ascension et cette réalisation d'ambitions auront souvent pour origine le mariage avec une personne de situation relativement élevée.
Cette dernière prédiction est aussi exacte pour les femmes que pour les hommes.

POINTS ET TROUS

353. Les points et les trous, partout où ils peuvent se trouver, ne sont jamais de bon augure.
Sur le mont de Jupiter, ils annonceront une perte de position éventuelle ou même effective.
Ils seront également les indices de déchéance d'orgueil.
Pour être clair, cependant, il faudra préciser que les trous et les points (partout où ils

peuvent se trouver) ne révéleront pas une chute catastrophique, irréparable, ou une maladie inguérissable.

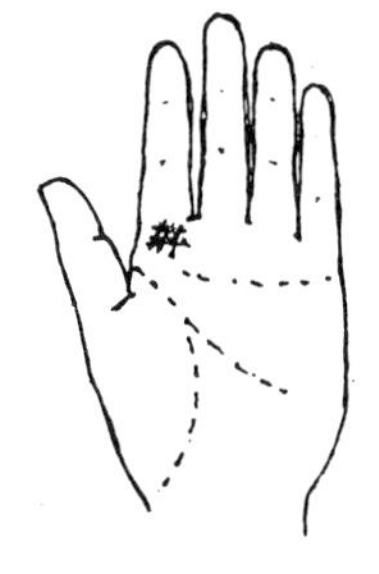

38

GRILLE

354. La grille n'est jamais bon signe. Sur le mont de Jupiter, la grille révélera orgueil et égoïsme, et, simultanément, des difficultés et des obstacles à la réalisation des projets et des ambitions *(fig. 38).*

CHAPITRE 24

Le Mont du Médius
Le Mont de Saturne

355. Le mont du médius, que l'on appelle également mont de Saturne, doit se trouver, dans la paume, à la base même du médius (doigt de Saturne) *(fig. 18, page 98).*

356. Comme c'est le cas pour tous les monts, les révélations du mont de Saturne et de son doigt forment un tout.
En ce qui concerne particulièrement le mont de Saturne, on se trouve donc en présence d'un terrain dont toutes les révélations seront « sérieuses » et même « graves ». Nous avons déjà vu ces particularités aux paragraphes 238 à 257, à l'occasion de l'étude des révélations des doigts.

357. Ces indices peuvent émaner de ses dimensions, de sa consistance et de son emplacement. On y trouvera également des traits, des lignes ou des signes.

358. Mais, avant de relever et d'étudier un à un ces indices, je voudrais dire un mot sur le mont lui-même.
D'abord, ne vous étonnez pas de ne trouver que rarement un mont de Saturne bien constitué et bien en saillie.
D'autre part, en présence d'un mont de Saturne (comme d'ailleurs de tous les autres monts), ayez toujours présentes à l'esprit les dispositions du paragraphe 302, que vous ne

devez pas manquer de consulter avant d'aller plus loin.

DESTINÉE ET FATALITÉ

359. Le fond des révélations de ce mont est constitué principalement par « la destinée » et « la fatalité », nonobstant, bien entendu, les autres attributs très importants mentionnés lors de l'étude du doigt de Saturne (chapitre 18).

LIGNES VERTICALES

360. Lorsque nous arriverons à l'étude des lignes des mains, nous verrons que la ligne de destinée (la ligne saturnienne) doit normalement venir aboutir sur le mont du médius. Nous l'examinerons en détail à son tour.
Mais, ici, contentons-nous de dire qu'une ligne verticale (ascendante) sur ce mont sera de très bon augure. Elle révélera bonheur, réussite et une fin de vie calme et assurée. Mais tout ceci, bien entendu, à la condition qu'elle soit nette, profonde et assez longue. Elle ne doit pas, d'autre part, se trouver coupée par des lignes horizontales (fig. 39).

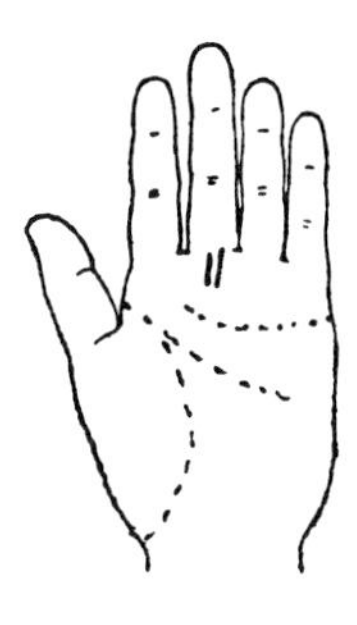
39

LIGNES HORIZONTALES

361. Car les lignes horizontales, ou de petits traits sur le mont de Saturne, indiqueront une destinée barrée, contrariée, une fin de vie pleine de difficultés.

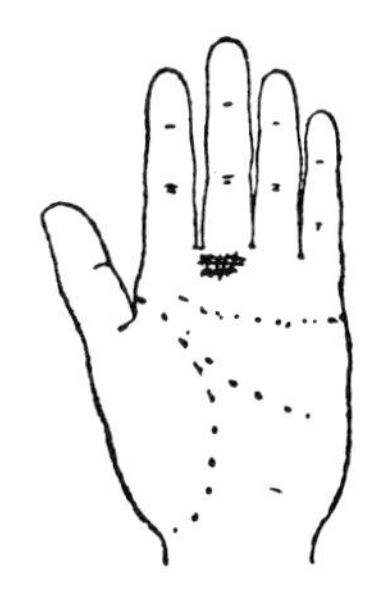
40

GRILLE

362. Et si, au lieu de simples lignes horizontales, on y voit une multitude de petits traits formant une grille, ce fait sera un indice encore plus défavorable.
La grille sur le mont de Saturne révélera malheur, péril et graves ennuis, en un mot une destinée malheureuse *(fig. 40).*

L'ANNEAU DE VÉNUS

363. A cause de son extrême gravité, je me fais un devoir de signaler une erreur d'interprétation très souvent commise par les débutants.

Il s'agit de prendre l'anneau de Vénus pour des lignes horizontales ou pour une grille. Cette erreur est bien pardonnable, car il est rare de trouver un anneau de Vénus net et bien tracé. Très souvent, cet anneau se présente sous forme d'une succession de petits traits. Mais, la direction de cette ligne étant circulaire, avec un peu d'attention et d'expérience on arrivera facilement à éviter cette erreur. Il est superflu d'insister sur le fait que le débutant, dès le commencement, doit s'efforcer d'écarter cette possibilité d'erreur d'interprétation, car si l'on prenait les fragments de l'anneau de Vénus pour des lignes horizontales, et surtout pour une grille, on tomberait sous le coup des paragraphes 361 et 362, dont les dispositions sont loin d'être bénéfiques.

Dans ce but, je décrirai ici, sommairement, l'anneau de Vénus.

L'anneau de Vénus est la ligne qui part du préjoint de l'index et du médius et, en décrivant un demi-cercle, vient aboutir entre l'annulaire et l'auriculaire. Il traverse donc, forcément, les monts qui se trouvent sur son trajet, et coupe les lignes de Saturne et de soleil. Pour de plus amples renseignements, voir l'anneau de Vénus, chapitre 44, concernant « Les anneaux dans la main ».

POINTS ET TROUS

364. Les points et les trous bien visibles sont toujours des indices défavorables, quel que soit leur emplacement. Ils ne révèlent pas, cependant, des malheurs irréparables ou des maladies inguérissables.

Sur le mont de Saturne, les points et les trous dénoteront des difficultés au cours de la marche de la destinée. Ces difficultés seront plus ou moins sérieuses, suivant la profondeur et la coloration des trous.

CROIX

365. La croix sur le mont de Saturne annoncera superstition et mysticisme *(fig. 41)*.

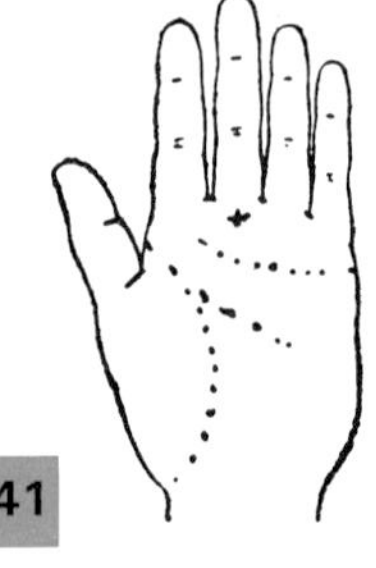

41

Elle pourra suivant le cas, révéler aussi le danger d'une maladie grave.

42

ÉTOILE

366. Les révélations d'une étoile sur le mont de Saturne sont beaucoup plus néfastes que celles d'une croix.
Elle annoncera des accidents très graves, allant jusqu'à la mort. Elle dénotera également la possibilité d'être assassiné ou d'assassiner, et, par voie de conséquence, de mort sur l'échafaud *(fig. 42).*

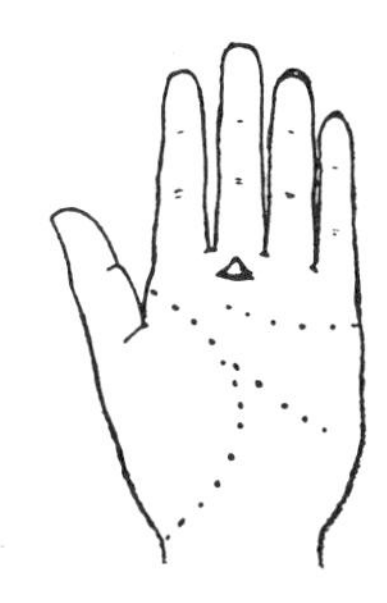

43

TRIANGLE

367. Le triangle, qui est signe de capacité, révélera, sur ce mont de la fatalité, des aptitudes aux sciences occultes, à la magie noire, etc. *(fig. 43).*

CARRÉ

368. Le carré sur le mont de Saturne est un bon signe de protection.
D'abord, il corrigera les révélations maléfiques d'une ligne de destinée (ligne saturnienne) coupée, irrégulière ou totalement absente.
D'autre part, s'il existe de mauvais signes sur le mont de Saturne même (lignes horizontales ou grille) avec, simultanément, un carré, les mauvaises indications de ces indices maléfiques se trouveront neutralisées.
Mais tout cela sera obtenu par le sérieux, la persévérance, le travail, en un mot, à la force du poignet.

CHAPITRE 25

Le Mont de l'Annulaire
Le Mont du Soleil

369. Le mont de l'annulaire est la proéminence se trouvant dans la paume, à la base même de l'annulaire. On l'appelle également le mont du Soleil (fig. 18 page 98).

Comme pour tous les autres monts, pour qu'il soit considéré de constitution normale, le mont du Soleil doit être conforme aux indications mentionnées au paragraphe 302. Ne manquez pas de revoir ce paragraphe.

MONT NORMAL

370. Le mont du Soleil normal, conforme aux dispositions du paragraphe 302, est un signe bénéfique.

Il annoncera, d'une part, de bonnes qualités artistiques, et de l'autre une bonne chance ; non pas une chance sur laquelle la personne possédant ce mont pourra compter absolument, mais une chance subordonnée à la valeur morale de celle-ci ; en effet, si le mont du Soleil normalement constitué prédit une grande possibilité de réussite et de gloire, ces bienfaits ne viendront pas automatiquement et sans effort. Ils seront plutôt gagnés par le talent et le mérite personnel.

LIGNE DE CHANCE

371. Pour que le mont du Soleil normal soit considéré comme l'indice de pure chance (révélant une élévation sûre et rapide), il doit porter des lignes verticales nettement tracées *(fig. 44)*.
Il est préférable, cependant, qu'il n'y existe qu'une seule ligne nette et profonde, au lieu de plusieurs superficiellement marquées.
Dans le cas de présence de plusieurs lignes, il arrive souvent que quelques-unes, perdant leur direction verticale et déviant à droite ou à gauche, s'entremêlent. Ce fait diminuera en grande partie la valeur positive des révélations attachées à une ligne nette et droite. Et si l'enchevêtrement de ces lignes est accentué, on se trouvera en présence d'une grille dont les révélations maléfiques sont mentionnées au paragraphe 381.

44

372. D'ailleurs tout ce que je viens d'énoncer ci-dessus, concernant les révélations bénéfiques de la ligne verticale sur le mont du Soleil, est subordonné à la condition qu'elle soit nette et intacte, et qu'il n'existe pas de raies coupant cette ligne.

LIGNES HORIZONTALES

373. Car les lignes et les rayures horizontales sur le mont du Soleil révéleront des obstacles à la réussite. On appelle ces rayures des « barres » *(fig. 45)*.
Toutefois on fera bien attention de ne pas prendre pour des barres la réunion de plusieurs petites lignes qui traversent ce mont et qui ne sont que l'anneau de Vénus. J'ai déjà signalé ce fait au paragraphe 363.

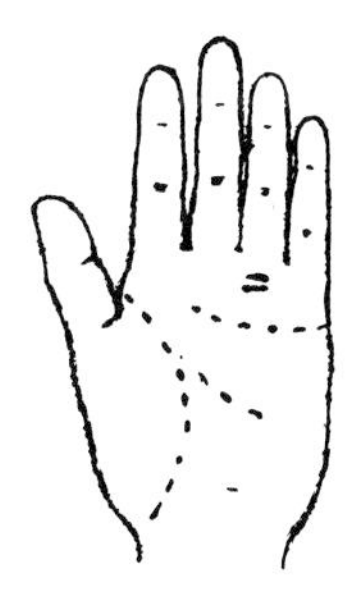

45

GRAND

374. Si le mont du Soleil est grand, il révélera sans aucun doute de grandes capacités artistiques, un très bon goût, ainsi qu'une aspiration à briller, à devenir riche et célèbre.
Il indiquera également un amour démesuré pour la vie luxueuse et confortable.

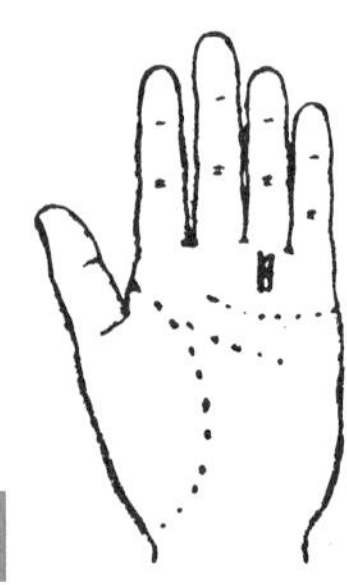

44

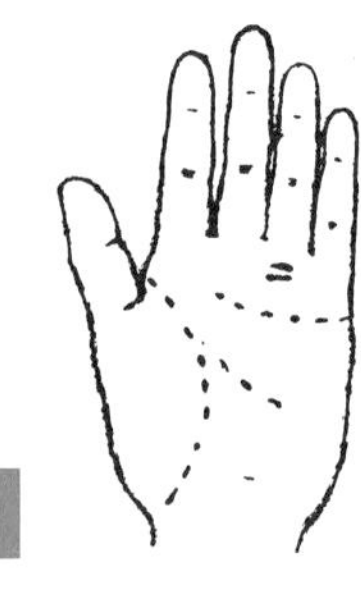

45

TRÈS SAILLANT

375. Mais si le mont du Soleil est très saillant (l'excès en tout étant nuisible), il sera plutôt mauvais signe.
Il annoncera certes un goût pour le fin et pour le beau, mais la personne aura des ambitions artistiques insensées, sera orgueilleuse et d'une arrogance insupportable.
L'être possédant un tel mont contredira et critiquera n'importe qui, n'importe quoi et à n'importe quelle occasion, dans le seul but de se mettre en valeur. Il voudra briller à tout prix. S'il possède, par exemple, quelques paires de chaussettes qu'il vend sous une porte cochère, il appellera son affaire insignifiante « mon établissement », car il atteindra au ridicule.

PETIT

376. Un mont du Soleil petit ne peut révéler que le contraire des attributs d'un grand mont. Il dénotera donc une insuffisance d'aptitude aux arts, annoncera également une envie très modérée de briller, de posséder richesse et vie luxueuse.
Par voie de conséquence, l'être au mont du Soleil petit ne pourra obtenir que des résultats et des satisfactions médiocres. On explique cela en disant que la personne « manque de chance ».

DÉPRIMÉ

377. Au mont du Soleil déprimé, on pourra appliquer la définition concernant le « petit » mont, comme au paragraphe ci-dessus mais en plus grave.
La personne ayant un mont du Soleil déprimé aura rarement des jours heureux. Son existence sera presque toujours terne et sans joie. Elle n'aura donc aucune capacité artistique. La beauté et la finesse la laisseront complètement indifférente.

DUR

378. Un mont du Soleil dur révélera un être ingénieux, actif et optimiste.

Il sera intelligent, gardera constamment confiance en son avenir et réussira sûrement, s'il n'existe pas d'indices maléfiques dans ses mains.

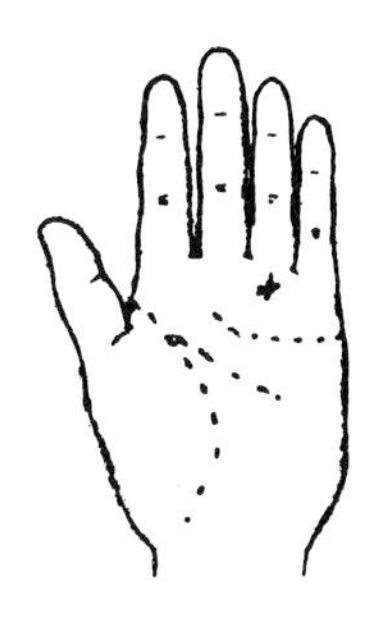

46

CROIX

379. La croix sur le mont du Soleil n'est pas un bon signe.
Elle prédira des difficultés et des retards dans la réussite *(fig. 46).*

ÉTOILE

380. Mais l'étoile sur le mont du Soleil est beaucoup plus néfaste que la croix. Non seulement elle empêchera la réussite, mais elle communiquera à l'être un désir très vif et irrésistible de réussir, de devenir riche, le plus vite possible et par n'importe quel moyen. Tout cela le conduira à commettre des actes illégaux qui peuvent donner des résultats rapides, mais comportent le risque d'emprisonnement ou celui, tout au moins, de finir dans l'infamie.
L'étoile sur le mont du Soleil prédira donc l'infamie et même l'emprisonnement *(fig. 47).*

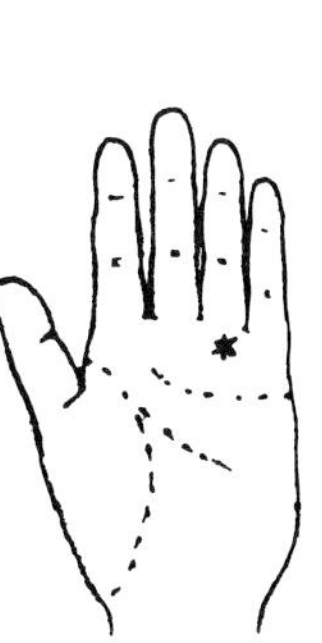

47

GRILLE

381. La grille est toujours un indice défavorable.
Sur le mont du Soleil, les révélations d'une grille sont plus maléfiques que celles des simples barres.
La grille révélera sur ce mont des obstacles et des empêchement très sérieux à la réalisation des aspirations. Ces obstacles seront presque insurmontables. L'être possédant une grille sur le mont du Soleil ne doit compter que sur son travail acharné et sur sa persévérance *(fig. 48).*

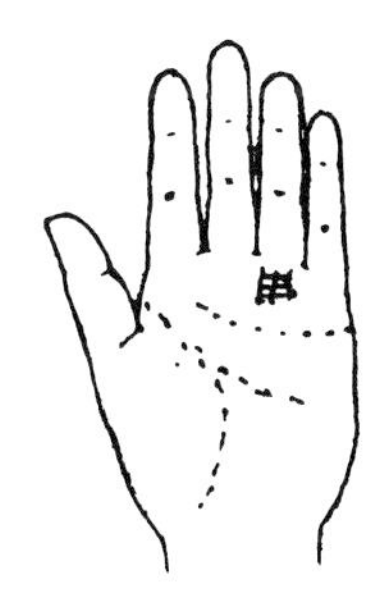

48

C H A P I T R E 26

Le Mont du Petit Doigt
Le Mont de l'Auriculaire
Le Mont de Mercure

382. Le mont du petit doigt se trouve dans la paume, à la base même de l'auriculaire. On l'appelle également le mont de Mercure *(fig. 18, page 98)*.
On l'appelle par le nom de ce dieu car il réunit tous ses vices et toutes ses vertus. Le débutant devra donc se rappeler que Mercure est le dieu de l'éloquence, du commerce et du vol. Les révélations du mont de Mercure seront, dès lors, plus ou moins liées à l'éloquence, aux capacités commerciales et industrielles, à la souplesse et à la subtilité, ainsi qu'aux exagérations et aux dégénérescences de ces capacités.
L'excès d'éloquence devient, forcément, médisance et mensonge. L'exagération des capacités commerciales conduit, obligatoirement, à un esprit de profits illicites. La dégénérescence de la souplesse et de la subtilité conduira à la malhonnêteté, à la fourberie et au vol. Nous verrons tous ces cas.

MONT NORMAL

383. Pour qu'un mont de Mercure soit jugé normalement constitué, il doit être conforme aux dispositions du paragraphe 302.

Un mont de Mercure normal sera le signe de la facilité d'élocution, d'un esprit réaliste, et de bonnes capacités commerciales et industrielles.

TRÈS DÉVELOPPÉ

384. Mais si le mont de Mercure est très développé, il annoncera l'excès et la dégradation des qualités mentionnées au paragraphe précédent.
Le mont de Mercure très développé révélera donc un bavard, un médisant et un menteur.
Il dénotera aussi un matérialisme poussé à l'extrême, un commerçant malhonnête, un homme fourbe, rusé et même voleur.

DÉPRIMÉ

385. Le mont de Mercure déprimé n'est pas un bon indice non plus. Mais ses révélations ne sont pas aussi néfastes que celles du mont très développé.
L'être dans la main de qui le mont de Mercure n'est pas visible ne pourra jamais être un débrouillard. Il n'aura aucune capacité commerciale. Il aura l'esprit lourd et la conversation difficile et sans attrait.
Et, si le mont de Mercure est exagérément déprimé (creux), il indiquera une personne naïve et même, suivant le cas, un être stupide. Mais, avant de prendre votre consultant pour une personne vraiment stupide, vérifiez si d'autres indices néfastes ne viennent pas aggraver la déficience complète du mont de Mercure. Ou bien, en sens inverse, s'il n'existe pas des indices bénéfiques pouvant suppléer les défauts du mont déficient. Car un naïf n'est pas obligatoirement un être stupide.

LIGNES VERTICALES

386. Les lignes verticales sur ce mont (nettes et profondes) sont de bon augure *(fig. 49)*.
Elles révéleront un être souple, subtil et débrouillard. Elles annonceront aussi un commerçant habile et possédant l'art de la persuasion. De grandes possibilités de réussite lui

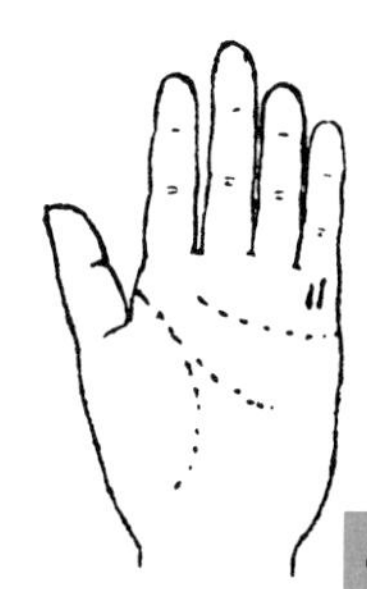

49

seront réservées. Mais le néophyte doit être très attentif et ne doit pas appliquer cette définition à l'amas de traits mal faits, mal dirigés ou enchevêtrés, car, dans ce cas (qui arrive souvent), on se trouvera en présence d'une grille.

GRILLE

387. La grille, sur le mont de Mercure, est de très mauvaise révélation.
Elle prédira de mauvaises affaires, de très grandes difficultés et même des échecs.
Et si la grille est nettement dessinée, elle annoncera mensonge, ruse et vol. Tout ceci, en plus des révélations maléfiques mentionnées ci-dessus.

LIGNES HORIZONTALES

388. Les lignes horizontales sur le mont de Mercure ne sont pas aussi néfastes que la grille, mais elles ne sont pas de bon augure non plus.
Elles indiquent des difficultés et des obstacles à la réussite dans les choses matérielles, mais difficultés et obstacles pouvant être surmontés par la force de la volonté, la persévérance et le travail.

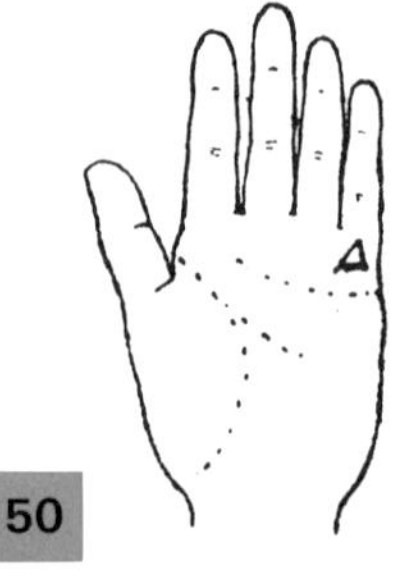

50

TRIANGLE

389. Le triangle sur le mont de Mercure révélera un homme habile, adroit et un peu intrigant.
La personne possédant un triangle sur le mont de Mercure pourra devenir un politicien et un fin diplomate. Elle pourra également devenir un bon commerçant ou un bon industriel *(fig. 50).*

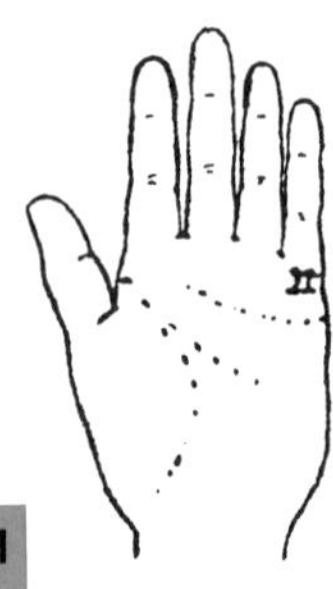

51

CARRÉ

390. Les révélations d'un carré sur le mont de Mercure sont meilleures que celles d'un triangle *(fig. 51).*
Le carré sur ce mont annoncera l'ensemble de toutes les qualités mentionnées au paragraphe

précédent, mais avec des aptitudes exceptionnelles.

52

CROIX

391. La croix et l'étoile sur le mont de Mercure sont toujours de mauvais augure.

392. La croix indiquera un net penchant pour le mensonge et la fourberie *(fig. 52).*

ÉTOILE

393. La révélation de l'étoile sur le mont de Mercure est encore plus mauvaise que celle de la croix.
L'homme possédant une étoile sur le mont de Mercure sera un faux, un fourbe, un commerçant malhonnête et même un voleur *(fig. 53).*

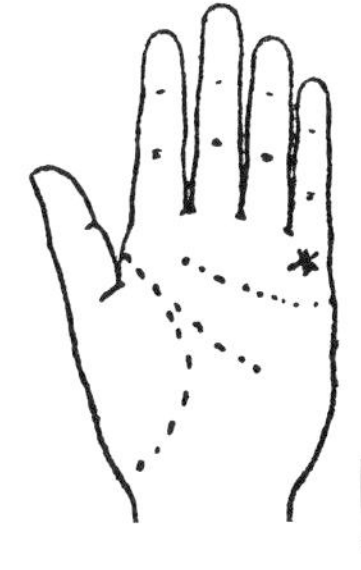

53

CHAPITRE 27

Le Mont de Mars

LE MONT DE MARS

394. La percussion (le tranchant de la main) est entièrement occupée par trois monts : en commençant par la partie supérieure de la main, on voit d'abord le mont de Mercure ; puis, séparé par la ligne de cœur, le mont de Mars, et, enfin, le mont de Lune qui s'étend jusqu'à la rascette.
Le mont de Mars se trouve donc entre le mont de Mercure et le mont de Lune, délimité par les lignes de cœur et de tête *(fig. 18, page 98)*.
Le mont de Mars est, forcément, en contact intime avec la partie centrale de la paume que l'on appelle aussi le creux de la main, mais dont le nom chirologique est « Plaine de Mars ». La Plaine de Mars est étudiée à son tour, dans le chapitre 46, « Les espaces dans la paume ».

395. Les caractéristiques fondamentales de ce mont sont : la force de résistance, la domination de soi-même, le courage et la résignation, ainsi que le calme et le sang-froid.
Tout ceci, bien entendu, dans le cas d'un mont de Mars de dimensions normales. Car, lorsqu'il sera très développé, et surtout lorsqu'il portera des raies, ces qualités dégénéreront en dispute, en bagarre, en esprit de

contradiction et même en plaisir à la guerre. En revanche, s'il est déficient, il annoncera un tempérament passif et même, suivant le cas, un manque de caractère.

396. On voit donc que l'on doit obligatoirement faire intervenir dans la synthèse les révélations des autres indices de la main. Car le même mont de Mars aura des révélations tout à fait différentes selon la conjoncture d'autres éléments révélateurs. Par exemple, la révélation de ce mont changera foncièrement suivant que l'être est de nature à passer impulsivement à l'attaque ou qu'il est de tempérament calme et patient. La signification de ce mont changera complètement aussi suivant qu'il appartient à une personne pacifique ou à une autre qui est grossière ou brutale.

Relevons le cas de cette dernière personne.

Le mont de Mars de dimensions normales, qui révèle résistance, courage et sang-froid, annoncera dans ce cas : querelle, dispute, esprit de contradiction et rixe. Et si, par malheur, le mont de Mars est très développé et porte en plus des raies, il dénotera une personne à tel point insupportable que la société l'écartera en l'enfermant.

Pour déchiffrer aisément et sans erreur des cas de ce genre, on relira les rubriques « La forme des doigts » et « Dimensions comparatives des doigts et des paumes ».

MONT NORMAL

397. Un bon mont de Mars, conforme aux dispositions du paragraphe 302, est un signe bénéfique.

Il révélera un être possédant des capacités de lutte et de résistance, et pouvant conserver son sang-froid devant les grandes difficultés de la vie, et même le danger.

TRÈS DÉVELOPPÉ

398. Le mont de Mars très développé annoncera un être coléreux et bagarreur, moins dans le cas où d'autres indices bénéfiques viendront neutraliser ces défauts, mais tout

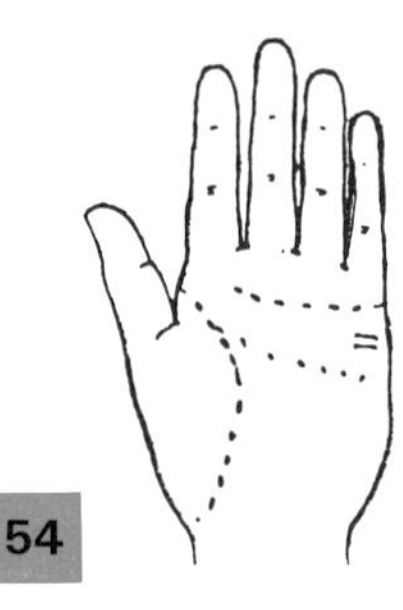

54

de même plus ou moins coléreux. Courageux et entreprenant, il sera toujours vif dans ses actes et ses paroles.

PLAT

399. Si le mont de Mars est plat, il annoncera un manque de courage, un manque de résistance et même un manque de caractère, suivant le degré de déficience de ce mont.

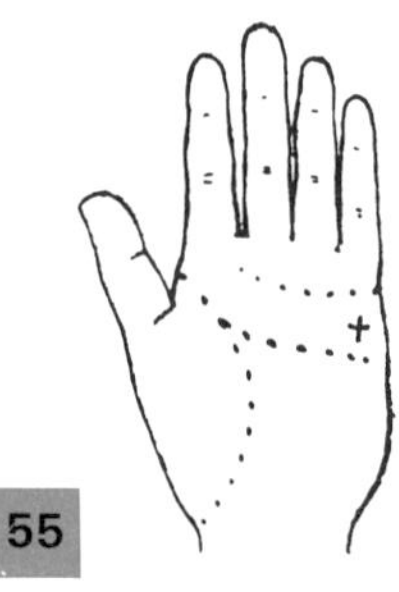

55

LES RAIES

400. Nous avons déjà vu que les raies sur les monts exaltent les attributs de ces derniers.
Un mont de Mars rayé révélera donc un caractère irritable. Et si le mont est, en même temps, très développé, on se trouvera en présence d'une personne absolument insupportable, au caractère coléreux, qui aura l'esprit de contradiction, tendance à la dispute et même à la rixe *(fig. 54).*

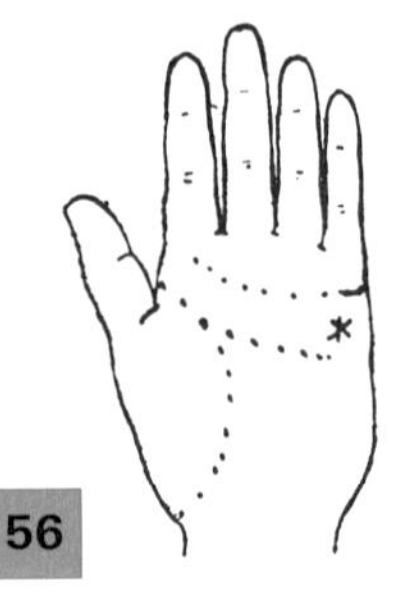

56

CROIX

401. La croix sur le mont Mars est interprétée comme annonciatrice de blessure par arme *(fig. 55).*

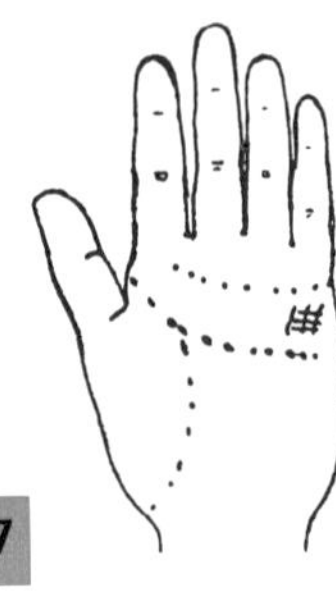

57

ÉTOILE

402. La révélation de l'étoile sur le mont de Mars est plus néfaste que celle de la croix.
On considère l'étoile sur ce mont comme l'indice de mort à la guerre *(fig. 56).*

GRILLE

403. La grille sur le mont de Mars est encore plus maléfique que l'étoile.
On dit qu'elle est le signe certain d'une mort violente *(fig. 57).*

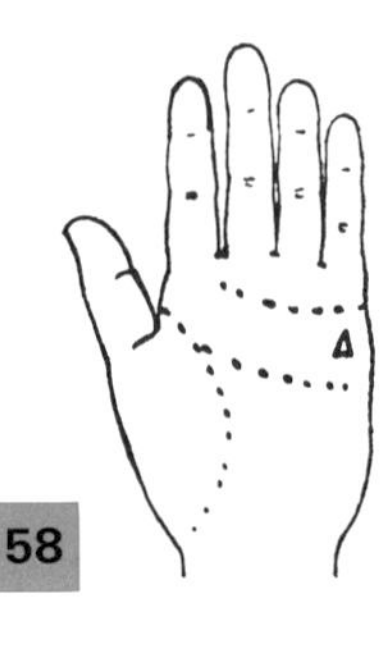

58

TRIANGLE

404. Le triangle sur le mont de Mars révèle des aptitudes aux sciences militaires *(fig. 58).*

CHAPITRE 28

Le Mont de Lune
L'Éminence Hypothénar

405. Le mont de Lune, que l'on appelle également l'Éminence Hypothénar, se situe à la partie basse de la paume, sur la percussion, et tout de suite au-dessous du mont de Mars. Il se trouve donc normalement en face du mont de Vénus et, par ses dimensions, est le plus important après celui-ci *(fig. 18, page 98)*.

406. Nous avons vu que le mont de Vénus était le siège de la vitalité, de l'énergie et de l'activité. Mais son voisin immédiat, le mont de Lune, est, par contre, le centre de la passivité.

Le mont de Vénus est actif, le mont de Lune est passif.

Le mont de Lune révélera donc, suivant le cas, imagination, sensibilité, suggestibilité ou manque de fermeté.

Le manque de fixité ne se manifestera pas uniquement dans le domaine des idées et des décisions, mais également dans les choix et changements de lieux d'habitation. C'est pourquoi on cherche sur ce mont les indices de déplacement, de voyage.

MONT NORMAL

407. Un mont de Lune normal, conforme aux dispositions du paragraphe 302, révélera un

être possédant une imagination saine et fertile, mais une imagination juste suffisante pour enrichir les facultés psychologiques humaines.
L'être possédant un mont de Lune de dimensions et de consistance normales sera un imaginatif, mais ne se nourrira pas d'illusions. Il aura une sensibilité mais ne sera pas très suggestible, restera relativement ferme dans ses idées.

MONT ÉTENDU

408. Anormal quant à ses dimensions, le mont de Lune indiquera un fonctionnement excessif de l'imagination, une sensibilité et une suggestibilité assez marquées.
Donc, le mont de Lune anormalement étendu dénotera une personne très imaginative et changeante, manquant de stabilité dans ses idées. Son imagination débordante fera défiler dans son esprit plusieurs idées ou problèmes, les uns après les autres ou même simultanément. Elle ne sera donc pas de caractère ferme.

EN SAILLIE

409. Le mont de Lune en saillie révélera une imagination puissante et fertile.

DUR

410. La dureté de ce mont indique une imagination énergique et productive.
L'être possédant un mont de Lune dur ne sera pas un rêveur à vide. S'il est capable de rêver, il deviendra poète ou romancier de grande envergure. Ces dernières capacités se manifestent surtout chez la personne possédant un mont de Lune dur et en saillie.

AVEC RAIES

411. Comme c'est le cas pour tous les monts, les raies sur le mont de Lune excitent et exaltent ses attributs.

Donc, dans le cas de nombreuses raies sur ce mont, l'imagination, qui est son attribut principal, deviendra exubérante, vague et ira jusqu'à la rêverie, aux caprices et aux fantaisies.
L'être possédant un mont de Lune très rayé agira souvent de manière irréfléchie, en se basant uniquement sur ses pressentiments et ses idées chimériques *(fig. 59)*.

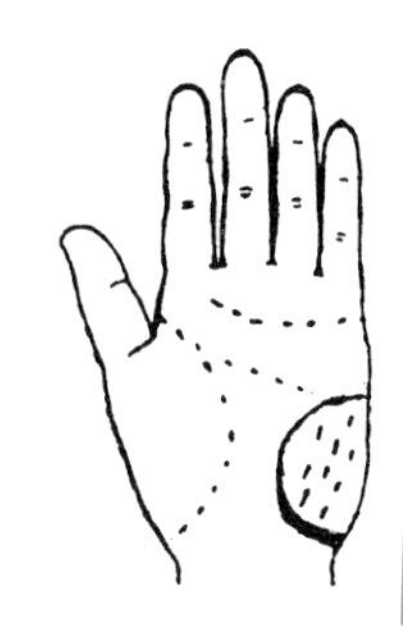

59

GRILLE

412. Le mont de Lune comportant une grille aura une révélation plus néfaste que celle d'un mont simplement rayé.
Il indiquera un esprit continuellement tourmenté par des idées presque toujours fausses.
L'être possédant un tel mont sera mécontent de la vie, presque toujours triste et de mauvaise humeur. Il sera également égoïste et très jaloux *(fig. 60)*.

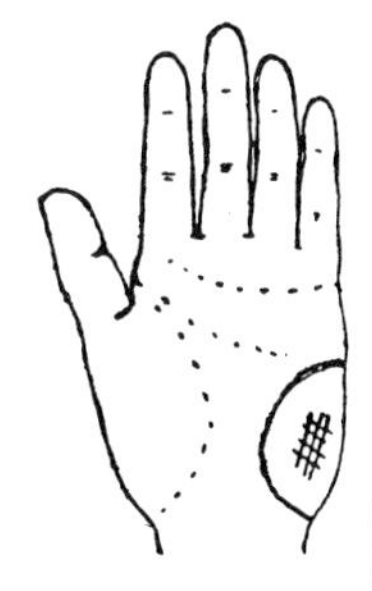

60

LIGNES PROFONDES ET DESCENDANTES

413. Les lignes profondément marquées et descendant du mont de Lune vers la rascette seront les signes d'une imagination maladive, frôlant la folie.
Elles seront les indices d'idées de persécution, voyant le mal partout et considérant l'entourage comme étant toujours de mauvaise volonté.

CROIX

414. La croix sur le mont de Lune, lorsqu'elle est seule et nette, révèle une aversion pour les liquides. La personne possédant ce signe ne ressentira pas le besoin de boire et se contentera simplement de l'eau contenue dans les aliments absorbés.
Son imagination sera vive. Elle parlera facilement et beaucoup, et sa conversation ne sera pas désagréable *(fig. 61)*.

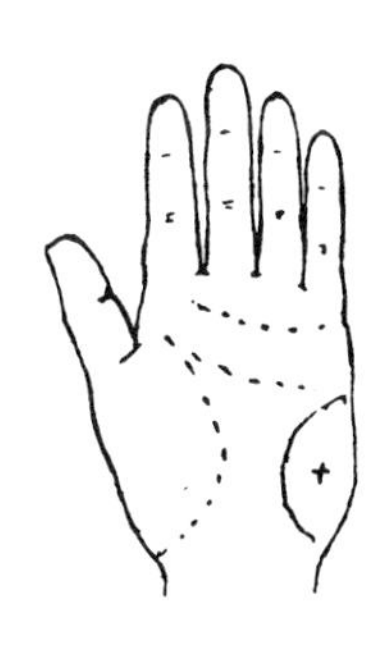

61

415. Il est un cas, cependant, où la croix sur le mont de Lune devient maléfique : lorsqu'une ligne se trouve attachée à une croix sur le mont de Lune et descend jusqu'à la rascette : ce signe prédit un naufrage qui peut ne pas être mortel.

ÉTOILE

416. L'étoile sur le mont de Lune est toujours de mauvais augure, surtout lorsqu'il en existe plusieurs.
Si l'étoile se trouve sur le côté, vers la percussion, elle est le signe d'opérations chirurgicales.
Lorsque l'étoile se trouve au milieu du mont de Lune, elle prédit accident et même mort par l'eau.
Si une ligne part d'une étoile se trouvant sur le mont de Lune et va toucher la ligne de vie, cela sera l'indice de suicide, mais suicide par l'eau.
Si une ligne part d'une étoile se trouvant sur le mont de Lune et descend jusqu'à la rascette, c'est le signe de mort par noyade *(fig. 62).*

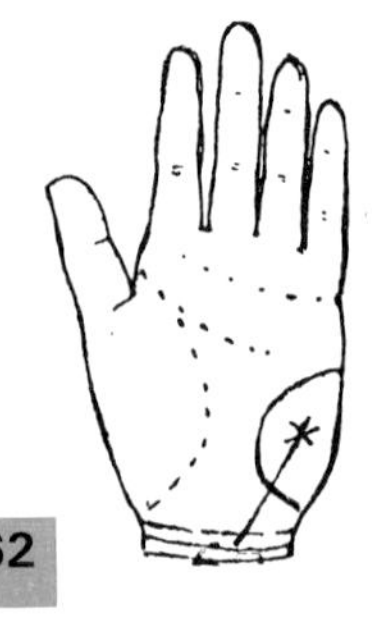

62

TRIANGLE

417. Le triangle sur le mont de Lune indiquera une imagination engendrant des idées pratiques, utiles et réalisables *(fig. 63).*

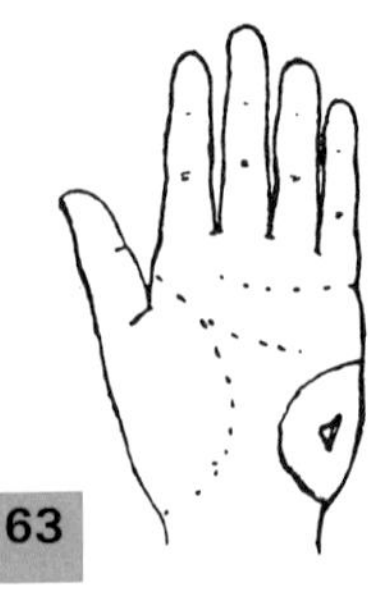

63

CARRÉ

418. Le carré est aussi un signe favorable lorsqu'il se trouve sur le mont de Lune.
Au cas où, à cause de la conformation défectueuse du mont de Lune, l'imagination est faible, le carré en augmentera la vigueur. Et si l'imagination est excessive, il la freinera *(fig. 64).*

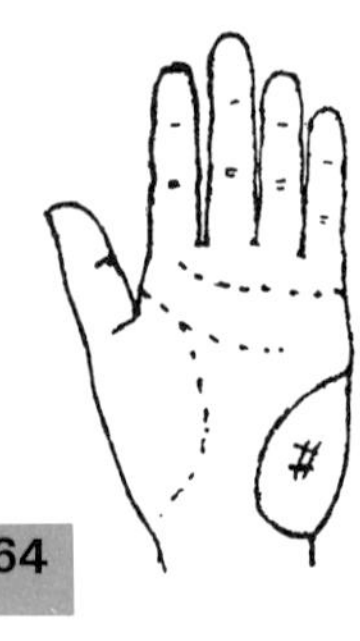

64

ÎLE

419. L'île sur le mont de Lune est considérée comme l'indice d'inspiration, de pressentiments et même de clairvoyance *(fig. 65).*

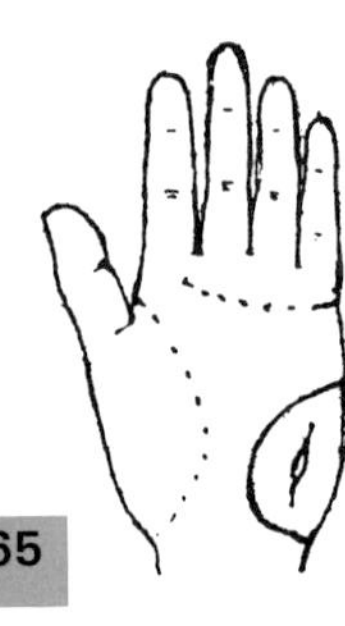

65

SANS SIGNE ET SANS TRAITS

420. S'il n'existe aucun signe ou aucun trait (ou très peu) sur le mont de Lune, ce cas révélera une personne possédant une stabilité dans les idées et sachant exactement ce qu'elle veut.

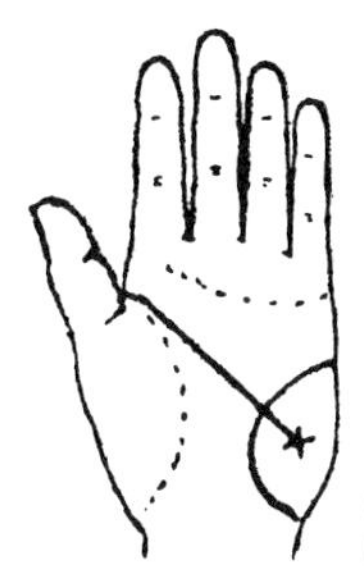

66

DÉSÉQUILIBRE MENTAL ET FOLIE

421. Si la ligne de tête est très longue, au point de descendre jusqu'au centre du mont de Lune, ceci révèle déjà une imagination excessive et même, suivant le cas, maladive.
Une telle ligne de tête, se perdant dans une grille se trouvant sur le mont de Lune, annoncera un déséquilibre mental.
Et si cette ligne de tête très longue touche une croix se trouvant sur le mont de Lune, elle indiquera la folie *(fig. 66).*

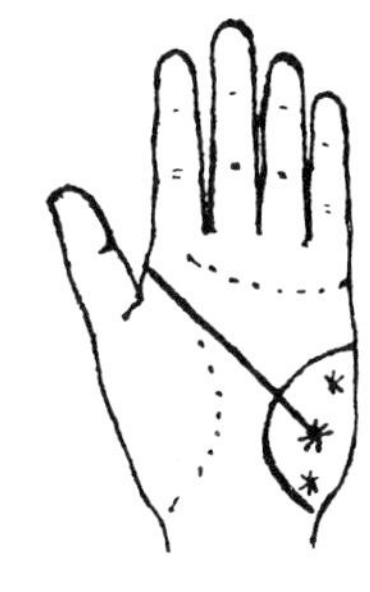

67

MORT PAR LA FOLIE

422. S'il existe trois étoiles (au moins deux) sur le mont de Lune, et si la ligne de tête très longue vient en toucher une, c'est la prédiction de mort par la folie *(fig. 67).*

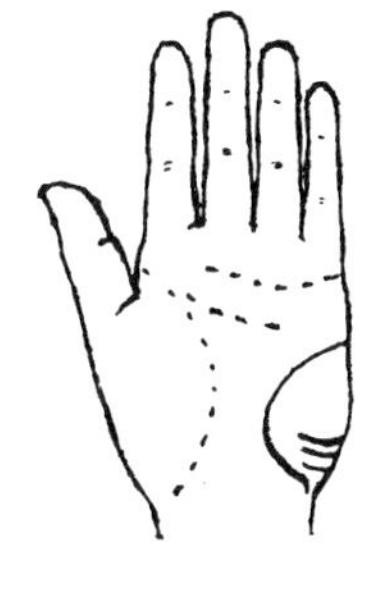

68

INDICES DE VOYAGES

423. Comme je l'ai déjà dit ci-dessus, les indices de voyages et de déplacements se trouvent aussi sur ce mont *(fig. 68).* Mais, étant donné qu'il s'agit là d'une question assez étendue et comportant de nombreux cas, je la mentionne ici à titre de pur renseignement. J'ai réuni tous les indices de changement et de voyages dans un chapitre indépendant, le chapitre 43.

CHAPITRE 29

L'Emplacement des Monts

424. Pour être complet dans l'étude des révélations des monts dans la paume, je dois souligner quelques faits concernant leur emplacement.
Lors de l'examen individuel des monts, j'ai déjà mentionné qu'il était très rare de rencontrer une main où tous les monts sont exactement à leur place, ainsi que je les ai localisés théoriquement au cours de la description de chacun d'eux.
Dans presque toutes les mains, il y aura un ou plusieurs monts qui se trouveront hors de leur place normale ou bien, tout en occupant l'emplacement qui leur est propre, ils déborderont sur leur voisin, ou encore deux monts seront réunis en un seul.
Ces faits méritent une attention particulière, car ils sont très significatifs.

MONTS PENCHÉS

Fixons d'abord une règle générale qui facilitera l'assimilation des révélations de tous les cas en général.
Le mont qui penche simplement sur un autre prend les qualités et des défauts de ce dernier.
Reprenons maintenant, un à un, les cas mentionnés ci-dessus.
Un mont occupant entièrement sa place peut déborder sur son voisin. Par exemple, le mont indiquant de très bonnes capacités

commerciales et industrielles peut se trouver débordant sur le mont de l'art (monts de Mercure et du Soleil).
Ce cas révèle, avant tout, un bon commerçant ou un bon industriel, et, subsidiairement, une âme d'artiste. Autrement dit, un bon industriel possédant des goûts raffinés.

MONTS DÉPLACÉS

Au lieu de deux monts distincts sous deux doigts, on n'en trouve qu'un seul, situé sous le joint des bases des deux doigts, c'est-à-dire à l'emplacement qui doit normalement leur servir de ligne de démarcation.
Reprenons toujours l'exemple ci-dessus de l'industriel aux goûts raffinés ; ce cas révélera une personne pouvant devenir aussi bien un bon industriel qu'un bon artiste, mais aucune de ces capacités ne sera éminente chez ce sujet.

DEUX MONTS RÉUNIS

Deux monts, tout en occupant entièrement leur place, peuvent se trouver fondus et réunis en un seul.
Ce cas sera, d'une part, le signe de l'existence chez notre consultant des qualités simultanées de ces deux monts et, d'autre part, révélera un être dont la constitution spirituelle est entièrement dominée par les attributs de ces deux monts à la fois.

CAS INTERMÉDIAIRES

Je trouve superflu de relever individuellement et d'interpréter tous les autres cas intermédiaires, l'assimilation de la révélation des trois cas étudiés simplifiant la tâche d'interprétation du chirologue, même débutant.

CHAPITRE 30

La différence entre les révélations de la main droite et celles de la main gauche

425. Sous la rubrique « Comment procéder à l'étude des mains », j'avais signalé trois fautes graves couramment commises par la plupart des personnes s'intéressant aux révélations des indices de la main.
L'une de ces fautes majeures est de ne s'occuper que des indices d'une seule main. Presque toujours, on prend en considération la main gauche seulement. Certes, il existe un fond de vérité à l'origine de cette façon d'agir, mais il n'en reste pas moins que se fier uniquement aux indices d'une seule main est une erreur grave.
Retenons d'abord que la main gauche est passive et la main droite active.

MAIN GAUCHE

Dans la main gauche se trouvent marqués les indices de ce que nous devons subir passivement. Les événements révélés par cette main se réaliseront sans notre intervention. La main gauche révèle, par conséquent, ce à quoi nous sommes destinés.

MAIN DROITE

En revanche, les indices de la main droite indiquent ce que nous pourrons élaborer par notre volonté. En d'autres termes, ce à quoi nous conduiront nos actes personnels.

SYNTHÈSE DES INDICES

Ces explications nous conduisent à déduire que, s'il existe, par exemple, des indices maléfiques dans la main gauche et des bons dans la main droite, bien que nous soyons destinés à supporter les effets d'événements défavorables, nous pourrons par notre volonté modifier cette direction néfaste de notre destin.

La main droite, active, peut donc rectifier les indices maléfiques de la main gauche passive. Mais l'inverse peut également arriver.

Les indices de la main gauche peuvent être très bons, et ceux de la main droite mauvais. Dans ce cas, le sujet qui est destiné à de très hautes situations échouera dans la médiocrité, sinon dans la misère, à cause de ses fautes personnelles. Je connais plusieurs cas de ce genre.

Les bons indices se trouvant dans la main gauche peuvent donc être annihilés par les mauvais signes de la main droite.

Rappelons ici l'obligation impérieuse de faire une synthèse de tous les indices se trouvant dans les deux mains.

CHAPITRE 31

Les Signes dans les Mains

426. Nous avons déjà vu que dans la paume de la main, en même temps que les monts et les lignes, il existait un troisième groupe d'éléments révélateurs que l'on appelle des « signes ».
Ceux-ci peuvent se trouver aussi bien sur les monts que sur les lignes, ainsi que dans les divers espaces se trouvant dans la paume. Nous en avons déjà vu plusieurs et nous en verrons d'autres encore.
A cette occasion, je voudrais rappeler que leurs révélations sont extrêmement importantes et qu'on aurait tort de les considérer comme des éléments secondaires.
J'ajoute que, suivant son emplacement, le même signe pourra avoir des révélations diamétralement opposées. Par exemple, la croix et l'étoile, qui peuvent annoncer le bonheur et l'ascension, peuvent parfaitement devenir signes de malheur ou de catastrophe, suivant l'endroit où elles se trouveront.

LES SIGNES COURAMMENT RENCONTRÉS

Les signes le plus couramment rencontrés sont les suivants : la croix, l'étoile, le triangle, le carré, l'île, les barres, la grille, les points et les trous.
Nous les étudierons à mesure qu'ils se présenteront. Je me contenterai donc d'en donner ci-après un résumé et un tableau explicatif.

Toutefois, pour éviter des erreurs très graves d'interprétation, je tiens à préciser dès maintenant certains faits.

Premièrement : pour qu'un signe contienne sa pleine signification, il doit être nettement dessiné, de façon à ce que dès le premier coup d'œil, on puisse le désigner catégoriquement, sans la moindre hésitation. On se gardera, par exemple, de prendre pour une croix ou une étoile l'amas de petits traits rappelant vaguement ces signes ; ces traits pouvant être, suivant le cas, des barres ou même une grille, avec l'énorme différence de révélation que cela suppose.

Deuxièmement : la main de la personne tourmentée et continuellement insatisfaite de la vie sera pleine de petits traits. Ces petits traits seront parfois tellement nombreux que l'on aura du mal à distinguer les véritables lignes. En pareil cas, le travail du débutant deviendra encore plus difficile, car l'enchevêtrement de ces nombreuses lignes fera apparaître obligatoirement des croix et des étoiles, ou même des carrés, à leurs points de croisement. Il peut même arriver que, dans une main pareille, existent effectivement des croix et des étoiles indépendantes, nettement dessinées, et parfois en nombre important.

Il est de mon devoir de signaler qu'en présence d'une telle main on doit faire preuve d'une très grande circonspection. Ces petites lignes, ainsi que les croix et les étoiles (indépendantes et bien dessinées) peuvent disparaître du jour au lendemain, ou se créer.

En raison de ce fait même, et chaque fois que la chose est possible, pour établir un pronostic valable on doit procéder à l'examen en deux temps, avec un intervalle de quelques semaines, par exemple. Au premier examen, on prendra note de tout ce que l'on aura pu détecter, pour le comparer, en deuxième examen, avec ce qui subsiste. C'est seulement en procédant ainsi, que l'on parviendra à un jugement sérieux et valable, dans le cas d'une main tourmentée.

Troisièmement : avoir toujours présent à l'esprit que les diverses lignes se trouvant dans une main doivent, obligatoirement, se couper au cours de leur trajet. Une ligne saturnienne, par exemple, qui, partant de la rascette, doit arriver jusqu'à la base du médius, coupera forcément, sur son chemin, les lignes de tête et de cœur ainsi que l'anneau de Vénus. Les points de croisement de ces lignes feront croire au néophyte à l'existence d'une croix ou d'une étoile, ou même d'un carré, ce qui serait une erreur grossière.

LES SIGNES LE PLUS FRÉQUEMMENT RENCONTRÉS

Les signes dans les mains

Pour qu'ils révèlent leur pleine signification, les signes doivent être nettement dessinés *(figures 69).*

+

CROIX

La croix : suivant leur emplacement, la croix et l'étoile changent considérablement de signification. Elles peuvent annoncer bonheur, réussite ou richesse, aussi bien que malheur, ruine ou catastrophe qui sont, d'ailleurs, les cas les plus fréquents. *Exemples :* une croix sur le mont de Jupiter révèle un mariage, mais si elle se trouve sur la ligne de vie, elle annoncera un arrêt de la vitalité, donc maladie ou accident.

ÉTOILE

L'étoile : l'étoile comporte à peu près la même signification que la croix, mais en plus agissante et d'effet plus rapide. *Exemples :* si elle se trouve à l'endroit où la croix annonce un simple mariage, l'étoile dénotera bonheur parfait, grande réussite ou haute ascension. Sur la ligne de vie, elle prédira un accident ou une maladie beaucoup plus graves que ceux annoncés par la croix.

TRIANGLE

Le triangle : le triangle est le signe de capacité et de calcul. *Exemples :* sur le mont de Mercure, il annoncera un homme fin et subtil. Sur le mont de Vénus, une personne faisant intervenir le calcul et l'intérêt en amour.

CARRÉ

Le carré : le carré est un signe de protection. *Exemples :* une coupure sur la ligne de vie révèle une maladie grave, mais si cette coupure est encadrée, il ne s'agira que d'un malaise ou d'une maladie passagère. Les barres ou la grille à l'extrémité de la ligne de destinée (ligne saturnienne) annoncent des obstacles et des difficultés assez graves, mais

69

si ces barres ou cette grille sont encadrées, ces obstacles seront de peu de portée.

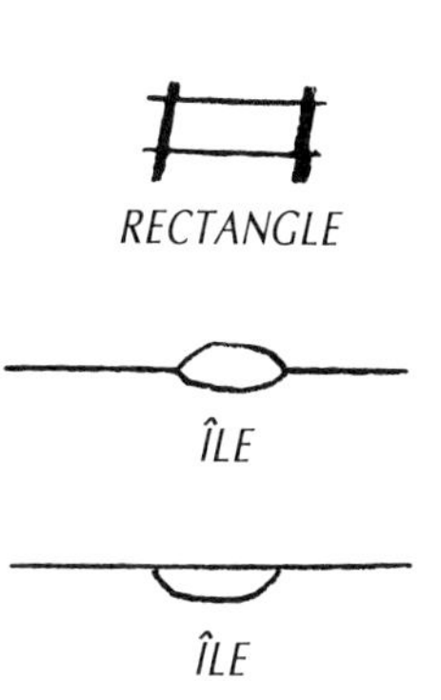

Le rectangle : la signification du rectangle est identique à celle du carré.

L'île : la révélation générale de l'île est la défaillance, celle-ci pouvant être physique ou morale, suivant l'emplacement de l'île. *Exemples :* une île sur la ligne de vie dénotera une maladie et, sur la ligne de destinée, elle annoncera l'adultère.

Il faudra, cependant, noter qu'il existe deux sortes d'îles : l'une qui se trouve formée par le tracé même de la ligne et constitue, par conséquent, une vraie défectuosité et un vrai vice de conformation, et l'autre qui paraît venir s'accrocher à une ligne de constitution parfaitement normale.

Les significations de ces deux sortes d'îles sont, naturellement, différentes.

Les révélations de l'île formée par le tracé de la ligne elle-même sont plus fâcheuses que celles de l'île qui est simplement accrochée à une ligne normalement constituée. *Exemples :* une île formée dans le tracé même de la ligne de vie révélera une maladie sérieuse, alors qu'une île se trouvant simplement accrochée à cette ligne annoncera un état de dépression, une fatigue générale dus, très souvent, à une maladie chronique ou traînante. Sur la ligne de cœur, une île formée par la ligne même dénotera une maladie de cœur, et l'île simplement accrochée à cette ligne annoncera l'adultère.

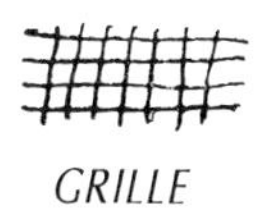

GRILLE

La grille : partout où elle peut se trouver, la grille est toujours un signe défavorable. Elle révèle des difficultés et des obstacles. Elle indique également les mauvais attributs des endroits où elle se trouve. *Exemples :* à l'extrémité des lignes de destinée et de chance, la grille annoncera de multiples difficultés et divers obstacles à la réussite ; sur le mont de Lune, qui est le siège de l'imagination, elle dénotera une imagination excessive et même maladive, ainsi qu'une inquiétude continuelle et une jalousie souvent non justifiée.

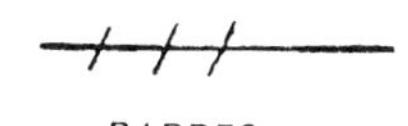

BARRES

Les barres : on appelle ainsi les petits traits coupant une ligne. Elles annoncent des obstacles et des difficultés, mais leurs révélations sont, comparativement, moins fâcheuses que celles de la grille.

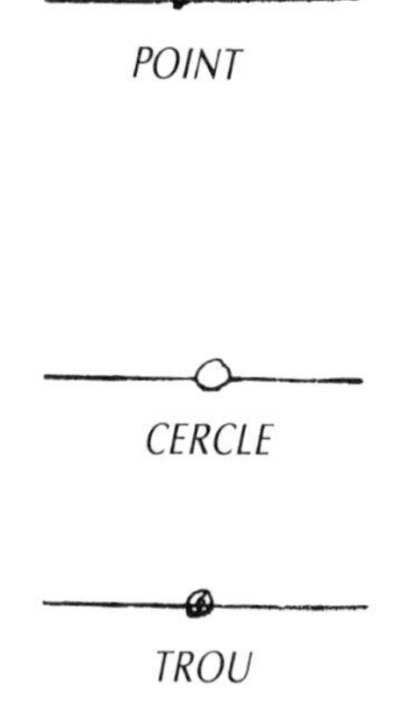

Le point : le point, le cercle et le trou ont, approximativement, la même signification, mais plus ou moins accentuée. Le point révélera des troubles légers. *Exemples :* sur la ligne de tête, le point annoncera des maux de tête et, sur la ligne de vie, il indiquera des malaises ou de légères maladies.

Le cercle : le cercle a presque la même révélation que le point, avec cette différence, cependant, que le premier indiquera des malaises et non des perturbations.

Le trou : le trou est de révélation plus sérieuse que celle du point ou du cercle. Au lieu d'indiquer des malaises, comme le point, ou des perturbations comme le cercle, le trou annoncera la maladie proprement dite.

Le trou bleu ou noir : la révélation d'un trou bleu, et surtout noir, est plus fâcheuse que celle du trou incolore. Le trou bleu annonce une maladie de longue durée. Le trou noir indique une maladie plus grave et de plus longue durée que celle annoncée par le trou bleu.

Le coin : le coin est formé par la conjonction de deux petits traits. Il sera de bonne ou de mauvaise révélation, suivant l'orientation de sa pointe. Si cette dernière est dirigée vers le haut, le coin sera un signe favorable, mais si elle est orientée vers le bas de la main, il sera de mauvais augure.

Le pentagramme : le pentagramme se présente sous la forme d'une étoile formée par la réunion de cinq angles nets et bien dessinés. Sa signification variera suivant l'endroit où il se trouvera *(fig. 69).*

Pour qu'ils révèlent leur pleine signification, les signes doivent être nettement dessinés.

CHAPITRE 32

Les Lignes de la Main
Généralités sur les Lignes

427. Le néophyte aura tort de s'impatienter et de vouloir passer immédiatement à l'étude des lignes, sans prendre en considération les généralités qui sont la base même de notre profession pour déchiffrer les révélations exactes des lignes et des signes. En les perdant de vue, la plupart des interprétations du débutant seront erronées ou, tout au moins, les pronostics qu'il établira seront dépourvus de précision.

CRÉATION ET DISPARITION DES LIGNES

428. Tout chirologue doit savoir que l'enfant vient au monde avec des lignes dans les mains.

429. D'autre part, il faut savoir que les lignes et les signes de la main disparaissent entièrement après la mort : deux jours après la mort, il ne reste plus aucune ligne.

LA DESTINÉE N'EST PAS IMMUABLE

430. Autre fait capital : l'homme peut arriver à modifier lui-même sa destinée, par la force de sa volonté. La destinée n'est donc pas immuable et, par voie de conséquence, les lignes non plus.

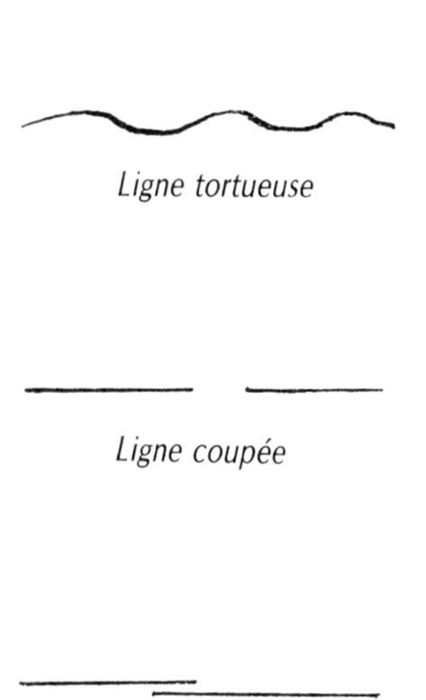

Ligne tortueuse

Ligne coupée

Coupée, mais protégée

431. Au cours de notre existence, non seulement les lignes de nos mains peuvent se modifier, mais aussi disparaître entièrement ou, au contraire, apparaître. On a souvent constaté, par exemple, qu'une ligne de vie, courte à l'origine, s'allonge d'abord par la naissance de petits traits, puis par la transformation de ces traits en une ligne parfaite.

432. Les lignes de l'homme doivent être plus marquées que celles de la femme.

CONSTITUTION DE LA LIGNE IDÉALE

433. Pour qu'une ligne soit considérée comme normalement constituée, elle doit être :

1. Suffisamment longue : donc ni courte ni excessivement longue ;
2. Nettement dessinée : ni confuse ni formée par une succession de traits ;
3. Droite dans son tracé : ni ondulée ni tortueuse ;
4. De profondeur suffisante : ni superficielle ni très profonde ;
5. D'une largeur rationnelle : ni très fine ni très large ;
6. Exempte de signes, et sans barres. Les signes sur les lignes, ainsi que les petits traits appelés des « barres », sont de révélation défavorable ;
7. De tracé ininterrompu : elle ne doit donc pas s'arrêter au cours de son trajet, ni après un vide continuer son chemin. La ligne coupée est toujours de mauvais augure *(figures 70).*

Coupée, mais protégée

Coupée, mais protégée

LA COULEUR DES LIGNES

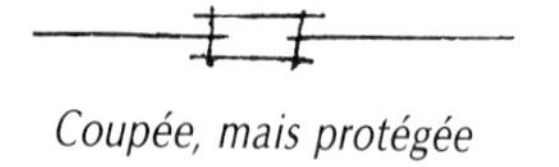

Coupée, mais protégée

434. En plus des conditions ci-dessus, la couleur des lignes est d'une importance capitale.

1. Une ligne de coloration normale doit être légèrement rosée. En état de détente de la paume, cette coloration doit être à peine perceptible ;
2. Lorsqu'on distend énergiquement la peau de la paume, une ligne normalement colorée doit faire paraître un tracé rouge ;

70

3. Seront donc considérées de coloration anormale les lignes rouges (à l'état de détente), les lignes très rouges, jaunes, bleues et surtout noirâtres.

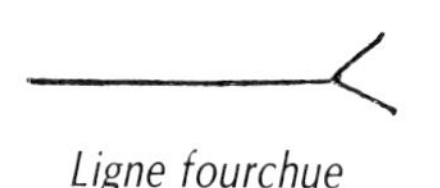

Ligne fourchue

MAIN TOURMENTÉE

435. J'ai déjà signalé le cas de la main de la personne tourmentée. Ce cas se présentant (à l'époque actuelle) plus fréquemment qu'on ne peut le penser, je me vois dans l'obligation de le rappeler (chapitre 31).

Ligne terminée en balai

MAIN CALME

436. A l'opposé de la personne ci-dessus, celui qui a une vie régulière et monotone, et qui n'aspire pas d'une manière intense à modifier le cours de son existence, n'aura que très peu de lignes dans la main. En général, on y voit les lignes de vie, de tête, de cœur et de destinée.

Ligne chaînée

Avec barres à l'extrémité

CATÉGORIES DES LIGNES

437. Presque tous les auteurs ont pris l'habitude de diviser les lignes de la main en plusieurs catégories : lignes principales, lignes secondaires, lignes accessoires, etc.
Les lignes considérées comme principales sont :
La ligne de vie ;
La ligne de tête ;
La ligne de cœur.
Les lignes appelées secondaires sont :
La ligne saturnienne (la ligne de destinée) ;
La ligne de soleil (la ligne de chance) ;
La ligne hépatique (la ligne de santé) ;
La ligne d'intuition ;
L'anneau de Vénus.
Toutes les autres lignes sont considérées comme accessoires ou accidentelles.
La plupart des auteurs ajoutent que l'absence de l'une des lignes principales dans une main est le signe certain de mort prochaine.
Personnellement, je trouve néfaste cette habitude de répartir ainsi les lignes, en lignes « principales », « secondaires », « accidentel-

Avec grille à l'extrémité

Grille encadrée

Ile formée par la ligne même

Ile accrochée à la ligne

Trou sur la ligne

Doublée de ligne sœur

Ligne confuse

Ligne de tracé irrégulier

les » ou « accessoires », etc., qui crée dans l'esprit du néophyte l'idée qu'il n'y a que les lignes dites principales qui comptent, les autres étant plus ou moins à négliger. Cette conviction restera ancrée dans l'esprit du débutant pendant longtemps.
Par conséquent, et pour éviter cette dangereuse conception, je suggère au lecteur de faire table rase de cette répartition des lignes en catégories, et d'admettre une fois pour toutes qu'il n'existe pas de lignes de signification secondaire. Tous ceux qui s'occupent tant soit peu des lignes savent parfaitement que ce serait une erreur grossière et impardonnable de prendre pour secondaires, par exemple, de belles lignes saturniennes, de soleil ou de santé. Nous ne tarderons pas, d'ailleurs, à voir le rôle excessivement important joué par ces dernières lignes.
Quant à l'affirmation qui veut que l'absence d'une des lignes appelées principales soit un signe certain de mort, je la réfute entièrement. Certes, personne ne songera à nier ou même à minimiser l'importance des lignes de vie, de tête et de cœur. Mais, je connais personnellement plusieurs personnes de 50 à 60 ans, auxquelles il manque une de ces lignes, qui se portent parfaitement bien et ne font pas du tout l'impression de devoir mourir bientôt. D'ailleurs, je ne suis sûrement pas le seul à avoir constaté ce fait.

LA LIGNE SŒUR

438. On appelle ligne sœur la ligne qui accompagne une ligne connue. Il peut donc exister des lignes sœurs pour les lignes de vie, de tête, de cœur, de Saturne, etc. On connaît même des cas de doubles lignes sœurs. Ces lignes, ayant des fonctions importantes, ne doivent jamais être négligées.
Si une ligne sœur accompagne une bonne ligne, elle en augmente considérablement la signification. Et si elle accompagne une ligne déficiente ou défectueuse elle vient à son aide.
Mais ces effets bénéfiques sont subordonnés à la perfection du tracé de la ligne sœur. Car

il existe une exception à la règle que j'ai mentionnée ci-dessus, due à l'état défectueux du tracé de la ligne sœur. Il s'agit d'une ligne sœur tortueuse qui accompagne une bonne et parfaite ligne. Par exemple, une belle ligne de vie (qui révèle une bonne vitalité) accompagnée d'une ligne sœur tortueuse révélera un mauvais état de santé pendant la période indiquée par la longueur de cette dernière. Je précise, cependant, que cette perturbation dans le cours de la vitalité ne sera jamais d'une extrême gravité.
Cette exception (qui confirme la règle) mise à part, nous devons admettre qu'une ligne sœur est toujours un signe bénéfique, même dans le cas où il n'en existerait que des fragments. Nous en verrons de nombreux cas au cours de l'étude des lignes. Mais ici, j'insisterai sur un détail. Les fragments d'une ligne sœur ne perdent pas de leur valeur bénéfique s'ils se trouvent au commencement, au milieu ou à la partie finale de la ligne qu'ils accompagnent.
J'insiste sur ce détail, car un auteur avait émis autrefois un avis contraire. Il affirmait que si une ligne sœur accompagnait une ligne dans sa partie finale, elle serait de très mauvais augure. Il citait même un exemple en disant que, si une ligne sœur accompagne une ligne de vie dans sa dernière partie seulement, cela révèle des succès éclatants pendant la jeunesse, misère et même exil en âge mûr.
Cet avis est erroné, et je me contenterai de le signaler.

POINTS DE DÉPART ET D'ARRIVÉE DES LIGNES

439. Enfin, il reste un dernier détail à retenir, qui n'est sûrement pas le moins important.
Il s'agit de déterminer l'endroit exact d'où part une ligne, ainsi que l'emplacement où elle vient aboutir.
Ces deux faits sont d'une importance capitale. Suivant son point de départ, une ligne peut changer considérablement de signification, et change encore de révélation suivant son point

d'arrivée. Je citerai un exemple : une ligne de destinée (ligne saturnienne) révélera des faits tout à fait différents, selon qu'elle part du mont de Lune, de la rascette ou de la ligne de vie. Elle changera encore de signification si elle aboutit au mont de Jupiter ou au mont de Saturne, au mont du Soleil ou au mont de Mercure, ou encore si elle s'arrête, en cours de route, dans le creux de la main.

CHAPITRE 33

La Ligne de Vie
La Ligne de Vitalité

440. La ligne de vie prend naissance dans l'espace qui se trouve entre la base de l'index et celle du pouce. Elle décrit un demi-cercle dans la paume, et se courbe pour aller aboutir vers la base de la troisième phalange du pouce.
Elle nous renseigne sur le degré de résistance et de vigueur de la constitution physique de l'être.
Elle annonce également les maladies et accidents éventuels, plus ou moins graves.
Elle est aussi l'un des éléments nous permettant de prédire la durée de la vie.
Il faudra ajouter à cela que c'est l'étendue de l'arc qu'elle trace dans la paume qui détermine la largeur ou l'étroitesse du mont de Vénus. Nous en avons vu l'importance vitale lors de l'étude de ce mont.

441. J'aurais donc préféré appeler cette ligne « ligne de vitalité » plutôt que « Ligne de vie », qui communique surtout l'idée d'une ligne révélant uniquement la longueur ou l'insuffisance de la vie humaine. Cette croyance est très répandue.

LA LONGUEUR DE LA LIGNE DE VIE

442. La longueur de la ligne de vie n'est pas déterminée seulement par sa continuité sous

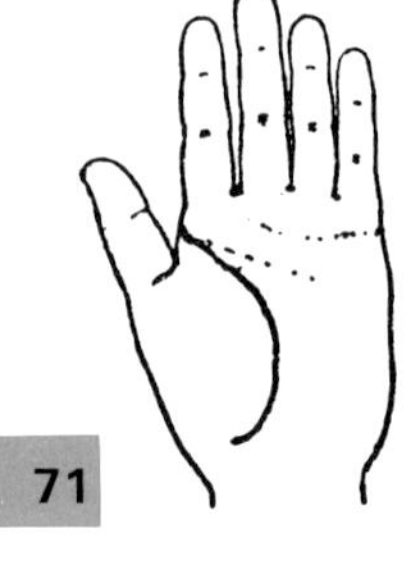

71

la base du mont de Vénus, mais également par l'étendue de l'arc qu'elle trace dans la paume, bien que le fait de contourner la base du mont de Vénus confère à cette ligne une signification particulière, que nous verrons un peu plus loin.

LIGNE DE VIE NORMALE

443. Du point de vue constitution, une ligne de vie normale doit correspondre aux dispositions du paragraphe 433, et, du point de vue coloration, doit être conforme aux indications du paragraphe 434. Ne pas manquer de revoir ces deux passages.

LIGNE LONGUE

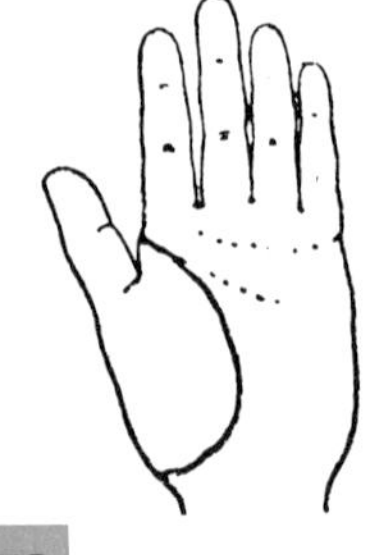

72

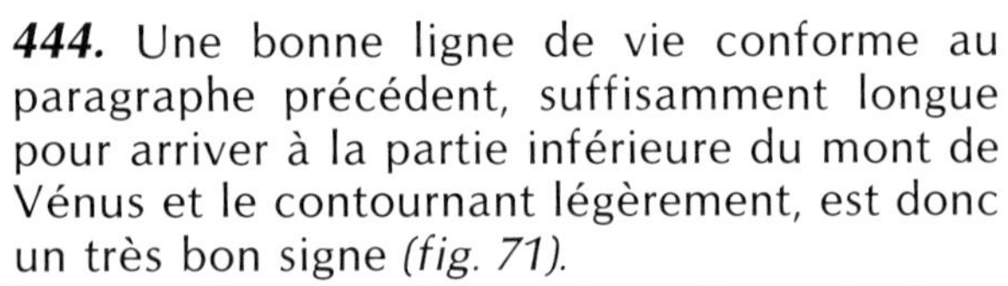

444. Une bonne ligne de vie conforme au paragraphe précédent, suffisamment longue pour arriver à la partie inférieure du mont de Vénus et le contournant légèrement, est donc un très bon signe *(fig. 71).*

Je rappelle, toutefois, qu'une ligne, tout en étant d'excellente révélation, n'est pas preuve absolue d'une vie très longue.

Elle nous permettra, cependant, de faire le pronostic favorable suivant :

A. Elle sera le signe d'un bon caractère, et révélera une personne sociable ;

B. Elle annoncera un bon équilibre physique, avec une vigueur et une vitalité ininterrompues jusqu'à l'âge où elle s'arrête ;

C. Elle nous permettra de croire à la possibilité d'une longue vie.

LIGNE TRÈS LONGUE

445. La ligne de vie sera considérée comme très longue lorsqu'elle continuera sous le mont de Vénus et arrivera à l'angle extérieur de la base de la troisième phalange du pouce *(fig. 72).*

La ligne de vie très longue ne doit pas être prise pour un signe de meilleure révélation que la ligne de longueur normale.

Car, si elle sera toujours l'indice d'une bonne constitution physique et nous autorisera à

penser à la possibilité d'une longue vie, elle révélera également une personne batailleuse et souvent insociable.
Et, suivant le proverbe qui dit que « Deux extrémités se touchent », la ligne de vie courte annoncera la même irritabilité que la ligne de vie très longue.

LIGNE COURTE

446. La ligne de vie courte n'est pas un bon signe, mais elle n'est pas obligatoirement l'indice d'une vie courte s'arrêtant à l'âge où s'arrête la ligne courte *(fig. 73).*
Nous sommes toutefois obligés de l'interpréter comme suit :
A. Elle révèle un caractère irritable et coléreux, une personne très facilement en colère, et parfois même sans raisons valables. En bref, quelqu'un de très peu sociable.

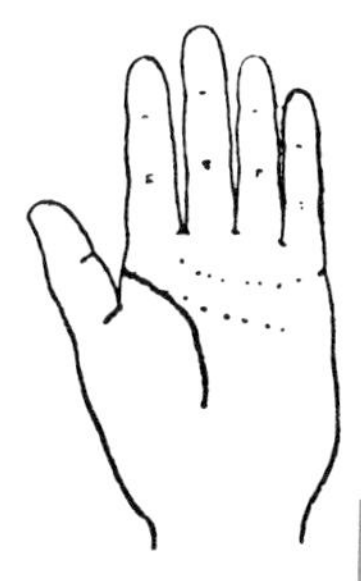

73

B. Elle annoncera une diminution nette de la vitalité à l'âge où la ligne s'arrête. Ceci n'empêchera pas, cependant, une bonne vigueur et une résistance physique pratiquement suffisante jusqu'à l'âge de son point d'arrêt, à la condition, toutefois, qu'elle soit nette et assez profonde.
C. Comme conséquence normale de la diminution de la vitalité, elle annoncera aussi la possibilité de graves ennuis de santé, à partir de l'âge où elle s'arrête.

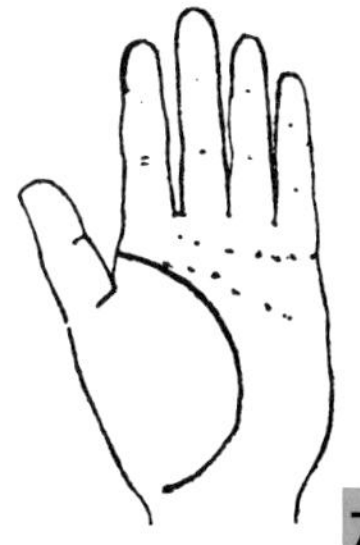

74

D. Et, si cette ligne est aussi courte dans les deux mains, elle révélera des ennuis de santé beaucoup plus graves, nous permettant même de penser à la mort, à l'âge où ces deux lignes s'arrêtent.
447. Mais, dès que l'on arrive au point d'envisager la possibilité de mort, on doit se faire plus attentif et circonspect. On doit procéder comme suit :
A. Chercher d'autres signes maléfiques annonçant, par exemple, de très graves maladies ou des accidents pouvant être mortels.
B. On ne doit pas manquer d'examiner l'autre main également, pour voir si la ligne de vie de la deuxième main est aussi courte.
C. Nous pourrons penser à la possibilité de mort seulement lorsqu'il existera un ou plu-

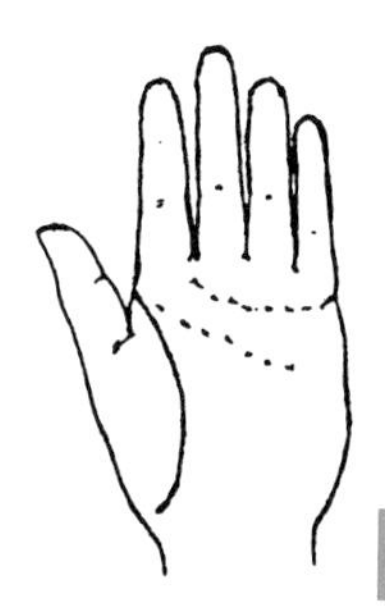

75

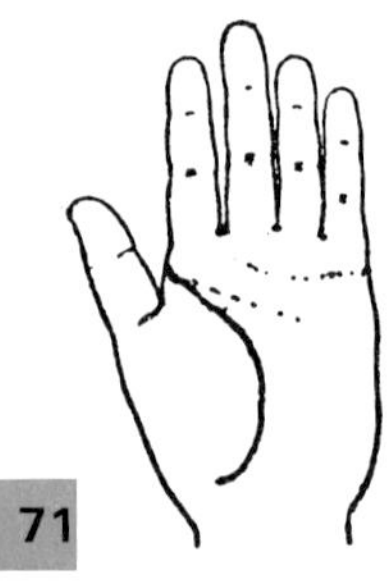

71

72

sieurs autres signes gravement maléfiques, et lorsque nous ne trouverons pas l'un des éléments compensateurs suivants.

ÉLÉMENTS COMPENSATEURS

448. Les éléments principaux pouvant suppléer à l'insuffisance de longueur de la ligne de vie, et nous interdisant d'annoncer la mort, sont les suivants :
A. Une bonne ligne sœur, accompagnant la ligne de vie dès son commencement et continuant son trajet au-delà du point d'arrêt de la ligne courte. Une telle ligne sœur pourra aller jusqu'à la partie inférieure du mont de Vénus et, contournant ce dernier, aller aboutir à la base de la troisième phalange du pouce.
B. Une ligne sœur de tracé parfait, commençant seulement un peu avant le point d'arrêt de la ligne de vie courte.
C. Une parfaite et longue ligne saturnienne, partant presque de la rascette et arrivant sur le mont de Saturne.
D. La même ligne de Saturne partant de la ligne de vie ou du mont de Vénus. On voit, souvent, une bonne ligne saturnienne partant du point même où s'arrête la ligne courte.
E. Une nette et longue ligne de soleil.
F. Une bonne ligne de santé (ligne hépatique). Au lieu d'une seule ligne de santé, on en voit parfois deux ou même trois ou quatre. Dans ces derniers cas, leurs révélations seront encore plus accentuées, à la condition, toutefois, qu'elles soient nettes et assez profondes.
G. Une nette et suffisamment longue ligne de tête qui, en plus d'une vive intelligence, conférera énergie et persévérance.
H. Un bon mont de Vénus, que nous connaissons déjà comme source de vitalité. Ici, je dois cependant attirer l'attention du lecteur sur un détail. Pour le cas qui nous intéresse dans ce paragraphe, le mont de Vénus ne doit pas être très rayé. Car, un tel mont annoncera une nette inclination vers les plaisirs et les excès sexuels. Ce fait, s'ajoutant à l'excitation sensuelle que certaines maladies provoquent, sera sûrement nuisible à la santé de notre consultant.

I. En plus de leur longueur satisfaisante, la netteté et la profondeur de l'ensemble des lignes.
J. Enfin, on ne manquera pas de relire attentivement les paragraphes 430 et 431.

LIGNE DE TRAJET LARGE

449. Une bonne ligne de vie, décrivant un large arc dans la paume allant jusqu'au centre de cette dernière et se courbant ensuite pour aller aboutir à la base du mont de Vénus, est le signe d'une vitalité débordante, et ceci sans préjudice des bons attributs énoncés au paragraphe 444, relatifs à la ligne de vie longue.
Bien entendu, celle-ci ne doit pas être très longue, au point d'aller jusqu'à la partie extérieure de la base du pouce. Car, dans ce cas, elle cumulera aussi les défauts de la ligne très longue du paragraphe 445, greffés sur une vitalité et une vigueur physique considérables. Elle révélera une personne vive, grossière et très irritable. Elle annoncera, par conséquent, une personne brutale et coléreuse, donc absolument insociable *(fig. 74).*

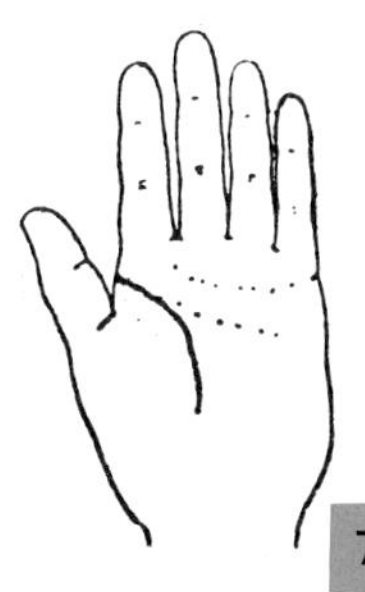

73

LIGNE DE TRACÉ FAIBLE

450. Comme nous l'avons déjà dit plusieurs fois, une ligne doit être nettement marquée et suffisamment profonde. Cette condition est obligatoire pour toutes les lignes.
Si la ligne de vie est faiblement et superficiellement marquée, elle annoncera une santé délicate et un manque de résistance physique. Chez la personne à la ligne de vie faiblement tracée, les maladies dureront longtemps et pourront avoir une fin fâcheuse. En cas de cancer, par exemple, cette maladie risque de se généraliser.

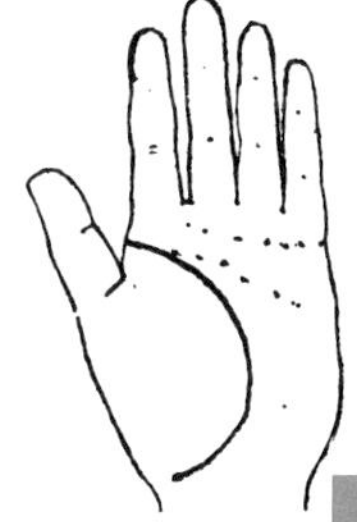

74

EN ARC RÉTRÉCI

451. Une ligne de vie ne marquant qu'un petit arc dans la paume et rendant ainsi le mont de Vénus étroit sera le signe d'une vitalité médiocre, et la valeur des autres

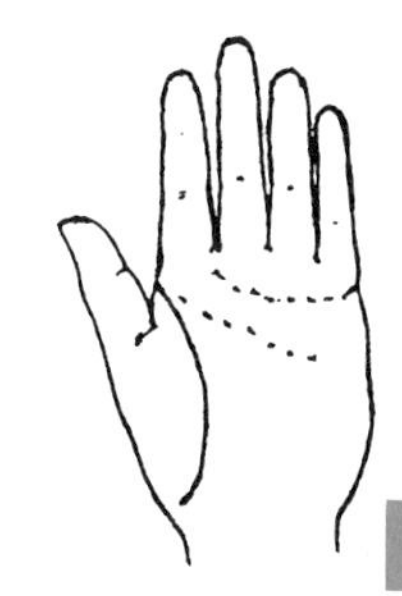

75

76

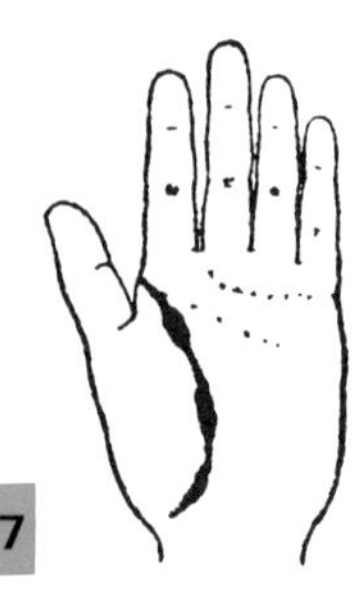

77

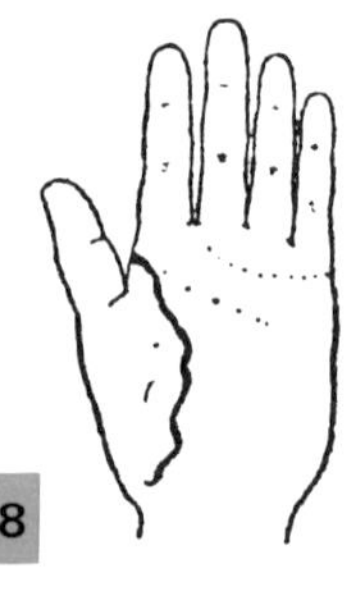

78

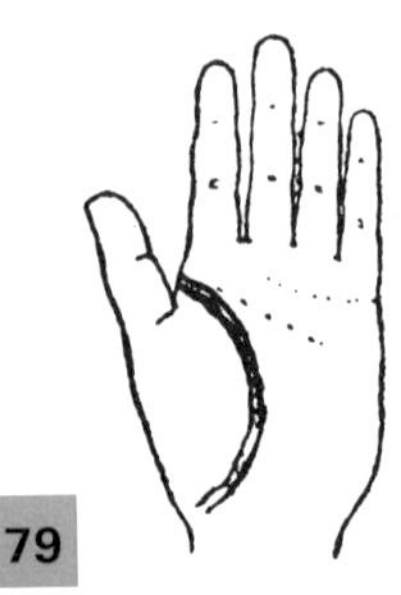

79

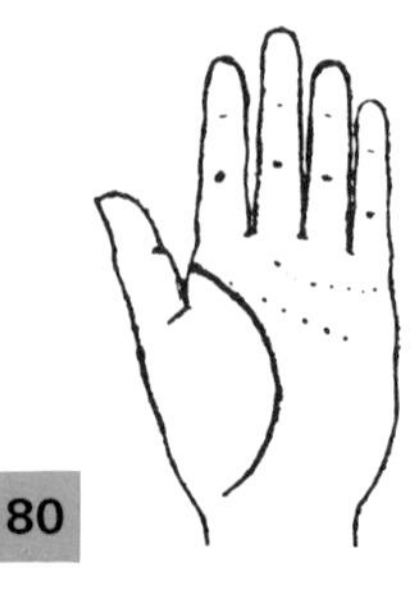

80

attributions de la ligne de vie longue et de trajet large sera forcément diminuée en proportion du rétrécissement de cette ligne *(fig. 75).*

452. Encore plus rétrécie que la ligne précédente, et se trouvant comprimée vers l'intérieur du mont de Vénus, elle révélera une vitalité fâcheusement diminuée. Elle indiquera également froideur dans les sentiments. Dans le cas d'une femme, une telle ligne annoncera difficulté d'accouchement.

LIGNE PROFONDE

453. Contrairement à la ligne faiblement et superficiellement marquée, une ligne de vie profonde annoncera une vigueur, une énergie et une activité débordantes. La personne dont la ligne de vie est profonde sera très énergique, très active et même brutale. Les sentiments, chez elle, seront profonds, brusques et violents. Elle aura une résistance physique remarquable. Dans la vie courante, comme dans la vie sentimentale, elle sera puissante, vigoureuse et résistante, mais également égoïste, vive et despotique.

LIGNE LARGE

454. Mais si cette ligne est simplement large (sans profondeur), elle sera toujours le signe d'énergie et d'activité, toutefois sans beaucoup de puissance ni de résistance. L'homme qui a la ligne de vie large pourra être un amoureux ardent, mais il n'aura jamais la puissance de celui qui a une ligne de vie profonde *(fig. 76).*

DE TRACÉ IRRÉGULIER

455. Si au lieu d'être de largeur égale sur toute sa longueur, le tracé de cette ligne se rétrécit et s'élargit par endroits, cela révélera des variations dans la vitalité, et autant de fois qu'il existe de rétrécissements *(fig. 77).*

LIGNE ONDULÉE

456. La ligne de vie tortueuse ou ondulée révèle une personne de caractère changeant et, si elle est rouge en même temps, un tempérament chaud et vigoureux mais instable *(fig. 78).*

DOUBLÉE D'UNE LIGNE SŒUR

457. Comme nous l'avons déjà vu, une bonne ligne sœur qui accompagne une bonne ligne de vie augmente considérablement la valeur de cette dernière. Et si la ligne de vie est défectueuse, elle en répare les défectuosités, à la condition, cependant, qu'elle soit elle-même de tracé impeccable *(fig. 79).*

458. Car une ligne sœur tortueuse accompagnant une ligne de vie parfaite, malgré la bonne signification de cette dernière, révélera un état maladif pendant la durée correspondant à sa longueur.

POINTS DE DÉPART

459. J'ai déjà attiré l'attention sur le fait qu'une ligne change de signification suivant son point de départ et celui de son arrivée.
Le point de départ normal de la ligne de vie est l'espace se trouvant entre le pouce et l'index, mais à distance égale de la base de ces deux doigts *(fig. 80).*

460. Si elle prend très haut (vers l'index), elle dénotera une vitalité et une activité considérables. Elle révélera également ambition et esprit d'entreprise *(fig. 81).*

81

461. Mais si elle prend bas (vers le pouce), elle annoncera une vitalité fragile, sans être pour cela un indice de maladie. Elle dénotera, subsidiairement, un manque de confiance en soi, donc peu de possibilité de réussite *(fig. 82).*

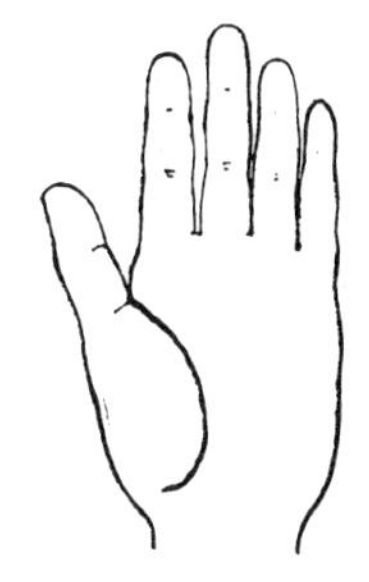
82

POINTS D'ARRIVÉE

462. La ligne de vie normale doit arriver à la base du mont de Vénus, en le contournant légèrement.

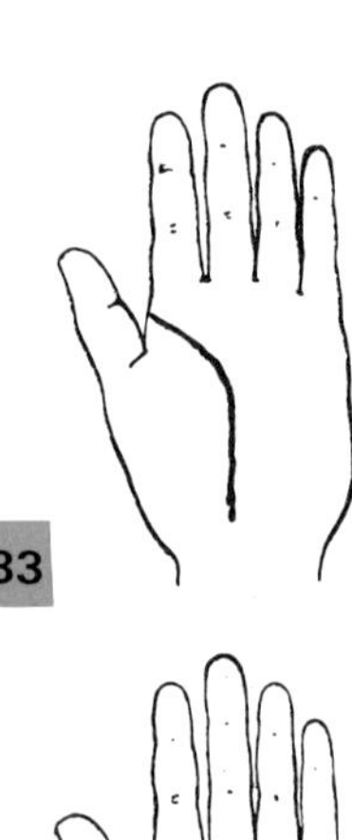
83

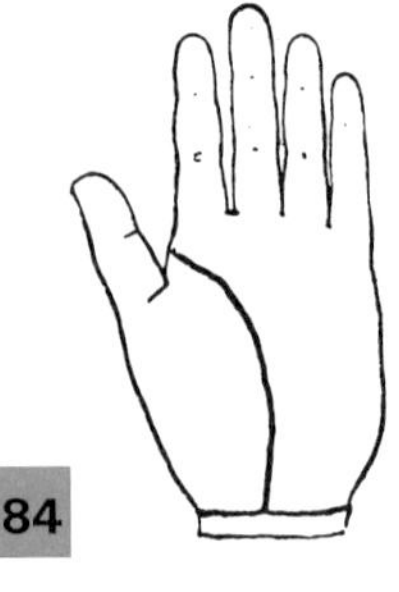
84

85

463. Si elle se dirige vers la rascette, elle annoncera une déperdition de force à l'âge où elle commencera à dévier *(fig. 83).*

464. Et, si cette déviation est très accentuée, la ligne de vie allant toucher le premier bracelet de la rascette, elle sera un très mauvais signe. La mort est possible à l'âge où cette déviation commence *(fig. 84).*
Cette déviation pourra se présenter sous deux formes : elle peut commencer nettement à un point donné de la ligne de vie, en formant presque un angle sur ce point. Dans ce cas, l'âge du début de la déviation sera aisé à fixer. Mais elle peut aussi continuer tout droit vers la rascette sans qu'on puisse définir un point de changement de direction. L'interprétation de ce dernier cas sera, naturellement, un cas d'espèce. Mais il faut remarquer que la présomption de mort brusque sera fortement diminuée, bien que la déperdition de forces soit sûre *(fig. 85).*

FOURCHUE A L'EXTRÉMITÉ

465. La ligne de vie peut se diviser en deux branches à son extrémité, l'une d'elles continuant sa route sous le mont de Vénus (comme une ligne normale) et l'autre s'écartant et se dirigeant vers la rascette.
Ce cas ne sera pas d'aussi mauvais augure que celui du paragraphe précédent, mais il sera toujours le signe d'une perte nette de forces physiques, commençant à l'âge du point de séparation de ces lignes *(fig. 86).*

LES LIGNES PARTANT DE LA LIGNE DE VIE

466. Avant tout, il faut mettre le lecteur en garde contre l'erreur de confondre ces lignes avec celles partant du mont de Vénus, ces dernières ayant des révélations tout à fait différentes.
Et, pour faciliter l'assimilation de ce qui suit, je répartirai en trois groupes les lignes partant de la ligne de vie :
1. Les lignes se dirigeant vers le haut de la paume ;

2. Les lignes se dirigeant vers le creux de la main ;
3. Les lignes se dirigeant vers le bas de la paume.

467. Entre-temps, je rappellerai le principe bien connu que les lignes ascendantes sont de bon augure et les lignes descendantes de mauvaise révélation.

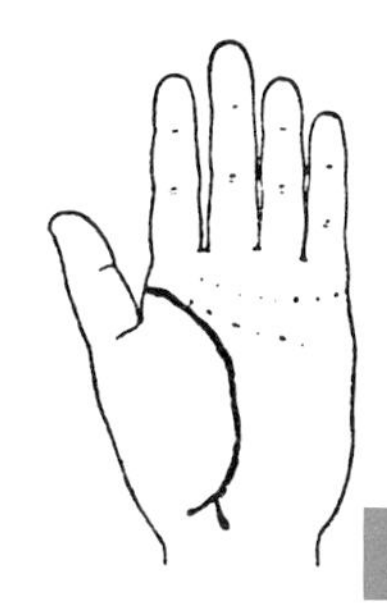
86

LIGNES SE DIRIGEANT VERS LE HAUT DE LA PAUME

468. Les lignes se dirigeant vers le haut de la paume se présentent sous divers aspects et, par voie de conséquence, comportent des révélations différentes.

469. La ligne qui part de la ligne de vie et arrive jusqu'à la jointure de l'index sera de très bon augure. Elle révélera succès, réussite et la réalisation des ambitions *(fig. 87)*.

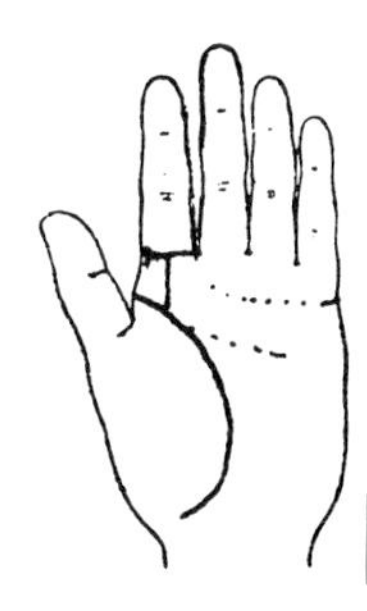
87

470. Celle s'arrêtant sur le mont de Jupiter, même un peu avant, sera toujours de bonne révélation mais, naturellement, avec une nuance d'interprétation suivant sa longueur et son point d'arrivée.

471. Si une telle ligne, arrivée sur le mont de Jupiter, rejoint une croix, surtout une étoile, se trouvant sur ce mont, elle sera de révélation supérieure à celle du paragraphe 469. Elle indiquera donc des succès éclatants, une ascension très haute et même spectaculaire *(fig. 88)*.

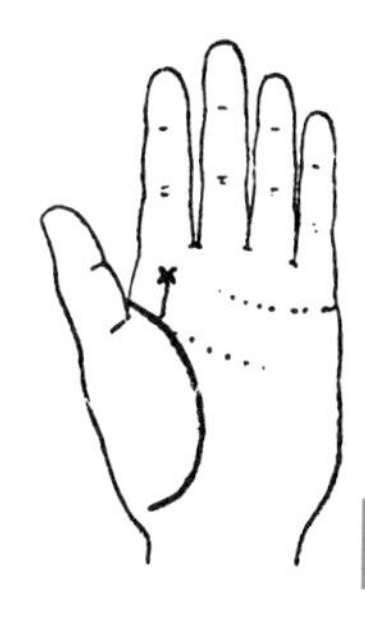
88

472. Si une telle ligne arrive sur les autres monts (mont de Saturne, du Soleil ou de Mercure), ce fait dénotera la domination des bons attributs de ces monts pour la réalisation des réussites.

LIGNES SE DIRIGEANT VERS LE CREUX DE LA MAIN

473. Les lignes partant de la ligne de vie et se dirigeant vers le creux de la main sont également de bon augure, mais avec la différence que les réussites seront obtenues par les efforts et les mérites personnels.

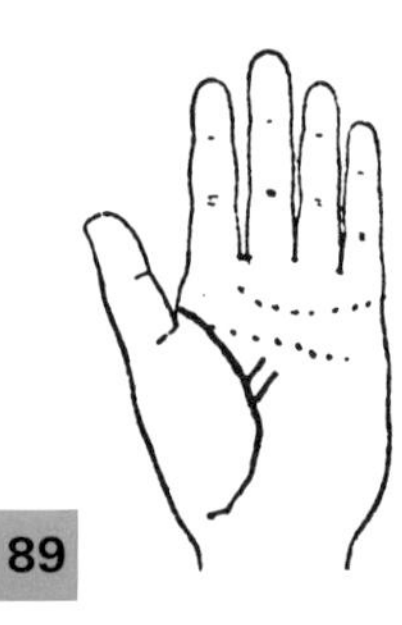

89

474. Les lignes se dirigeant vers la ligne de tête seront des signes de richesse et de réussite, sous réserve de la condition mentionnée ci-dessus *(fig. 89).*

475. Celles se dirigeant vers le milieu de la paume sont également de bon augure, mais les résultats seront obtenus après d'âpres luttes *(fig. 90).*

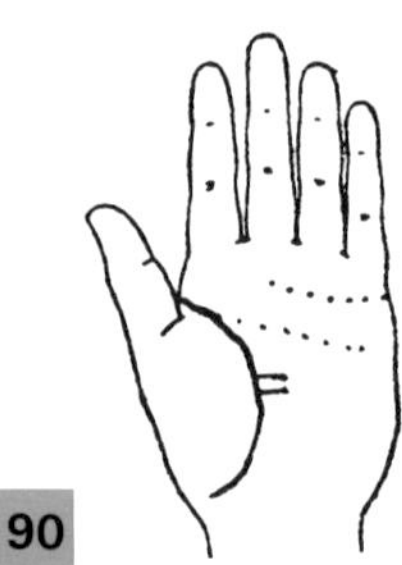

90

LIGNES SE DIRIGEANT VERS LE BAS DE LA MAIN

476. Les lignes descendantes étant toujours de mauvais signes, celles partant de la ligne de vie et se dirigeant vers le bas de la paume auront les révélations défavorables suivantes :

477. Les faibles rameaux descendants indiqueront une prédisposition à l'arthritisme et, simultanément, un caractère changeant *(fig. 91).*

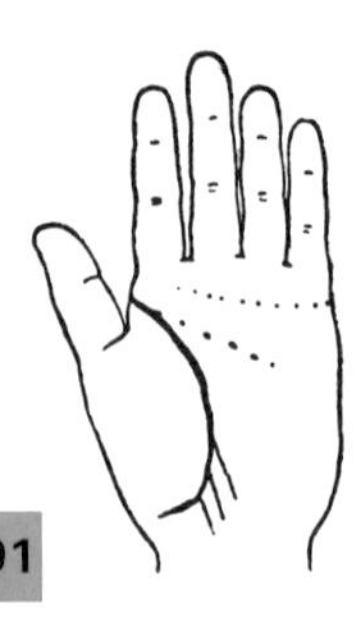

91

478. Mais, si ces rameaux sont profonds et plus nets, ils indiqueront franchement le rhumatisme et, suivant la profondeur de ces lignes, le rhumatisme sera plus ou moins virulent, allant jusqu'à l'obligation de rester cloué dans un fauteuil pendant un certain temps *(fig. 92).*

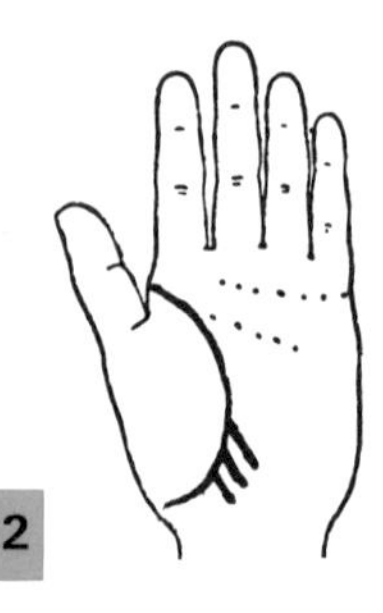

92

479. L'extrémité de la ligne de vie, au lieu d'être de tracé net, pourra se diviser en une multitude de faibles traits, donnant l'impression d'un balai, ces traits se dirigeant aussi bien vers le mont de Vénus que vers le bas de la paume. Cet état est interprété par certains auteurs comme étant le signe prédisant la pauvreté dans la vieillesse. A mon avis, il révèle la dispersion et, par voie de conséquence, la diminution des forces vitales commençant à l'âge indiqué par le point de formation de ce balai *(fig. 93).*

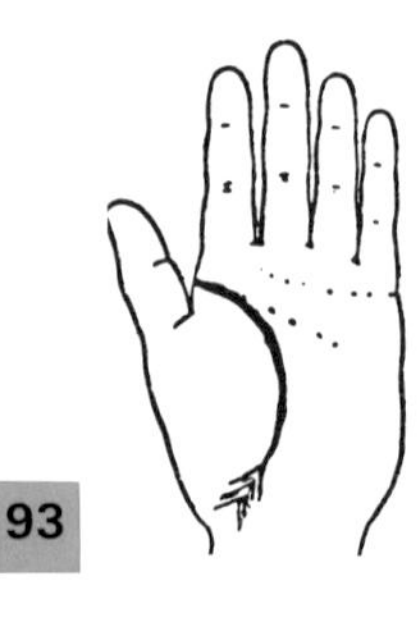

93

Les rameaux se dirigeant vers le mont de Lune sont des signes de désir passionné de changement. Ils peuvent indiquer un désir de changer d'époux, de changer de situation matérielle ou encore de changer de lieu d'habitation (voir les paragraphes 835 et suivants concernant les lignes de changement) *(fig. 94).*

COUPÉE EN DEUX TRONÇONS

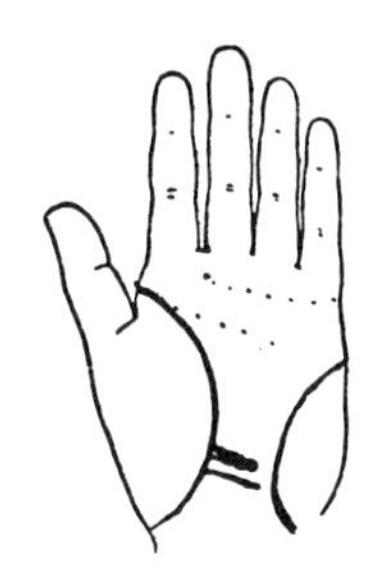

94

_480._ Une coupure sur le trajet d'une ligne (quelle qu'elle soit) est toujours de mauvais augure. Sur la ligne de vie, les coupures révèlent des maladies plus ou moins graves suivant l'état de la coupure. Car une coupure peut se présenter sous divers aspects.
Voici les cas principaux de coupures sur la ligne de vie :

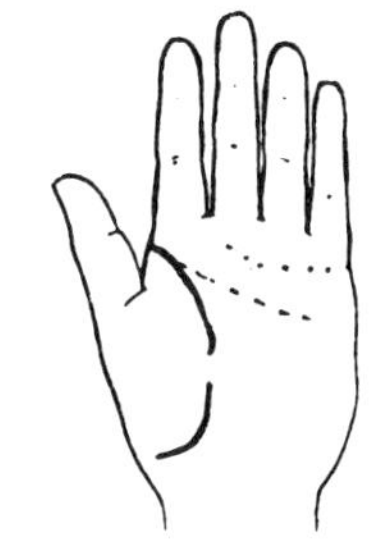

95

_481._ La ligne de vie, au cours de son trajet, peut se couper en deux tronçons faisant apparaître, à l'endroit de la coupure, un vide plus ou moins grand. Après avoir laissé ce vide, la ligne reprend son cours et continue son trajet normalement.
Ce cas révélera une maladie assez grave, qui se produira à l'époque de la coupure *(fig. 95).*

_482._ La coupure interprétée ci-dessus concerne le cas où elle n'existerait que dans une seule main, car si elle se voit simultanément dans les deux mains, sa révélation sera plus grave.
La ligne de vie des deux mains coupée en deux tronçons annoncera des maladies pouvant être mortelles.

_483._ Mais il existe des cas de coupures que j'appelle « coupures protégées », car la façon dont elles se présentent diminue considérablement les effets néfastes des coupures exposés aux paragraphes précédents. (Voir à ce sujet la fig. 70, p. 144.)
Les cas de « coupures protégées » sont les suivants :
Le deuxième tronçon de la ligne coupée, au lieu de reprendre son trajet après un vide, commence avant le point d'arrêt du premier tronçon. Ce cas annoncera des ennuis de santé, mais beaucoup moins graves que les deux cas précédents *(fig. 96).*

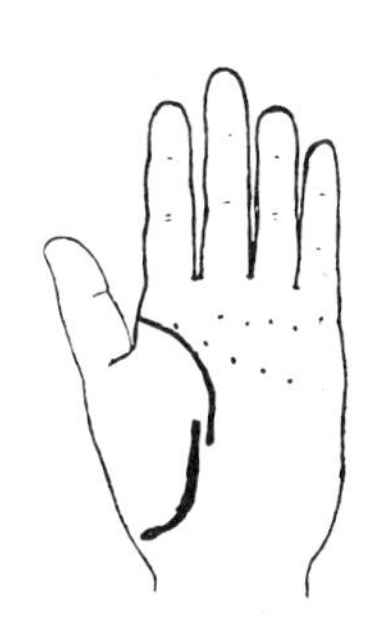

96

_484._ La ligne coupée peut être accompagnée d'une bonne ligne sœur. Cette dernière annulera la virulence des maladies, qui ne se manifesteront que sous forme de malaises, sans gravité pour l'état général *(fig. 97).*

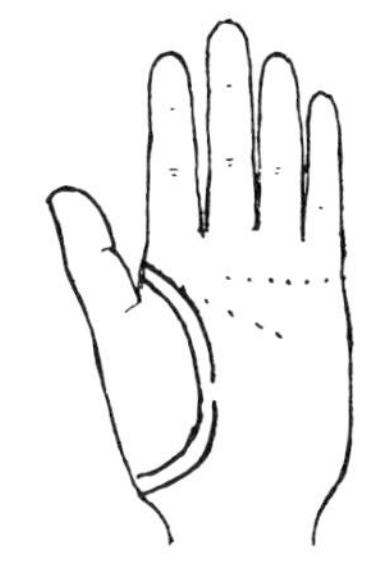

97

_485._ Au lieu d'une bonne et longue ligne sœur, un fragment seulement de cette der-

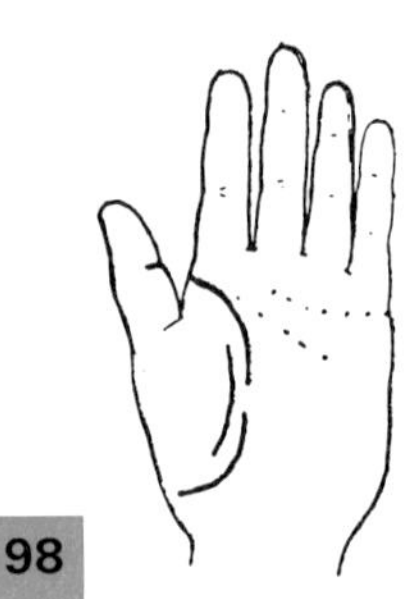

98

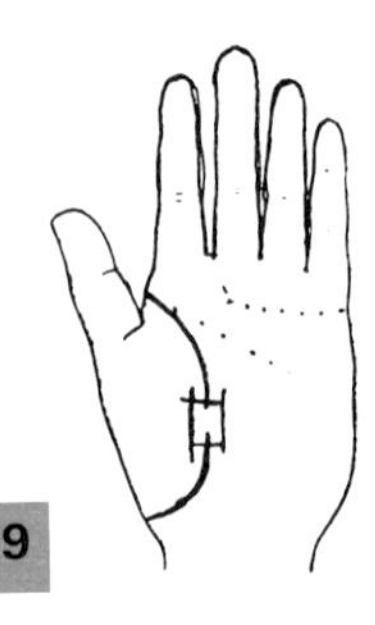

99

nière peut se trouver tracé à côté de l'endroit même où existe la coupure, comblant ainsi le vide.
Ce fait sera aussi un signe de protection, mais de moindre effet que la ligne sœur entière. Il annoncera, cependant, que la maladie pouvant se produire à l'époque indiquée ne sera que passagère, et pas de nature à diminuer considérablement la vitalité *(fig. 98).*

486. Le vide formé par la coupure peut se trouver encadré. On sait que le carré est toujours un signe de protection. Dans ce cas, il annoncera que le sujet pourra ressentir des malaises ou même subir des maladies à l'époque de la coupure, mais nullement graves *(fig. 99).*

LIGNES COLORÉES

487. Au paragraphe 434, nous avons vu les différents cas de coloration éventuelle des lignes. Rappelons qu'une ligne normale doit être de couleur rose pâle, à peine perceptible. Cette condition de coloration normale est, naturellement, commune à toutes les lignes.

BLANCHE

488. La ligne de vie blanche, faisant l'impression d'être tracée avec une peinture blanche, est le signe d'une nature lymphatique.

ROUGE

489. Lorqu'on distend la peau de la paume, un trait rouge doit apparaître à la place de la ligne normalement colorée.
Mais si, à l'état de détente, la ligne de vie est visiblement rouge, elle annoncera un excès de vigueur et même la violence dans les réactions et les sentiments.

PROFONDE ET ROUGE

490. La ligne de vie rouge et profonde en même temps dénote une nature emportée, très fougueuse et même brutale, ainsi qu'un excès de désir.

Elle indiquera, subsidiairement, une personne méchante, inconstante dans ses sentiments, instable dans ses relations, aussi bien familiales qu'amicales.

TRÈS ROUGE

491. La ligne de vie très rouge, tout en indiquant les défauts mentionnés au paragraphe ci-dessus, révélera en même temps des troubles dans le système circulatoire.

JAUNE

492. Jaune, la ligne de vie dénotera irritabilité et sensibilité. Mais elle annoncera surtout un dérangement dans le fonctionnement du foie.
A titre de renseignement, j'ajoute que ces deux colorations anormales (très rouge et jaune) peuvent disparaître au fur et à mesure que l'état général physique s'améliore.

BLEUE OU NOIRÂTRE

493. On rencontre rarement des lignes de vie de couleur bleue ou noirâtre. Si ce cas se présente, il indiquera un dysfonctionnement général grave de la totalité des organes, pouvant être mortel.

LES SIGNES SUR LA LIGNE DE VIE

494. Presque tous les signes sur la ligne de vie sont de mauvais augure, sauf quelques exceptions que je signale ci-dessous.
Je rappelle que la période où se déclareront les événements ci-dessous correspondra à la situation du signe sur la ligne de vie. Selon qu'il se trouve au commencement, au milieu ou à la fin de la ligne de vie, l'événement prévu se produira au début, au milieu ou vers la fin de la vie.

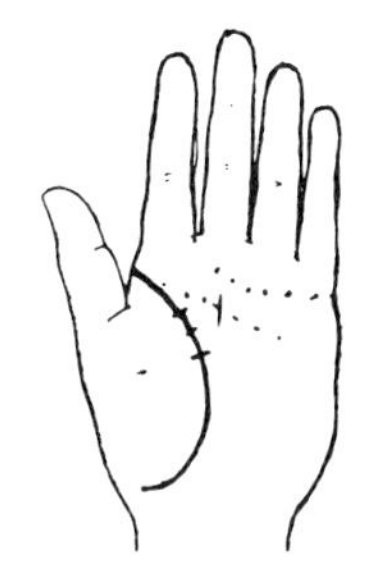

100

PETITS TRAITS

495. Les petits traits coupant, par endroits, la ligne de vie sont des signes de malaises plutôt « embêtants ». Ces malaises se répéteront autant de fois qu'il existe de traits *(fig. 100).*

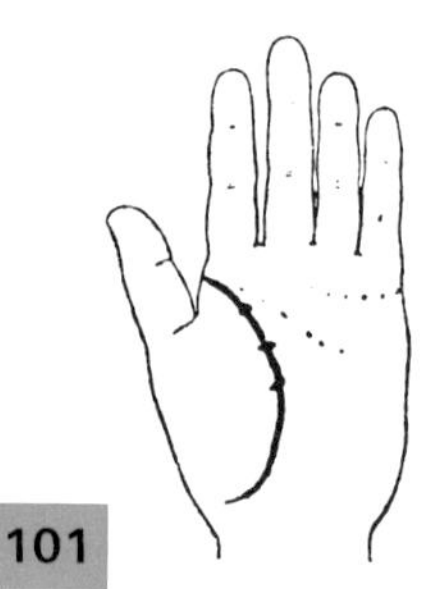

101

POINTS

496. Les points incolores (ne pas confondre avec les trous) sont les signes de maladies légères, surtout des yeux. Colorés, ils sont de révélation plus grave.
On dit aussi qu'ils sont les signes de bavardage et de mauvaise langue *(fig. 101).*

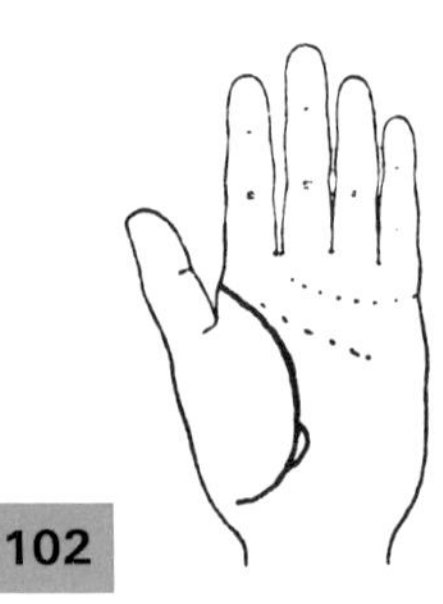

102

TROUS

497. Les trous sur la ligne de vie révèlent des maladies sérieuses affectant le tube digestif, bien que sans suite fatale.

498. Les trous bleus ou noirâtres sur la ligne de vie annoncent des maladies plus graves et de plus longue durée que celles indiquées par le trou incolore. Le foie surtout sera très affecté.
Les points et les trous, incolores ou colorés, révèlent toujours des troubles de la vue, en plus des autres maladies annoncées.

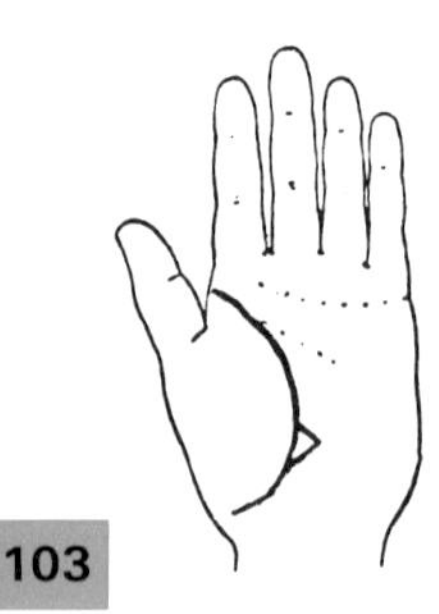

103

ÎLE

499. L'île sur la ligne de vie annonce maladie, une maladie qui traîne sans nuire foncièrement à la vitalité, mais créant quand même un état languissant continuel. Cet état maladif sera aussi long que la longueur de l'île. Mais si l'île est formée par le tracé de la ligne de vie, la maladie sera encore plus grave *(fig. 102).*

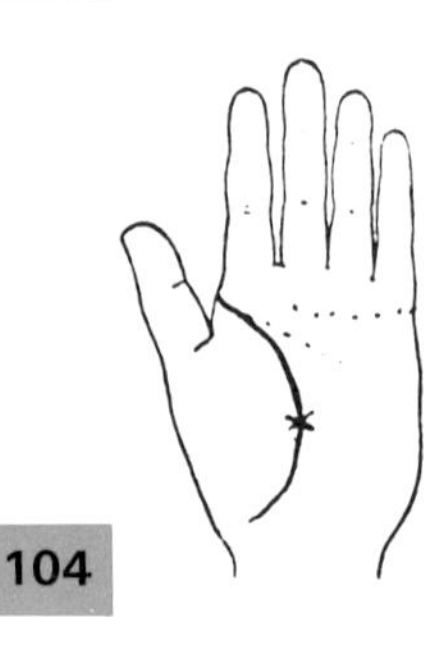

104

TRIANGLE

500. Le triangle sur la ligne de vie annonce un sursaut d'énergie et de désir sexuel qui se produira à l'âge où le triangle commence à se dessiner. Cet état de forte et continuelle excitation durera aussi longtemps que la longueur du triangle et se calmera brusquement à l'âge où ce signe se termine *(fig. 103).*

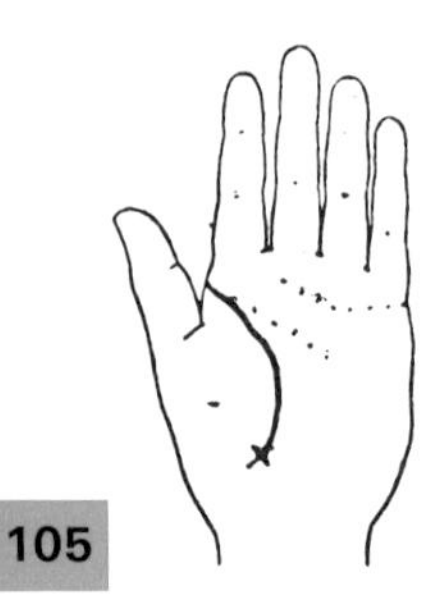

105

CROIX ET ÉTOILES

501. La croix sur la ligne de vie annonce un accident ou une opération chirurgicale *(fig. 104).*

502. Une croix (surtout une étoile) se trouvant à l'extrémité d'une ligne de vie courte annonce une mort brusque, si elle se répète dans les deux mains *(fig. 105).*

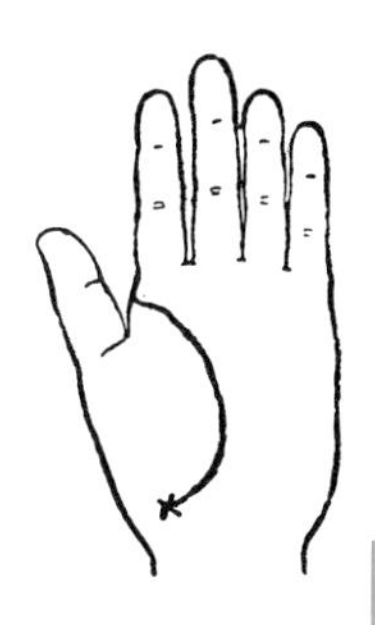

106

503. Mais, si une croix se trouve à la fin d'une ligne de vie longue, elle prédira bonheur vers la fin de la vie *(fig. 106).*

504. L'étoile sur la ligne de vie annonce des opérations chirurgicales ou des accidents pouvant être mortels, surtout lorsqu'elle se trouve sur la ligne des deux mains *(fig. 107).*

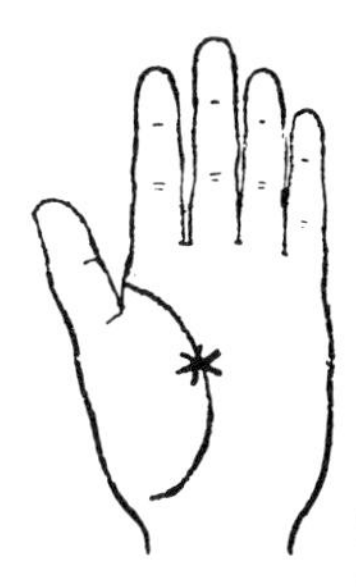

107

505. Une étoile accrochée à l'extrémité d'une ligne de vie longue est considérée comme un très bon signe de richesse, d'abondance et de bonheur parfait vers la fin de la vie.

Il ne faut cependant pas confondre cette étoile avec celle qui peut se trouver à la partie basse du mont de Vénus dans une situation indépendante et ne touchant pas l'extrémité de la ligne de vie. Cette dernière étoile a été étudiée au paragraphe 324 et est de révélation maléfique *(fig. 108).*

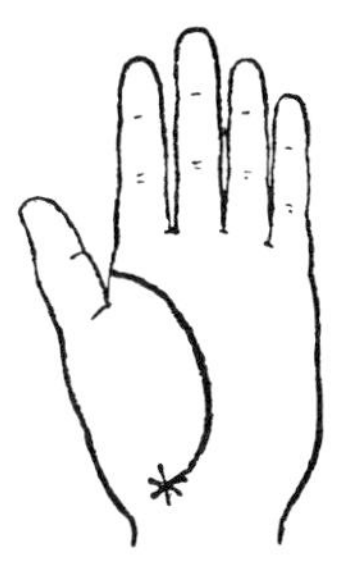

108

LIGNE EN CHAÎNE

506. La ligne de vie composée de plusieurs anneaux, ressemblant à une chaîne, est le signe d'une santé fragile.

Elle indiquera également une nature nerveuse et une personne instable dans ses sentiments et ses attachements *(fig. 109).*

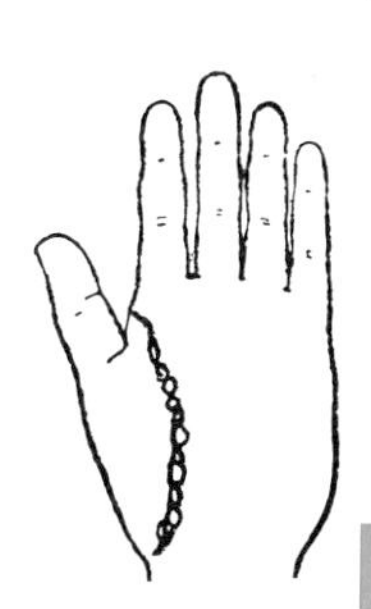

109

LIGNE CONFUSE

507. Si la ligne de vie est confuse et formée de petits traits entremêlés ou successifs, elle annoncera une santé variable. Elle dénotera également une humeur changeante *(fig. 110).*

508. Mais, contrairement à ce que disent certains auteurs, ni la ligne en chaîne ni la ligne confuse ne sont des indices de vie courte. Elles révèlent incontestablement un état de santé plus ou moins déficient, mais pas

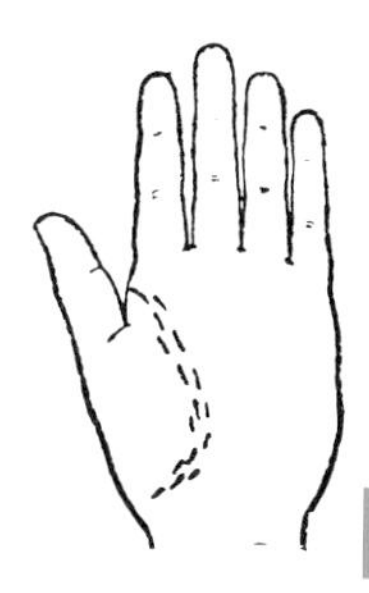

110

la mort. On voit couramment des personnes continuellement malades qui vivent longtemps. On doit préciser aussi que, si l'on peut voir des lignes entièrement chaînées ou confuses d'un bout à l'autre, le plus fréquemment ce défaut de constitution ne se voit que sur une partie de la ligne de vie. Ce dernier fait indique, naturellement, que la déficience de l'état général ne se manifestera qu'aux époques indiquées par l'emplacement de ces défectuosités, et qu'elle continuera aussi longtemps que la partie défectueuse.

LES ÉPOQUES DES ÉVÉNEMENTS SUR LA LIGNE DE VIE

Déterminer l'époque d'un événement annoncé par un indice sur la ligne de vie étant d'une importance considérable, quelques auteurs ont voulu préconiser une méthode pour y parvenir.

Leurs efforts sont méritoires et leur bonne volonté évidente et digne d'éloge.

Mais je trouve que la méthode indiquée nécessite des calculs compliqués et des dessins délicats à exécuter et ne donne, à la fin, qu'un résultat approximatif à cinq ou huit ans près. Chacun sait, en effet, que la ligne de vie peut présenter, d'une main à l'autre, un trajet différent. Elle pourra être très débordante, allant jusqu'au milieu de la paume, ou rétrécie, même déprimée, sur le mont de Vénus. En présence de telles difficultés, il est impossible d'indiquer une méthode passe-partout.

Ma méthode personnelle ne donne pas des résultats plus précis, mais elle a du moins le mérite d'être simple, sans calculs ni dessins, et indiquant l'âge recherché d'un seul coup d'œil.

Voici comment j'agis : la ligne descendant du milieu de l'index indique l'âge de dix ans sur la ligne de vie. Celle descendant du préjoint de l'index et du médius indiquera vingt ans. La ligne descendant du milieu de la base du médius coupera la ligne de vie à trente ans, et celle venant de la limite des troisième et quatrième quarts de la base du médius coïncidera avec l'âge de quarante ans. Pour trouver l'âge de soixante ans, on trace une ligne de la racine de la deuxième phalange du pouce jusqu'à l'angle extérieur de la base du mont de Lune. Le point de croisement de cette dernière ligne avec la ligne de vie indique soixante ans *(fig. 110 bis)*.

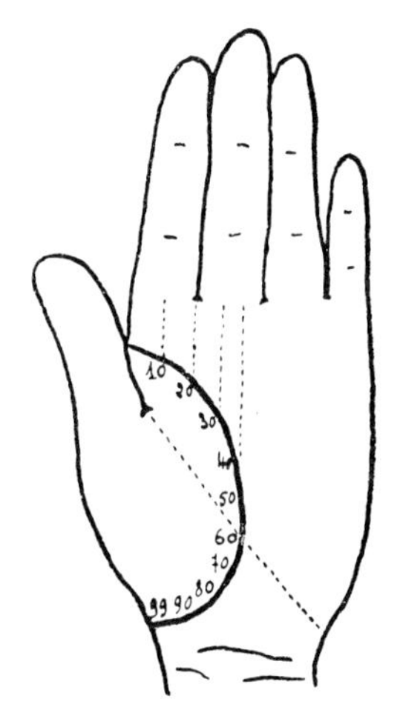

Détermination des époques des événements sur la Ligne de Vie

CHAPITRE 34

La Ligne de Tête

509. La ligne de tête normale prend naissance exactement au même endroit que la ligne de vie, soit dans l'espace se trouvant entre la base de l'index et celle du pouce.
Le ligne de tête doit, à son point de départ, non seulement toucher la ligne de vie, mais elle doit rester confondue avec cette dernière sur une petite longueur dans la paume.
Elle doit être dirigée vers la percussion mais en penchant très légèrement vers le bas de la main.
510. La ligne de tête normale coupe donc en deux la paume et sa partie extrême constitue la ligne de démarcation entre les monts de Mars et de Lune.

LIGNE NORMALE

511. Pour que la ligne de tête soit considérée comme normalement constituée, elle doit être conforme aux dispositions du paragraphe 433 et, au point de vue coloration, elle doit correspondre aux conditions du paragraphe 434. (Revoir ces deux paragraphes.)
512. La ligne de tête nous fournit des renseignements dans les deux domaines suivants :
a) les capacités intellectuelles et leur fonctionnement ;
b) les maladies pouvant affecter le cerveau, ainsi que les accidents pouvant arriver à la tête.

Une bonne ligne de tête est donc le signe d'un équilibre intellectuel harmonieux. Elle révélera par conséquent perception, assimilation, imagination, mémoire, raison, volonté, courage et persévérance.

MAIN SANS LIGNE DE TÊTE

513. La main où manque totalement la ligne de tête révèle un simplet. La simplicité d'esprit sera plus accentuée au cas où cette ligne manquerait dans les deux mains. L'absence de la ligne de tête confère également à l'être un esprit craintif, indécis et sans volonté.

514. Toutefois, je dois signaler à ce propos un cas particulier que nous étudierons lors de l'examen de la ligne de cœur. Il s'agit d'une ligne de cœur large, très longue et barrant la main d'un bord à l'autre. Dans le cas d'une telle ligne de cœur, la ligne de tête manque souvent. Mais la largeur et l'étendue de la ligne de cœur comblent partiellement l'absence de la ligne de tête ; la personne possédant une telle ligne de cœur, tout en étant intelligente, se laissera guider par ses sentiments plutôt que par son intellect.

LIGNE TRÈS LONGUE

515. En revanche, il ne faut pas croire qu'une ligne de tête très longue (allant jusqu'au milieu du mont de Lune) est le signe d'une grande intelligence ou d'un courage exceptionnel.

Elle indiquera plutôt une imagination excessive.

Cette imagination plus que normale pourra être très utile suivant la conjonction d'autres indices que je signalerai ci-dessous, mais elle pourra être aussi maladive et provoquer même la folie lorsque certains indices s'y greffent *(fig. 111).*

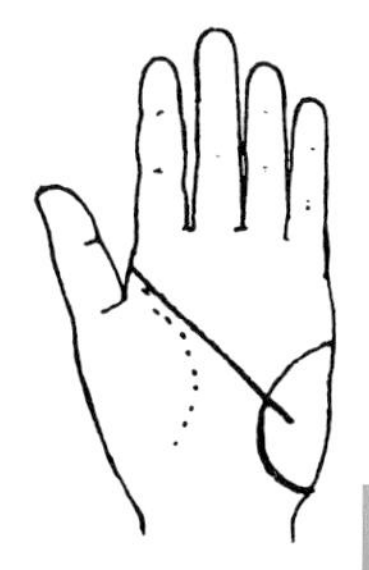

111

LIGNE COURTE

516. Les explications ci-dessus, concernant la ligne de tête très longue, s'appliquent également, dans un autre sens, à la ligne de tête courte. Car ce serait une erreur de croire que la ligne de tête courte est un signe de manque d'intelligence. Elle révèle plutôt une personne qui agit sans réfléchir avant de passer à l'action, qui n'approfondit pas les idées et les questions, et prend tout d'une manière superficielle, sans prévoir les retombées de ses actes.

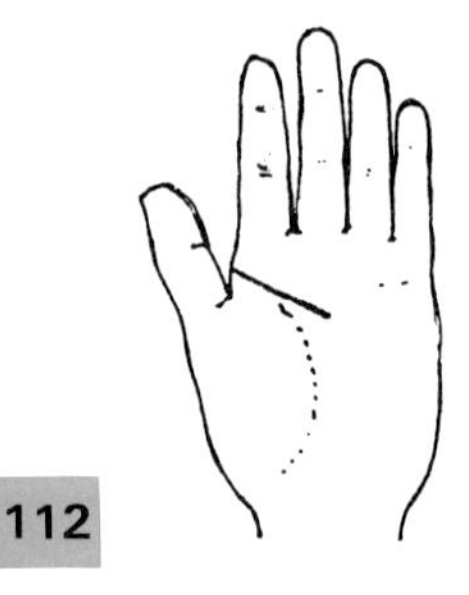
112

Mais, tant que cette ligne est bien marquée, elle révélera une bonne intelligence et une personne active *(fig. 112).*

DE TRACÉ FAIBLE

517. La ligne de tête faiblement et superficiellement marquée indique une insuffisance dans le fonctionnement normal des facultés intellectuelles. Elle sera un indice encore plus défavorable si elle comporte les défectuosités signalées ci-après.

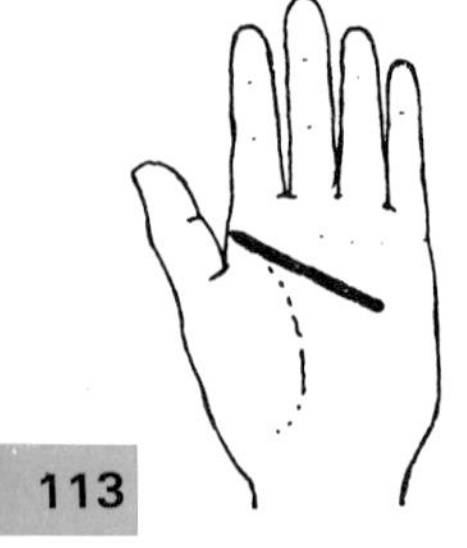
113

FINE ET BIEN MARQUÉE

518. La ligne de tête fine, mais bien marquée, révélera une vive intelligence, avec une perception et une assimilation rapides.

DE TRACÉ LARGE

519. Large, mais sans profondeur, la ligne de tête annonce un « lourdaud », cependant pas, uniquement de ce fait, dépourvu d'intelligence, mais à la perception lente *(fig. 113).*

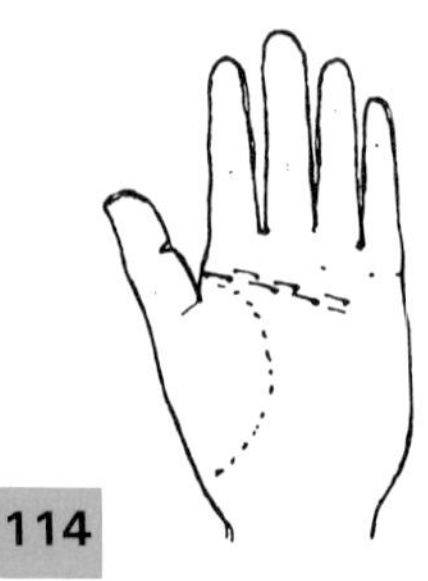
114

LIGNE PROFONDE

520. La ligne de tête profonde révèle une puissance intellectuelle marquée, avec une capacité de concentration et une grande force de volonté. La personne qui possède une ligne de tête profonde « sait ce qu'elle veut » et changera difficilement d'avis. Elle aura une énergie et une persévérance suffisantes pour lutter contre toutes les difficultés.

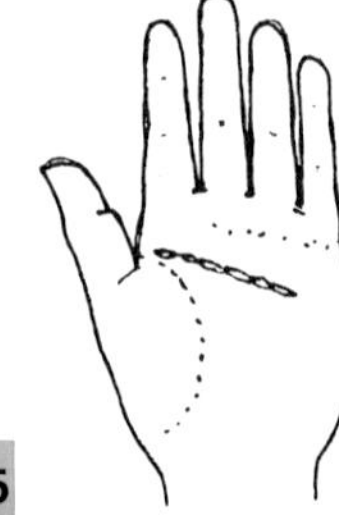
115

LIGNE CONFUSE

521. Lorsque cette ligne est confuse, c'est-à-dire formée d'une succession de petits traits,

elle indiquera, d'une part, des maux de tête d'origine nerveuse, et d'autre part, une personne ne pouvant fournir un effort mental puissant.
Celle-ci sera souvent distraite et aura la mémoire déficiente. Un long et difficile travail intellectuel ne sera pas du tout de son ressort *(fig. 114).*

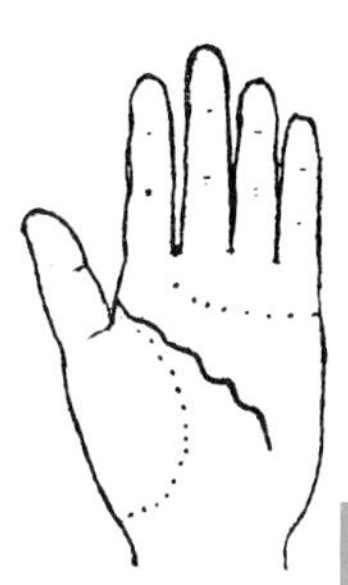
116

LIGNE CHAÎNÉE

522. La ligne de tête chaînée donnera approximativement les mêmes révélations que la ligne confuse, avec cette nuance qu'elle sera plus impressionnable et confondra plus facilement les idées. Ne pouvant, d'autre part, se concentrer longtemps, elle sera sujette à une rapide fatigue mentale *(fig. 115).*

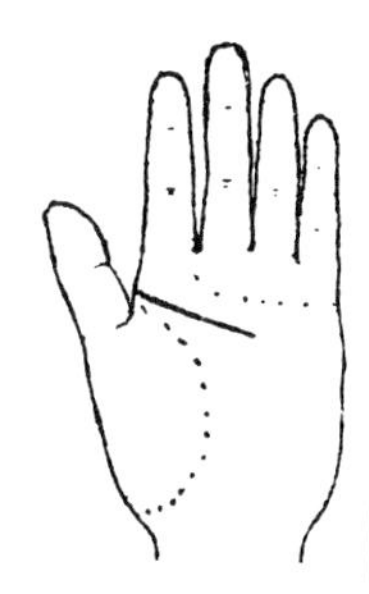
117

LIGNE ONDULÉE

523. Si la ligne de tête se présente sous une forme tortueuse ou ondulée, elle révélera un caractère changeant par manque de fermeté et de volonté. Elle dénotera également une insuffisance de droiture et de probité. Elle indiquera donc, subsidiairement, une personne méchante, menteuse, avare et même voleuse *(fig. 116).*

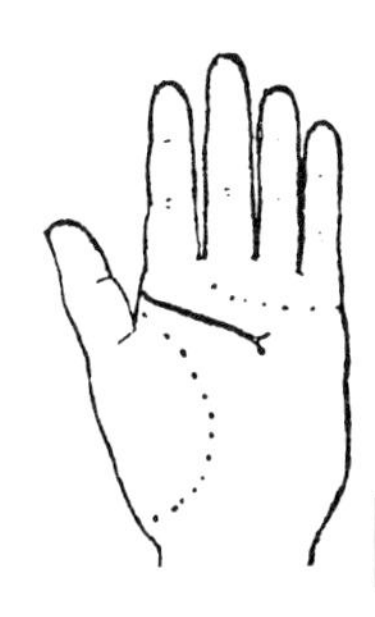
118

ACCOMPAGNÉE D'UNE LIGNE SŒUR

524. L'existence d'une ligne sœur étant toujours un bon signe, la ligne de tête doublée d'une ligne sœur sera d'une excellente révélation.
La ligne sœur réparera les défectuosités éventuelles de la ligne de tête. Elle indiquera, en même temps, une bonne puissance intellectuelle.
On dit également qu'une ligne de tête doublée d'une ligne sœur est le signe de grande réussite, de richesse fabuleuse et même d'une succession très importante.

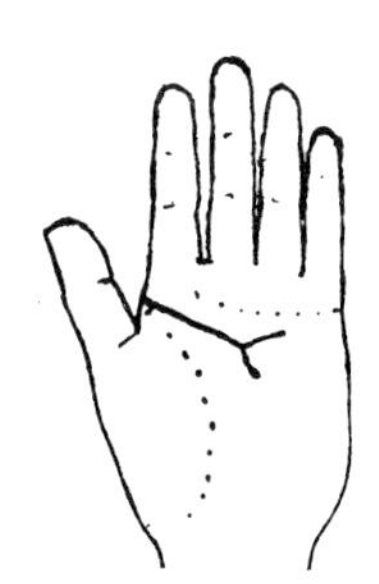
119

FOURCHUE A L'EXTRÉMITÉ

525. La ligne de tête se terminant sans fourche est le signe d'un esprit probe. La personne

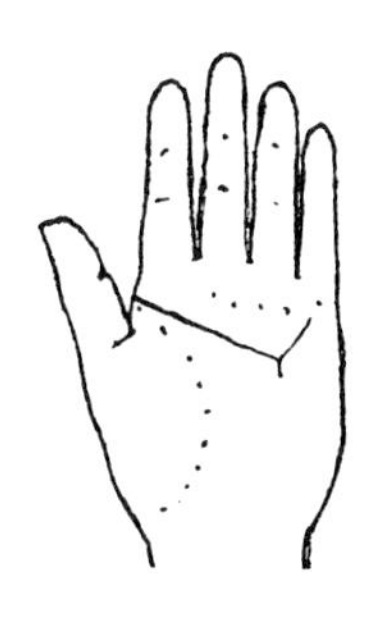
120

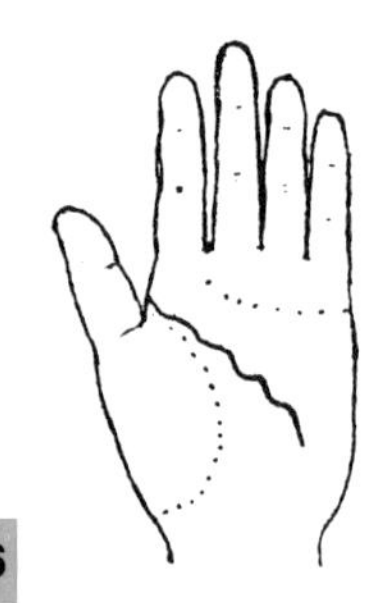

116

dont la ligne de tête ne porte pas de fourche à son extrémité sera crédule, car elle comprendra difficilement qu'il peut exister des menteurs, des fourbes et des malhonnêtes. Tout ceci ne veut pas dire, cependant, qu'il s'agit d'une personne manquant de capacités intellectuelles, car elle peut être très intelligente *(fig. 117).*

526. La signification de la ligne de tête fourchue change, naturellement, suivant la présentation de la fourche, dont voici les cas principaux :

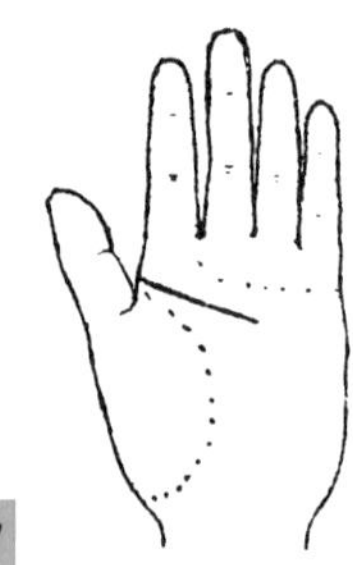

117

527. La ligne de tête divisée à son extrémité en une petite fourche, dont chacune des branches ne dépasse guère un centimètre, annonce une activité et une mobilité intellectuelles. La personne ayant une telle ligne sera aussi physiquement active. Elle sera débrouillarde, réaliste et saura frayer son chemin pour arriver à son but *(fig. 118).*

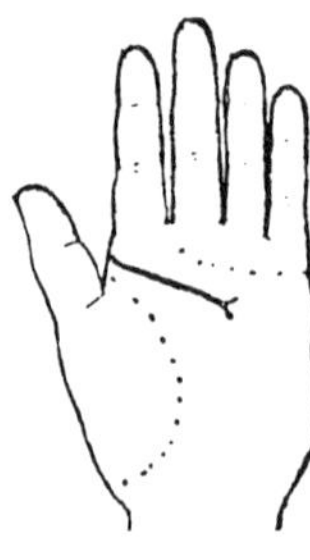

118

528. Mais, lorsque la fourche est plus importante, ayant des rameaux de longueur d'environ deux à trois centimètres, elle annoncera une intelligence en effervescence, une personne faisant et défaisant des projets et même (suivant le cas) des « combines ». Elle indiquera également un incrédule et un fin comédien *(fig. 119).*

529. Si la branche supérieure de la fourche est dirigée nettement vers le mont de Mercure, donc bien plus longue que la branche inférieure, elle indiquera un esprit à la recherche de profits matériels, un esprit doué pour le commerce et l'industrie *(fig. 120).*

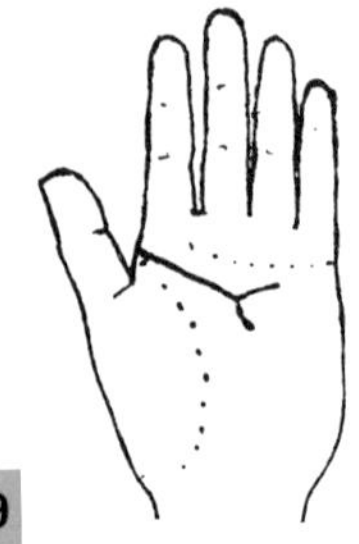

119

530. Lorsque la branche inférieure est plus longue que la supérieure et se dirige visiblement vers le mont de Lune, elle révélera un être imaginatif ayant un esprit créateur *(fig. 121).*

531. Les dispositions des paragraphes 529 et 530 ci-dessus concernent la fourche à branches longues de quelques centimètres seulement. Au cas où ces branches seraient très longues, la supérieure allant jusque sur le mont de Mercure et l'inférieure descendant jusque sur le mont de Lune, elles annonceront une personne dont l'esprit sera totalement et

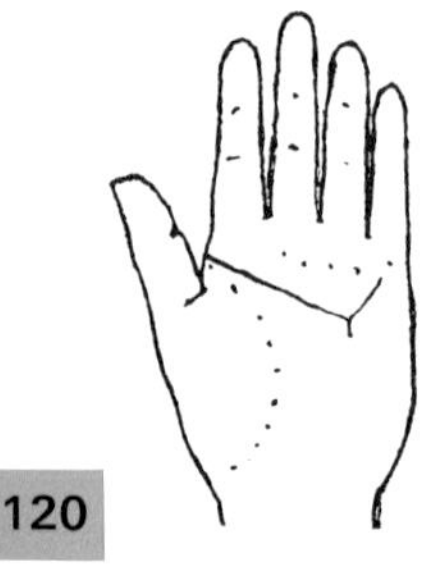

120

continuellement occupé d'idées, de projets qui peuvent être (suivant la conjonction d'autres indices) des « combines » plus ou moins louches et ayant pour seul but l'accumulation de richesses ou l'ascension vers des situations intéressantes ou simplement honorifiques, les moyens employés pour y parvenir important peu *(fig. 122).*

121

532. Un autre aspect de l'extrémité de la ligne de tête que l'on pourra par erreur, prendre pour une fourche, est le cas où cette ligne se termine par un ensemble de petits traits, faisant l'impression d'un balai. Ce cas indiquera un affaiblissement des capacités mentales, comme un affaiblissement de la mémoire, une incapacité de se concentrer, un manque de volonté, etc. *(fig. 123).*

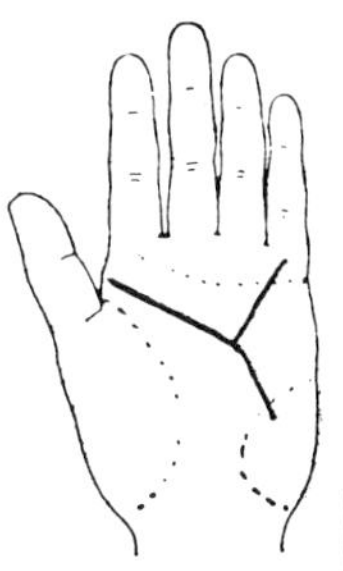

122

LE TRAJET DE LA LIGNE DE TÊTE

533. Comme je l'ai déjà précisé, la ligne de tête de trajet normal doit progressivement et très légèrement s'éloigner de la ligne de cœur et s'abaisser vers le mont de Lune, pour aller aboutir entre les monts de Mars et de Lune. Toutefois, ce trajet pourra présenter des anomalies, dont voici les principales :

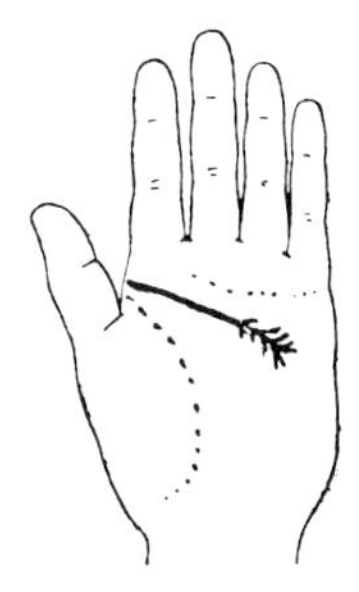

123

534. Si la ligne de tête monte à la ligne de cœur vers le milieu de son trajet et touche cette dernière, elle indiquera une personne dont tous les comportements seront dominés par le cœur, donc par les sentiments et l'amour *(fig. 124).*

535. Mais, si elle se trouve simplement rapprochée de la ligne de cœur sans la toucher, elle indiquera dérangement du rythme cardiaque.

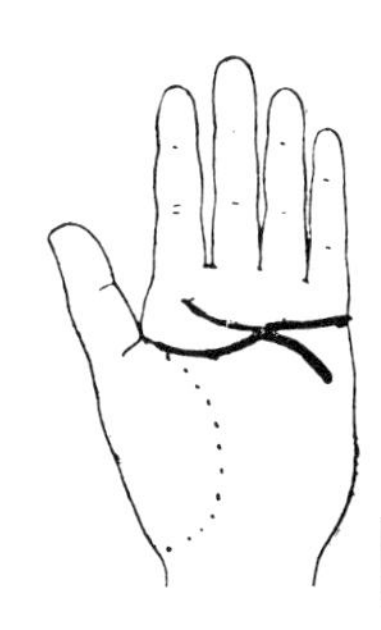

124

536. Un autre aspect du rapprochement de la ligne de tête et de la ligne de cœur peut se présenter comme suit : la ligne de tête commence son trajet normalement mais, vers son milieu, forme brusquement un arc montant vers la ligne de cœur et, après avoir décrit cet arc, le restant de la ligne reprend son trajet normal.

Ce cas est interprété d'une manière très maléfique. Il serait le signe de mauvaise

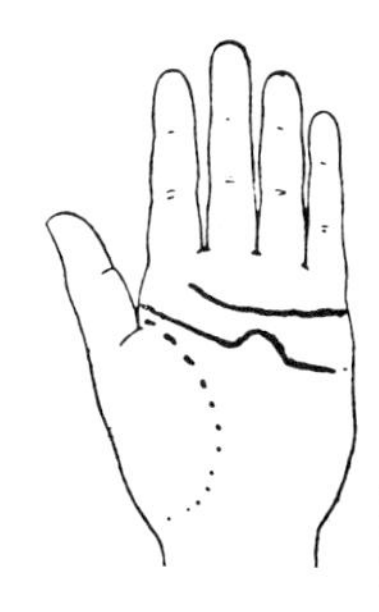

125

fortune, de malchance et de diverses occurrences fâcheuses *(fig. 125)*.

537. La ligne de tête, dans son trajet, se rapprochant de la ligne de vie, révèle réussite, bonheur et chance. Il faudra cependant faire attention à ne pas confondre ce cas avec celui du paragraphe 540 *(fig. 126)*.

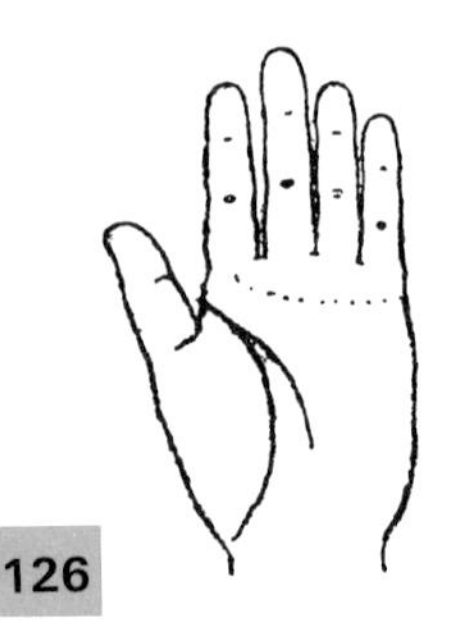

126

LES POINTS DE DÉPART DE LA LIGNE DE TÊTE

538. Normalement, les lignes de tête et de vie doivent non seulement se toucher à leur point de naissance, mais elles doivent rester confondues sur une courte longueur d'environ deux centimètres avant de se séparer. Plusieurs cas différents peuvent cependant se présenter.

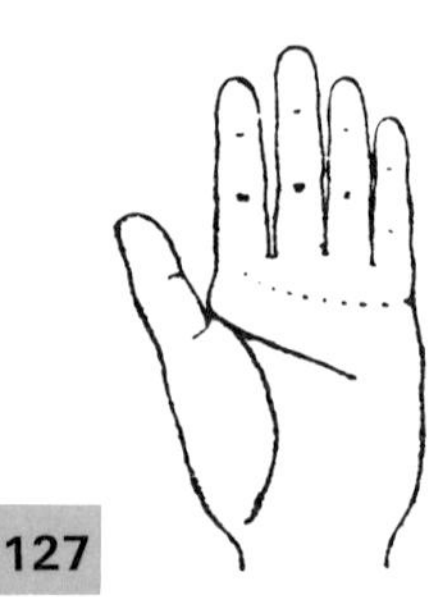

127

539. La ligne de tête, à son départ, touche la ligne de vie comme ci-dessus. Ceci, étant un départ normal, révèle un équilibre intellectuel harmonieux *(fig. 127)*.

540. Au lieu d'être confondue avec la ligne de vie sur seulement un petit trajet d'environ deux centimètres, la ligne de tête ne se sépare de la ligne de vie que tardivement. Ce cas annonce de la timidité, trop de réflexion, ainsi qu'un manque de confiance en soi *(fig. 128)*.

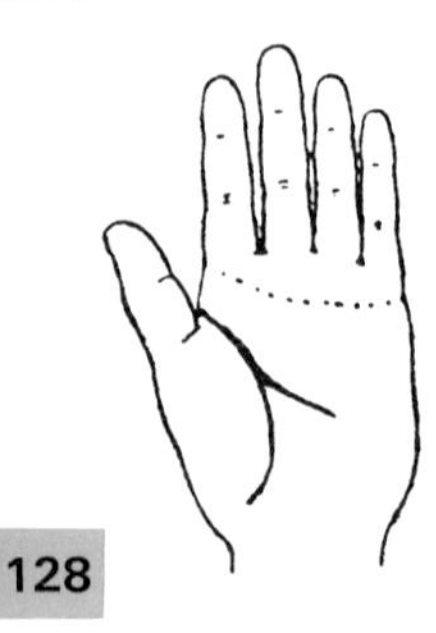

128

541. La ligne de tête peut prendre sur le mont de Vénus, ce qui est aussi un signe de timidité et d'excès de réflexion, mais, en plus, elle annonce un caractère irritable et une personne insociable *(fig. 129)*.

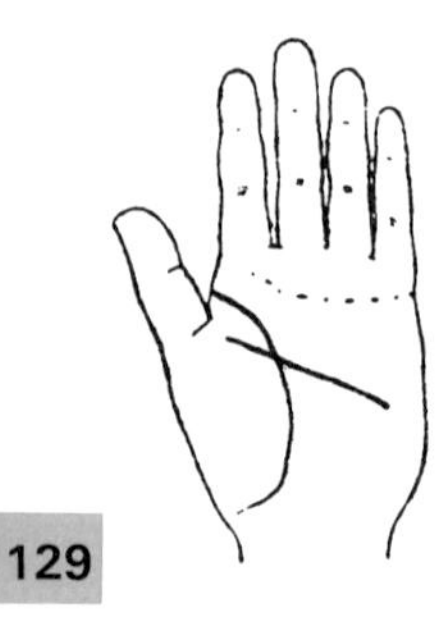

129

542. A son départ, elle peut se trouver nettement écartée de la ligne de vie. Ce cas révèle une personne impulsive, insouciante, emportée et ayant trop de confiance en elle-même. Cette confiance sera bien ou mal placée, suivant les autres indices *(fig. 130)*.

543. Encore plus écartée de la ligne de vie que dans le cas précédent, une ligne de tête allant toucher (à son commencement) la ligne de cœur révélera une intelligence très superficielle et même un léger déséquilibre mental. Dans le domaine sentimental, ce sera le signe d'instabilité dans les attachements ainsi que d'infidélité *(fig. 131)*.

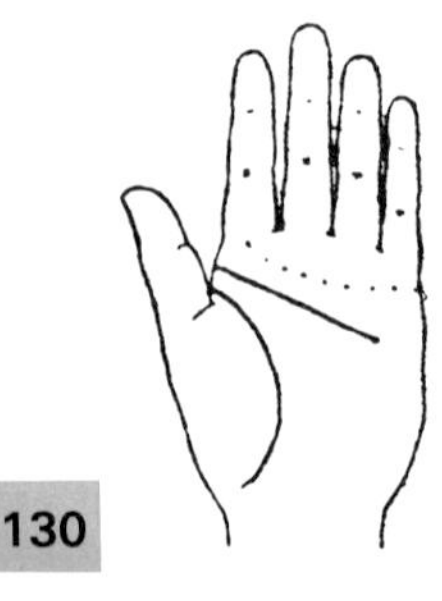

130

544. La ligne de tête commençant sous le médius annoncera un cerveau insuffisamment développé *(fig. 132).*

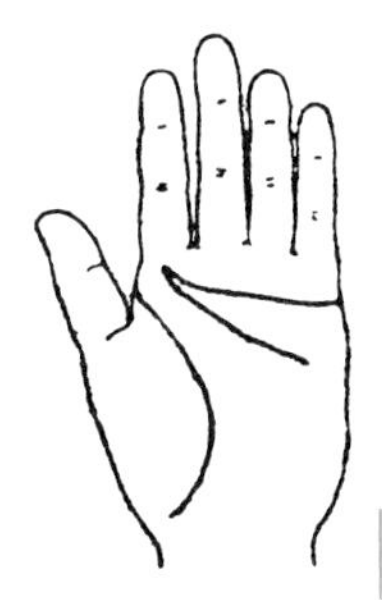

131

LES POINTS D'ARRIVÉE DE LA LIGNE DE TÊTE

545. Normalement, la ligne de tête doit arriver à la perpendiculaire du milieu de l'auriculaire et séparer le mont de Mars du mont de Lune. Mais on rencontre très souvent des anomalies. Voici les cas les plus fréquents :

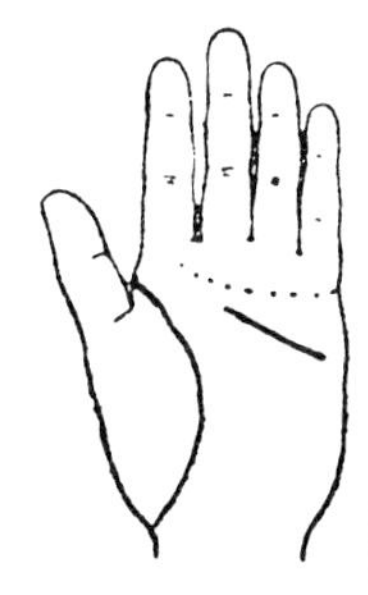

132

546. La ligne de tête, étant courte, peut s'arrêter sous le médius. Ce cas dénote une personne chez qui la capacité de mûre réflexion est insuffisante et qui agit impulsivement sans peser l'effet de ses actes *(fig. 133).*

547. Un peu plus longue que dans le cas précédent, mais toujours trop courte, la ligne de tête pourra s'arrêter sous l'annulaire.

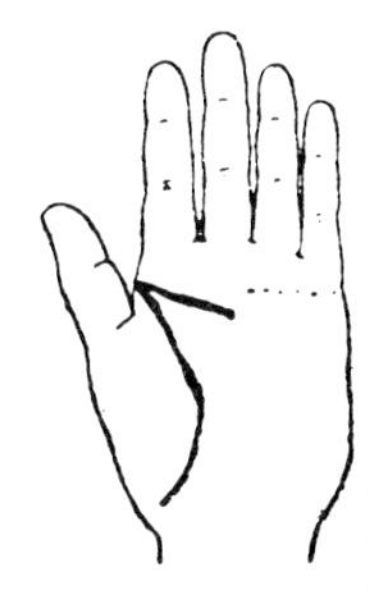

133

548. Ce cas annoncera une personne instable, sensuelle, imprévoyante et capable de sacrifier tout pour ses satisfactions personnelles *(fig. 134).*

549. La ligne de tête peut être de longueur normale mais, au lieu de continuer comme au paragraphe 545, son extrémité se courbe et monte vers le mont de Mars, révélant un esprit combatif et tenace *(fig. 135).*

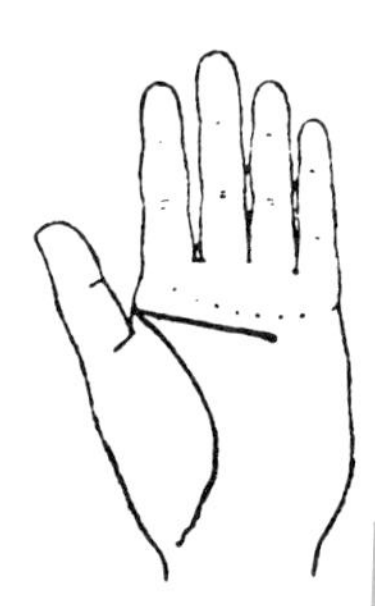

134

550. Mais si l'extrémité de cette ligne monte encore plus haut que dans le cas précédent et arrive jusque sur le mont de Mercure, elle annoncera une personne active, très débrouillarde et avide de gain *(fig. 136).*

551. La ligne de tête peut être droite et plus longue que la normale, arrivant jusqu'à la percussion. Une telle ligne indiquera une personne très réaliste et se dirigeant, dans toutes les circonstances de la vie, par raison et calcul. Elle annoncera un être dépourvu de sensibilité, rancunier et même cruel *(fig. 137).*

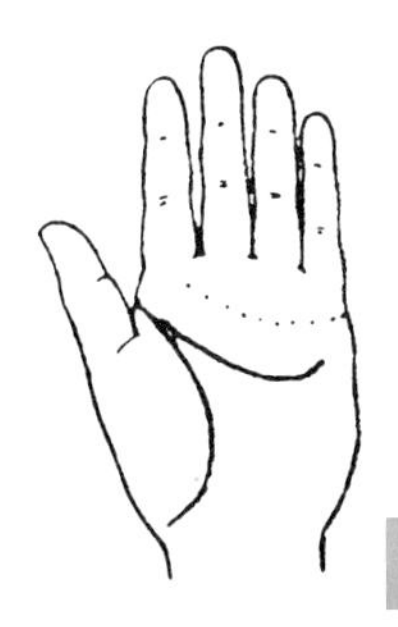

135

552. La ligne de tête dont l'extrémité se courbe vers le bas de la paume et arrive jusqu'au milieu du mont de Lune dénote une forte imagination *(fig. 138).*

553. Mais si la ligne de tête descend encore plus bas sur le mont de Lune, de façon à toucher la partie inférieure de ce mont, elle indiquera une imagination maladive ainsi que de la mélancolie. La personne possédant une telle ligne de tête sera presque continuellement mécontente de la vie, donc de mauvaise humeur *(fig. 139).*

554. Si la ligne de tête, très longue, vient toucher une étoile se trouvant sur le mont de Lune, c'est la folie. Et si, en plus de l'étoile accrochée à l'extrémité de cette ligne, il en existe encore une ou deux (toujours sur le mont de Lune), ce cas prédit mort par la folie *(fig. 140).*

555. On peut rencontrer aussi un cas particulier concernant le point d'arrivée de la ligne de tête : celle-ci descend par le milieu du creux de la main et arrive jusqu'à la rascette. Ce cas révèle une personne à l'imagination folle, ne voyant jamais la réalité, une personne excentrique et même prédisposée à la folie *(fig. 141).*

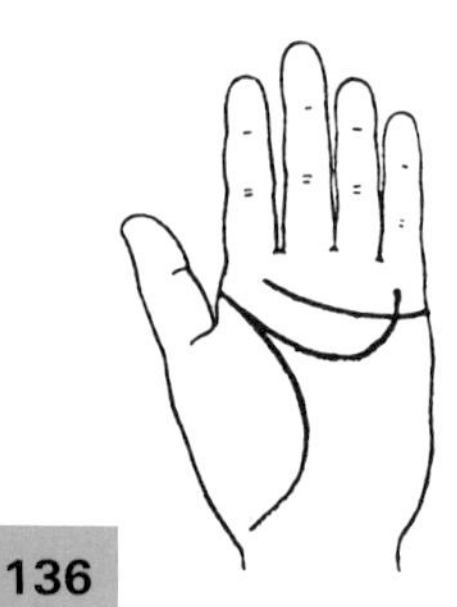
136

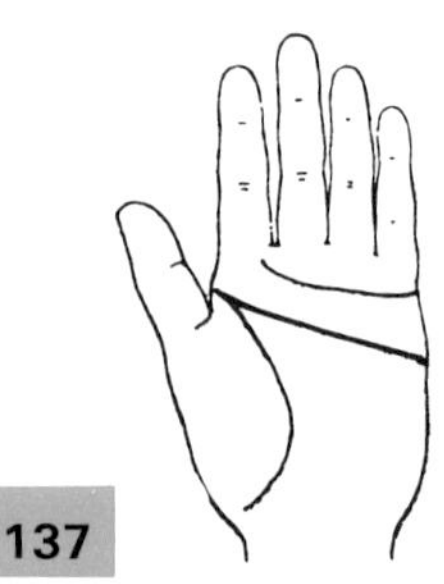
137

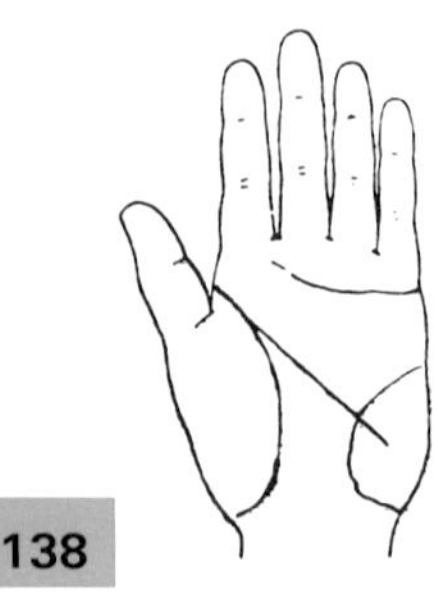
138

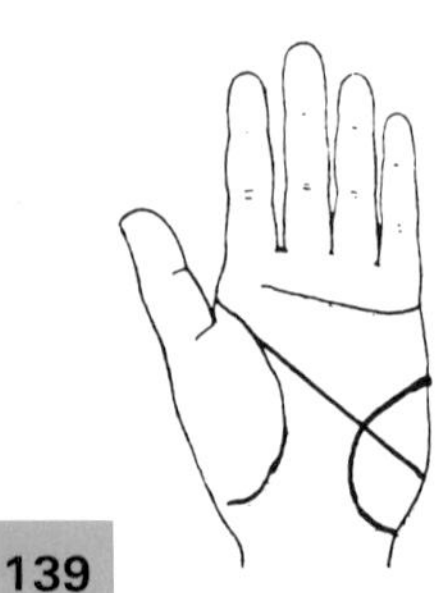
139

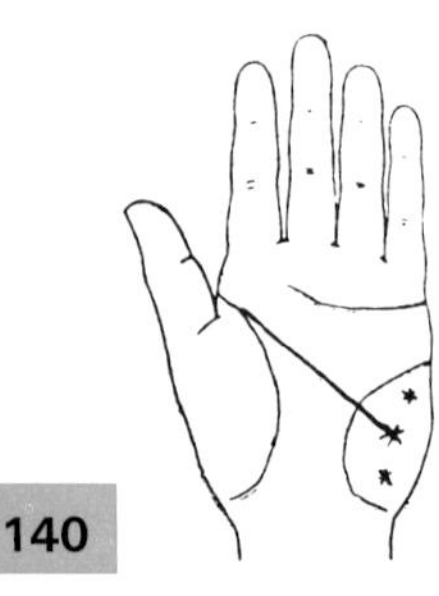
140

LIGNE COUPÉE

556. Les coupures sur les lignes sont toujours de mauvais augure. Voici ce qu'elles peuvent annoncer sur la ligne de tête :

557. La ligne peut se trouver coupée à son commencement et, après avoir laissé un vide à l'endroit de la coupure, continuer son trajet normalement. Ce cas révèle des maladies cérébrales ou des accidents à la tête pendant la jeunesse.

558. Mais, si la coupure se trouve au milieu de la ligne de tête, sa révélation est beaucoup plus grave que dans le cas précédent : elle prédit des blessures graves nécessitant éventuellement des opérations chirurgicales, ou bien des maladies cérébrales à l'époque où la coupure se présente *(fig. 142).*

559. La ligne de tête pourra se trouver coupée au milieu de son trajet, mais si le deuxième tronçon commence avant même le point d'arrêt du premier tronçon, ce cas est interprété par certains auteurs comme prédisant la possibilité d'avoir la tête tranchée sur l'échafaud. A mon avis, ce cas révèle simplement des maladies cérébrales ou des accidents à la tête mais qui n'occasionneront pas la mort *(fig. 143).*

560. Si la ligne de tête coupée est accompagnée d'une bonne ligne sœur, cette dernière réparera les défectuosités de la première *(fig. 144).*

561. Au lieu d'une bonne et longue ligne sœur, on peut voir de petits traits juste à côté de l'endroit de la coupure. Ces traits, qui comblent le vide laissé par la coupure, sont également de bon augure, mais n'ont pas la même force compensatrice que la ligne sœur longue. Un cas de ce genre annoncera des maux de tête violents, une mémoire défaillante et une incapacité de faire un effort intellectuel suivi.

562. Le carré étant toujours un signe de protection, lorsque l'endroit de la coupure de la ligne de tête se trouve encadré le sujet pourra toujours ressentir des malaises à l'époque indiquée par l'emplacement de la coupure, mais les événements fâcheux annoncés par les coupures non protégées seront considérablement amoindris et n'auront pas d'effets désastreux *(fig. 145).*

563. L'indice spécifique de l'accident à la tête est le cas suivant : la ligne saturnienne venant du bas de la paume s'arrête brusquement sur la ligne de tête, en pulvérisant cette dernière sous forme d'un demi-cercle au point de leur rencontre. J'ai constaté plusieurs cas de ce genre qui n'ont pas été suivis de mort, comme prétendent certains auteurs *(fig. 146).*

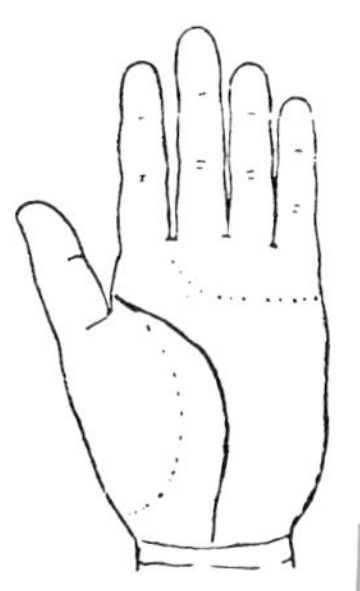

141

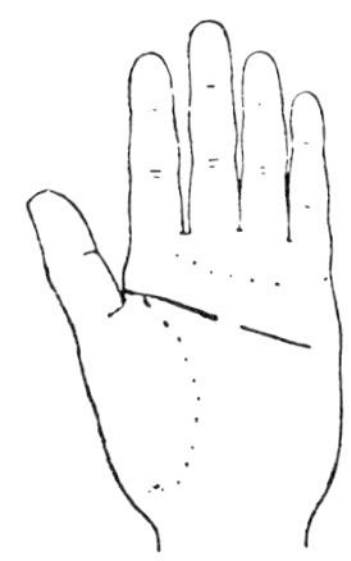

142

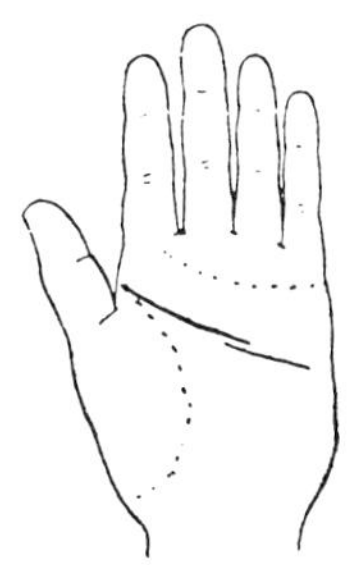

143

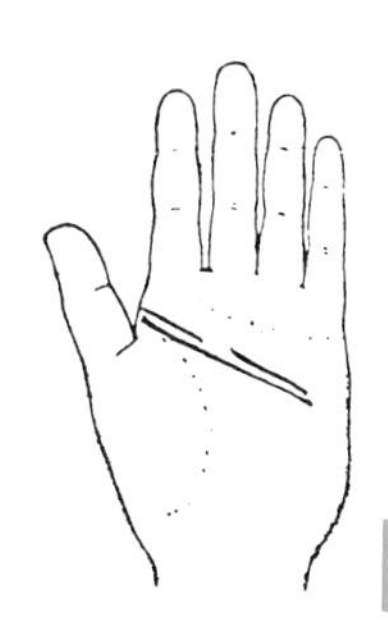

144

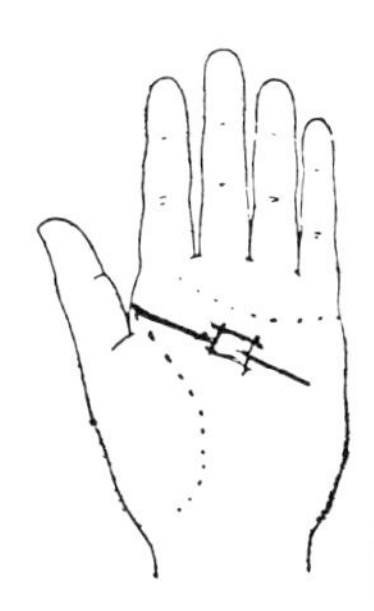

145

RAMEAUX PARTANT DE LA LIGNE DE TÊTE

564. On voit très souvent des rameaux partant de la ligne de tête et se dirigeant vers le haut ou vers le bas de la paume. Les révélations de ces rameaux changent suivant leur direction.

565. Les rameaux se dirigeant vers le haut de la main et assez longs pour arriver presque à la ligne de cœur révèlent des projets pleinement réussis *(fig. 147).*

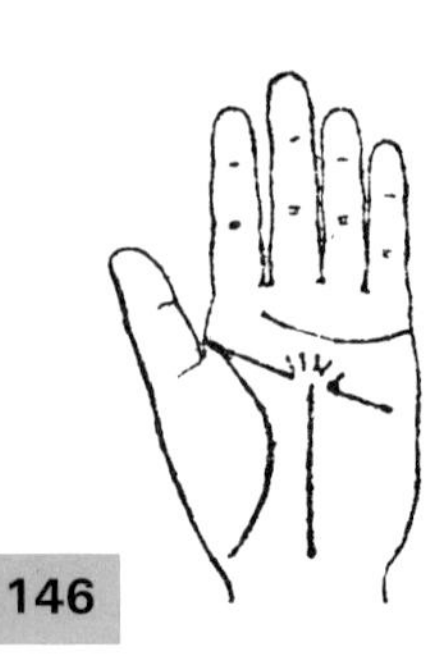
146

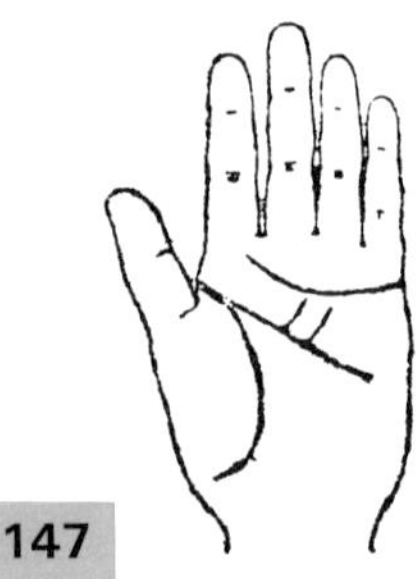
147

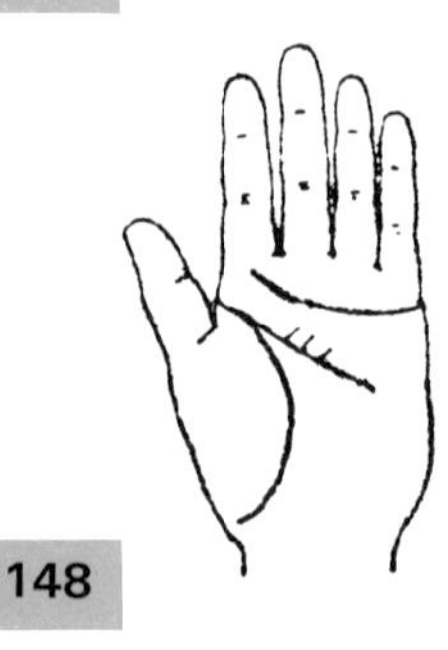
148

566. Les rameaux courts partant de la ligne de tête et se dirigeant vers la ligne de cœur révèlent des projets ayant donné des résultats médiocres *(fig. 148).*

567. Mais si ces rameaux, au lieu de se diriger vers le haut, se dirigent vers le bas, il seront toujours des signes de projets, mais de projets échoués *(fig. 149).*

568. Si l'un des rameaux partant de la ligne de tête et se dirigeant vers le haut est assez long pour arriver jusque sur un mont, les projets réussis seront imprégnés et dominés par les attributs du mont correspondant. Par exemple, si un rameau se dirigeant vers le haut se termine sur le mont de l'art (mont du Soleil), les projets artistiques auront pleinement réussi. Je trouve inutile de relever les autres cas où les rameaux se dirigeant vers le haut arrivent sur les autres monts (mont de Jupiter, mont de Saturne ou mont de Mercure), le lecteur étant maintenant à même d'interpréter ces cas correctement.

COULEUR

569. L'examen de la couleur de la ligne de tête fournissant également des renseignements précieux, on ne doit pas le négliger. Je rappelle que la couleur normale des lignes est le rose pâle, à peine perceptible.

PÂLE

570. La ligne de tête pâle et incolore révélera une intelligence lente.

ROUGE

571. De couleur rouge, elle indiquera intensité de l'activité intellectuelle, fermeté de caractère et une personnalité marquée.

TRÈS ROUGE

572. Très rouge, la ligne de tête annoncera, d'une part, violence et brusquerie, aussi bien dans les idées que dans le comportement général, et, d'autre part, possibilité de dérangement des fonctions intellectuelles pouvant être très dangereux.

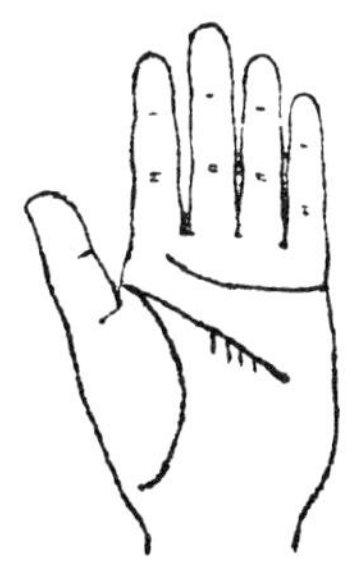

149

ROUGE ET PROFONDE

573. Si la ligne de tête est profonde et rouge en même temps, elle annoncera un être dont l'intellect fonctionne d'une manière vive et lui fait prendre des décisions brusques. La personne sera coléreuse, très emportée, au point de pouvoir commettre un crime.

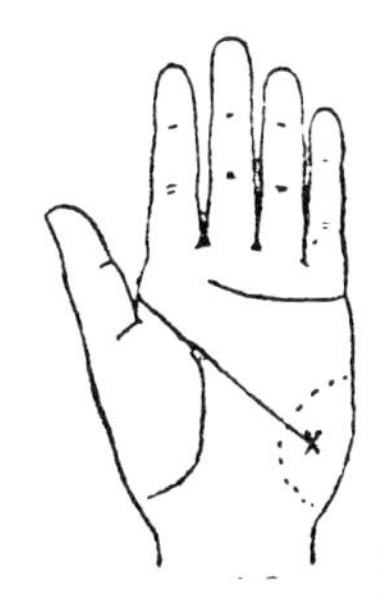

150

JAUNE

574. La ligne de tête jaune révélera une personne très impressionnable, pouvant changer facilement et fréquemment d'idée. Elle annoncera également un manque d'énergie et une insuffisance de capacité de concentration intellectuelle.

LES SIGNES SUR LA LIGNE DE TÊTE

575. Nombreux sont les signes qui peuvent se trouver sur la ligne de tête ou à son extrémité.

576. Voici les principaux :

CROIX

577. Une croix à la fin d'une ligne de tête très longue, arrivant presque à la partie inférieure du mont de Lune, est le signe d'un dérangement intellectuel pouvant provoquer des crises périodiques de folie provisoire *(fig. 150).*

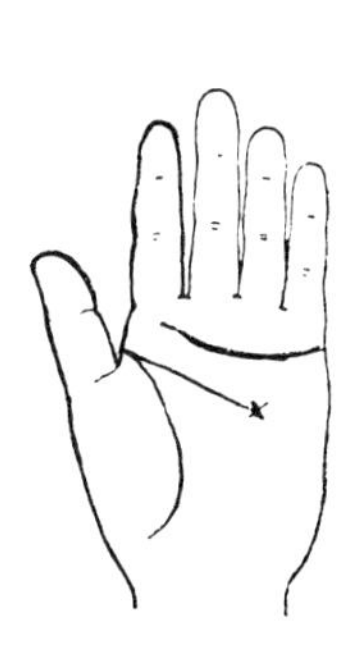

151

578. Une croix à la fin d'une ligne de tête de longueur normale indique une intelligence vive *(fig. 151).*

579. Une ou plusieurs croix se trouvant tout près de cette ligne (au-dessus ou en dessous), mais ne la touchant pas, sont interprétées par certains comme signe de bonheur et de grandes réussites, et par d'autres comme un indice de fatalité. A mon avis, elles indiquent de légers et superficiels accidents à la tête ou bien des événements troublant la clarté de l'esprit, mais sans aucune gravité *(fig. 152).*

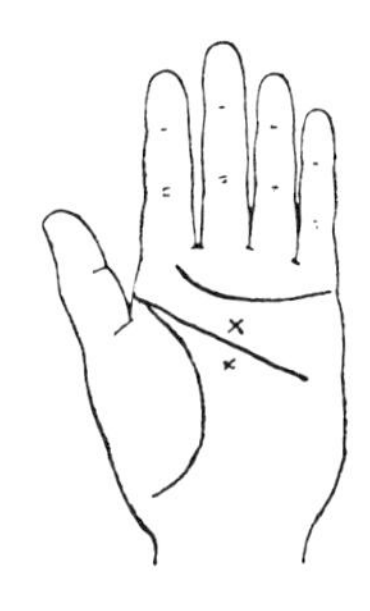

152

580. Une croix au milieu de la ligne de tête annonce un accident plus ou moins grave, ainsi que la possibilité de troubles mentaux *(fig. 153).*

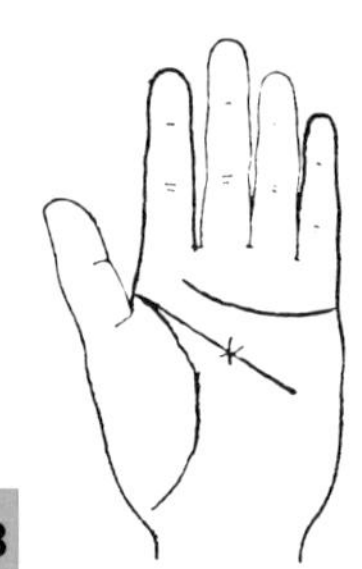
153

581. L'espace triangulaire qui se forme obligatoirement au point de séparation de la ligne de tête et de la ligne de vie est appelé angle suprême. Une croix se trouvant dans cet espace indique des maladies ou des accidents pendant la jeunesse *(fig. 154).*

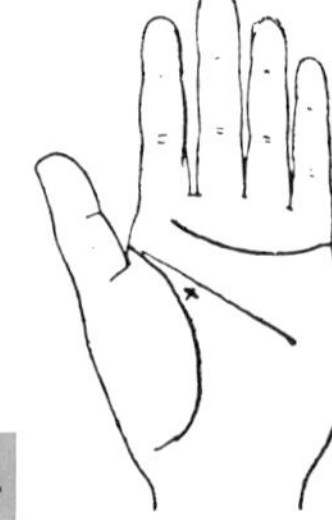
154

ÉTOILES

582. Une étoile à l'extrémité d'une ligne de tête très longue, arrivant jusqu'à la partie inférieure du mont de Lune, annonce la folie *(fig. 155).*

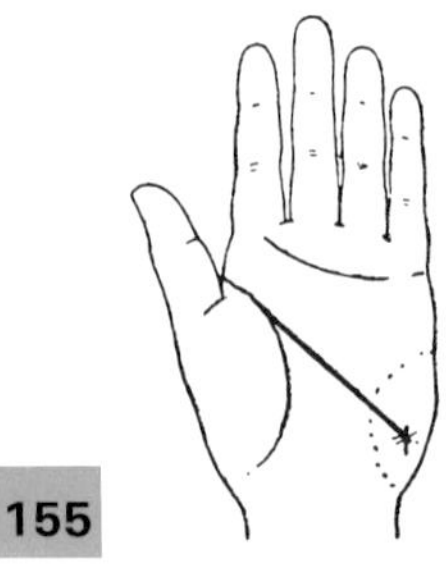
155

583. En plus de l'étoile mentionnée ci-dessus, s'il existe une et surtout deux autres étoiles sur le mont de Lune, ce cas révélera la mort par la folie *(fig. 156).*

584. Une étoile au milieu de la ligne de tête annoncera un accident très grave à la tête, avec, éventuellement, une fracture de la boîte crânienne. Elle indiquera aussi la possibilité de troubles mentaux très sérieux *(fig. 157).*

585. Je me fais un devoir de signaler une erreur (très souvent commise) qui consiste à prendre pour signe de folie n'importe quelle ligne de tête portant une croix ou une étoile à son extrémité. Cette façon d'interpréter ce cas comme étant maléfique, alors qu'il peut même être très bénéfique, est fausse. Nous avons déjà vu, au paragraphe 578, qu'une croix à la fin d'une ligne de tête de longueur normale est l'indice d'une intelligence vive. A la place d'une croix, s'il existe une étoile, sa révélation sera encore plus avantageuse, car elle annoncera une intelligence très vive et toujours en éveil. La personne possédant une telle ligne de tête aura également la parole rapide, ce qui est un autre signe de fonctionnement vif et accéléré des capacités mentales.

586. Toutefois, pour éviter toute erreur éventuelle d'interprétation, je précise que les lignes de tête de très bonnes révélations, comme au paragraphe précédent, peuvent également être signe de folie si elles comportent des indices maléfiques, mais dans ce cas seulement. Pour être encore plus précis, j'ajouterai que, lors de l'examen d'une ligne de tête portant une croix ou une étoile à son extrémité, on doit se montrer très circonspect, car, comme dit le dicton, « les extrêmes se touchent. » Ce dicton s'applique parfaitement au cas qui nous intéresse dans ce paragraphe, les deux extrêmes du fonctionnement du cerveau étant : une intelligence extraordinaire allant jusqu'au génie, et la folie.

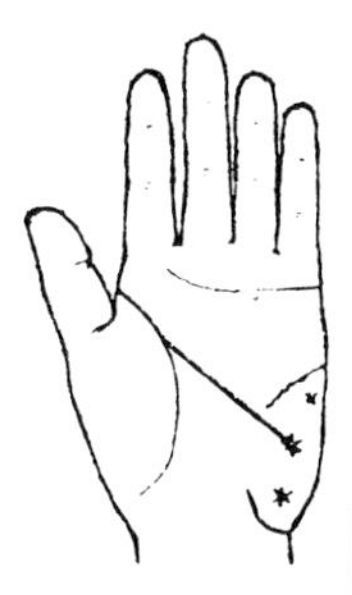
156

Les signes maléfiques principaux pour ce cas sont les suivants : une ligne de tête mal faite et confuse, une ou plusieurs îles sur la ligne, une ou plusieurs coupures, une ou plusieurs croix ou étoiles sur le trajet même de la ligne de tête. La grille sur le mont de Lune sera également d'influence fâcheuse. Bien entendu, la possibilité de la folie ainsi que la profondeur de ses effets seront en proportion du nombre et de l'état des signes maléfiques.

157

ÎLE

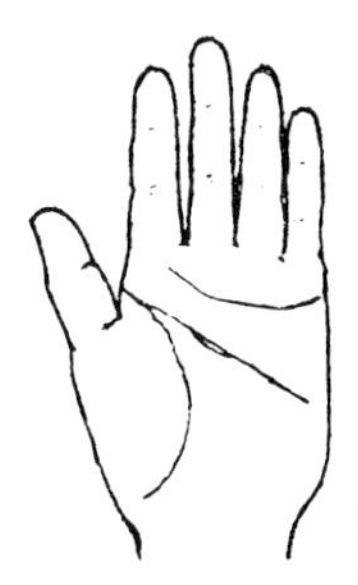
158

587. L'île sur cette ligne aura une signification différente suivant sa constitution et l'endroit où elle se trouve. Une île accrochée à une ligne de tête de tracé normal révélera une intelligence primitive et superficielle ; elle révélera aussi une instabilité dans les idées. Mais, si cette île est formée par le tracé même de la ligne de tête, elle indiquera toujours la même superficialité d'intelligence, mais avec, en plus, des goûts charnels anormaux et des idées lugubres. Cette dernière île révélera aussi la possibilité d'un dérangement mental. Pour ces deux sortes d'îles, voir le mot « Île » dans le résumé de la signification des signes, à la suite du paragraphe 426 *(fig. 158 et 159).*

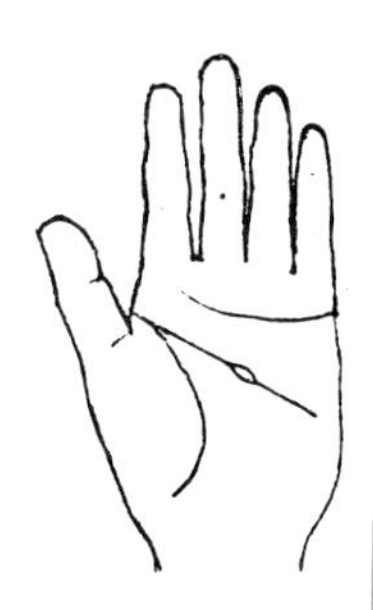
159

588. Le docteur en philosophie Josef Ranald affirme avoir vu, dans les mains d'Adolf Hitler, une île accrochée à l'extrémité de la ligne de tête. Il l'interprète comme étant le signe de débilité fonctionnelle et organique du cerveau *(fig. 160).*

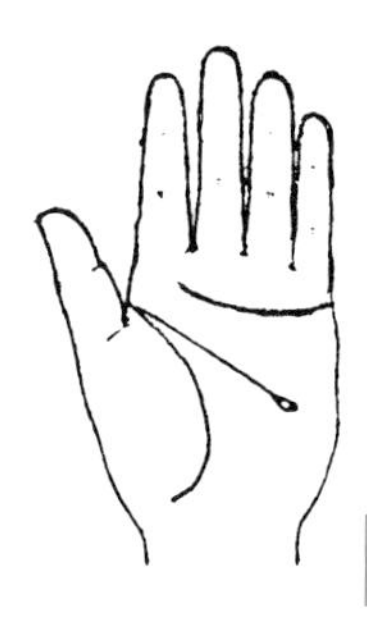
160

POINTS

589. Les simples points sur la ligne de tête annoncent des maux de tête plus ou moins tenaces.

TROUS

590. les trous sur la ligne de tête révéleront, en plus des maux de tête, des douleurs faciales d'une intensité et d'une durée en proportion de la profondeur des trous.

591. Les trous rouges indiqueront des maladies cérébrales graves, mais souvent sans suite fatale. Certains auteurs les interprètent comme étant des signes prédisant des blessures à la tête.

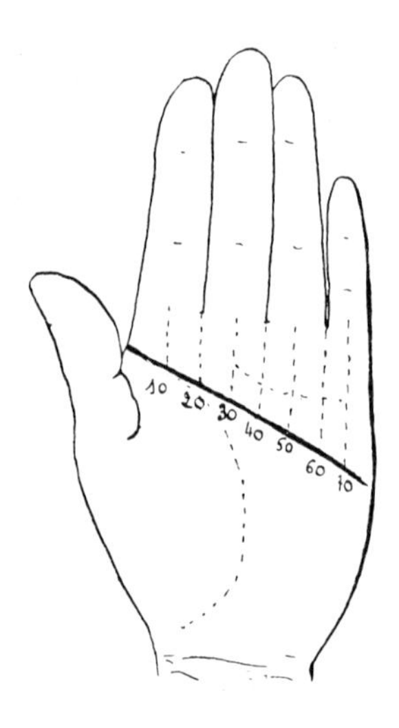

Les époques sur la Ligne de Tête

C H A P I T R E 35

La Ligne de Cœur

592. La ligne de cœur de départ et de trajet normaux doit partir de la percussion et, passant sous les monts de Mercure, du Soleil et de Saturne, venir aboutir sur le mont de Jupiter, mais non pas « sous » ce mont.
Son trajet doit donc être presque parallèle à celui de la ligne de tête.
D'autre part, elle ne doit pas se trouver marquée très haut dans la main, ni très rapprochée de la ligne de tête.

593. La ligne de cœur est, en général, mieux marquée et plus profonde dans les mains des femmes.
Le lecteur sait déjà qu'une ligne bien marquée et profonde révèle de la vigueur dans ses attributs respectifs. C'est pourquoi la femme agit souvent en se laissant guider par son cœur, par ses sentiments et même par ses pressentiments.

594. Il importe donc de recommander, lorsqu'il s'agit des mains d'une femme, que la ligne de cœur soit prise très attentivement en considération.

595. La ligne de cœur, pour être considérée comme normalement constituée, doit être conforme aux dispositions des paragraphes 433 et 434. (Relire ces paragraphes.)

596. Je dois cependant signaler une dérogation à la règle générale concernant les extrémités des lignes et relative à la ligne de cœur.

Lors de l'étude des lignes de vie et de tête, nous avons vu que de nombreux et petits rameaux (formant un balai) à l'extrémité de ces lignes sont de mauvais augure. Mais, dans le cas de la ligne de cœur, ces mêmes rameaux (au commencement ou à la fin de cette ligne) sont de bonne signification. Nous le verrons sans tarder.

597. Si les lignes de vie et de tête nous renseignent, chacune dans sa sphère, sur la vitalité générale, les maladies, les accidents ou l'intelligence, ainsi que sur les anomalies cérébrales, la ligne de cœur nous fournit aussi les renseignements précieux suivants :

1. Elle nous indique l'état de constitution et de fonctionnement du cœur physique ;
2. Elle révèle les diverses manifestations de l'âme et du cœur spirituel ;
3. Elle annonce des satisfactions spirituelles dues à la réalisation des ambitions et des désirs, comme réussite, richesse et ascension.

Chaque fois donc que cela en vaudra la peine, j'indiquerai simultanément les révélations physiques et spirituelles de chaque indice.

LIGNE DE CŒUR PARFAITE

598. La ligne de cœur parfaite, ne présentant aucune des anomalies énumérées dans les paragraphes 433 et 434, révèle, du côté spirituel, un bon cœur, bienveillance, affection tendre et idéale.

Du côté physique, elle annonce un cœur normalement constitué, sans défauts anatomiques ni fonctionnels.

TRÈS LONGUE

599. La ligne de cœur très longue, c'est-à-dire plus longue que celle décrite au paragraphe 592 et barrant, par conséquent, entièrement la main, indiquera, du côté spirituel, une personne très affectueuse, très aimante, très sensible et très impressionnable. Ces excès produiront forcément un état d'esprit de continuelle anxiété et même de peur. La personne dont la ligne de cœur est très longue se sentira très fréquemment malheureuse pour

des faits qui passeraient presque inaperçus chez une personne ayant une ligne de cœur de longueur normale.
Du côté physique, une telle ligne annonce un cœur nerveux et sensible *(fig. 162).*

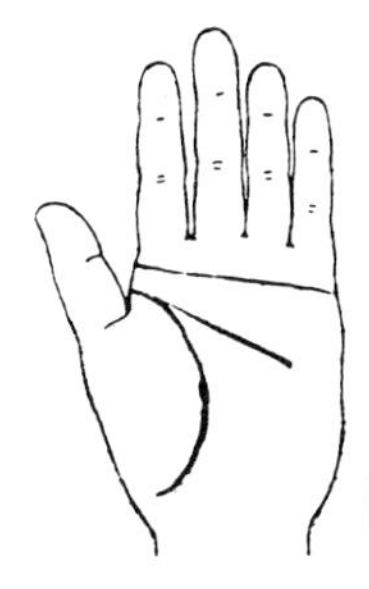
162

LIGNE COURTE

600. Courte, la ligne de cœur révèle, du côté spirituel, un égoïste, un être presque insensible et incapable d'aimer affectueusement et de s'attacher vigoureusement.
Du côté physique, elle indique un cœur et un système circulatoire fragiles et vulnérables. Plusieurs dérangements de ce système sont à craindre *(fig. 163).*

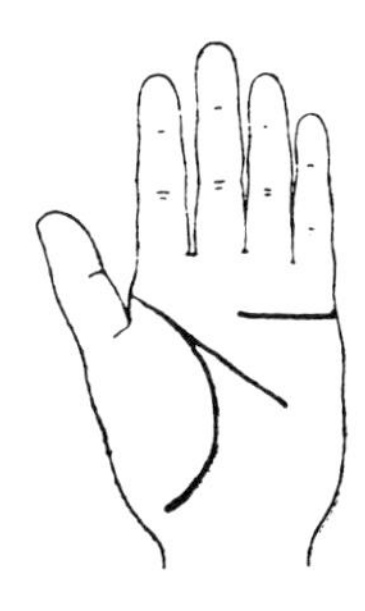
163

HAUTE

601. La ligne de cœur très éloignée du tracé de la ligne de tête et se trouvant, par conséquent, rapprochée de la base des doigts indiquera un manque de maîtrise de soi et une incapacité à freiner ses sentiments et ses impulsions. La personne ayant une telle ligne de cœur pourra prendre plaisir aux faits sensuels mais sera incapable d'une affection vraie.
Du côté physique, elle révélera un cœur de constitution normale, mais le rythme cardiaque sera sujet à dérangement (arythmie) *(fig. 164).*

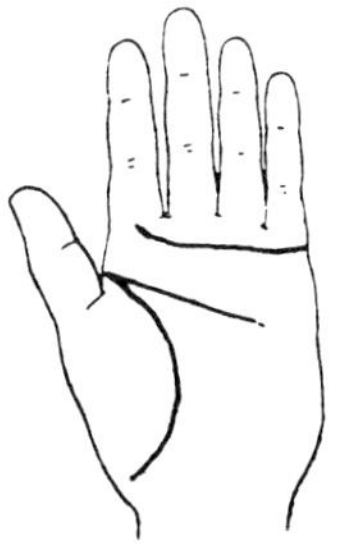
164

BASSE

602. La ligne de cœur tracée plus bas que la normale et se trouvant, par conséquent, rapprochée de la ligne de tête peut révéler affection et sentiments, mais dans le cadre du réalisme et, suivant le cas, du matérialisme et du calcul. La personne possédant une telle ligne pourra avoir une bonne mentalité et un bon cœur mais, n'étant pas hypersensible, envisagera la vie et les choses telles qu'elles sont et d'une manière réaliste *(fig. 165).*
Du côté physique, la ligne de cœur basse prédira une disposition à l'asystolie, bien que le muscle soit normalement constitué.

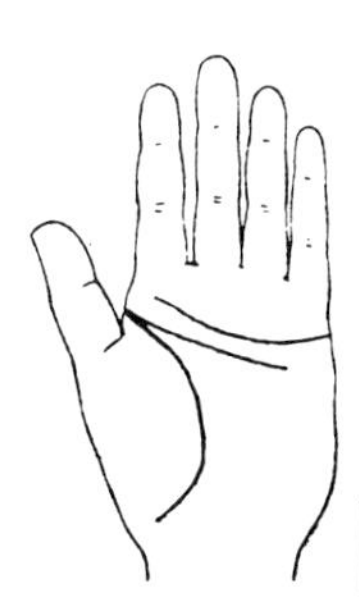
165

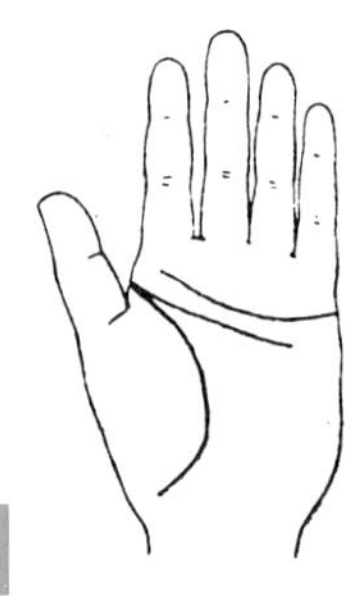

165

FAIBLEMENT TRACÉE

603. Si cette ligne est faiblement et superficiellement tracée, elle révélera du côté spirituel des sentiments manquant de vigueur et de profondeur, donc affection superficielle et attachement faible.
Du côté physique, une telle ligne indiquera un myocarde faible mais, tant que d'autres signes maléfiques ne s'y grefferont pas, le fonctionnement du cœur pourra être pratiquement satisfaisant.

LIGNE LARGE

604. La ligne de cœur large, mais nettement tracée, annoncera du côté spirituel des sentiments ardents mais sans profondeur, ainsi qu'une incapacité d'attachement continuel. La personne ayant une ligne de cœur large sera un amoureux emporté, mais son amour sera purement égoïste et sensuel.
Du côté physique, tant que cette ligne ne comportera pas d'anomalies, le cœur et le système circulatoire seront pratiquement en bon état.

LIGNE PROFONDE

605. La ligne de cœur profondément marquée révélera, du côté spirituel, des sentiments durables et profonds, et un attachement fort et sincère.
Du côté physique, la ligne de cœur profonde annoncera un cœur normalement et solidement constitué.

LIGNE CHAÎNÉE

606. Si la ligne de cœur est formée par une succession d'anneaux, donnant l'impression d'une chaîne, elle dénotera, du côté spirituel, amour sensuel très inflammable et insatiable, une infidélité inconsciente allant jusqu'à pouvoir changer de partenaire plusieurs fois dans la même journée.
Du côté physique, la ligne de cœur chaînée indiquera un système circulatoire défectueux,

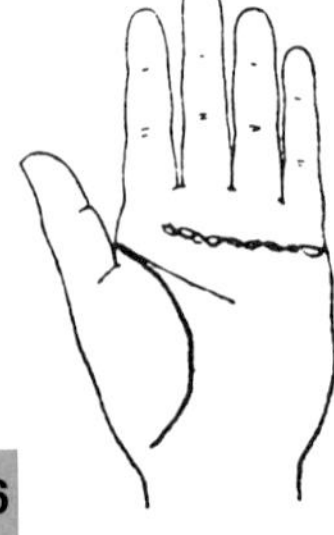

166

la défection pouvant être aussi bien organique que fonctionnelle *(fig. 166.)*

LIGNE CONFUSE

607. La ligne de cœur constituée par la succession de petits traits annoncera, du côté spirituel, la même instabilité que l'on constate dans la ligne chaînée.
Du côté physique, elle annoncera une fragilité de l'ensemble du système cardio-vasculaire, mais, en cas de soins attentifs, la révélation de la ligne de cœur confuse ne sera pas aussi tragique que celle de la ligne nettement coupée.
La différence de révélation étant considérable, il faudra éviter de confondre la ligne de cœur confuse avec celle qui est surchargée de nombreux petits rameaux. Pour s'en assurer, on tendra énergiquement la peau, et le sillon rouge qui apparaîtra à sa place nous fixera facilement sur son état *(fig. 167).*

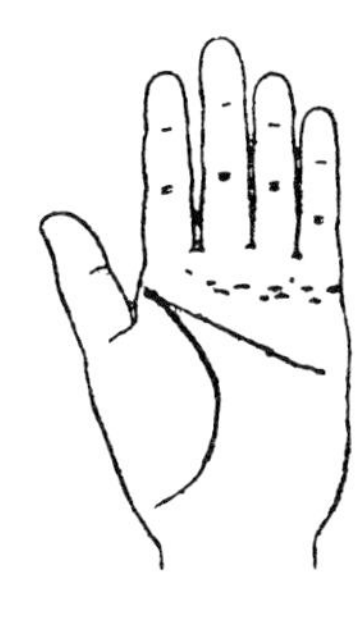

167

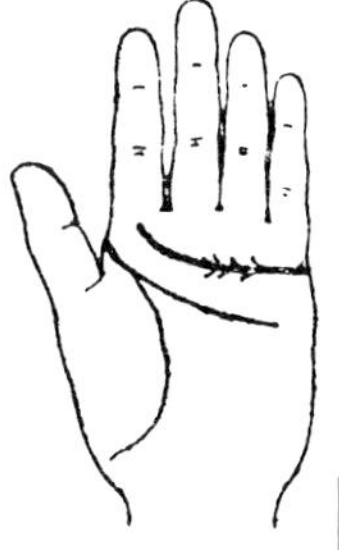

168

SURCHARGÉE DE PETITS TRAITS

608. La ligne de cœur nettement dessinée mais surchargée de tout petits traits (qui ne la coupent pas) est le signe d'un goût du flirt et de la coquetterie et, par voie de conséquence, de difficulté à rester fidèle *(fig. 168).*

DROITE COMME UNE ÉPÉE

609. La ligne de cœur, lorsqu'elle est droite comme une épée (sans aucun rameau à son commencement ni à son extrémité), révélera sécheresse de cœur, cruauté, envie et jalousie.

ONDULÉE OU TORTUEUSE

610. La ligne de cœur, tout en étant nette, pourra être ondulée ou tortueuse dans son trajet (comme un serpent). Dans ce cas, elle annoncera fausseté dans les sentiments, donc absence de sincérité et incapacité d'attachement *(fig. 169).*

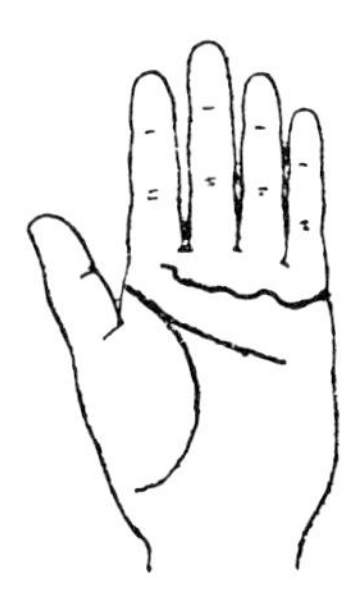

169

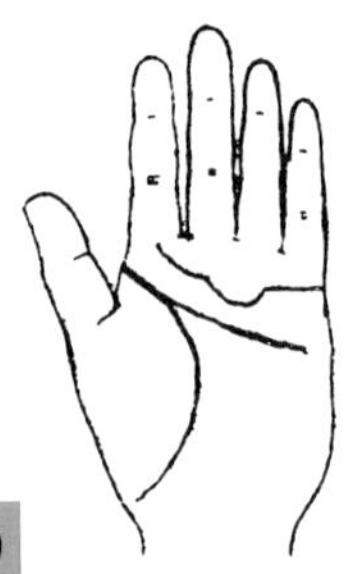

170

S'ABAISSANT VERS LA LIGNE DE TÊTE

611. La ligne de cœur s'abaissant brusquement, au cours de son trajet, dans sa partie centrale, vers la ligne de tête, révèle sournoiserie, calcul et intérêt en amour *(fig.170).*

171

TOUCHANT À LA LIGNE DE TÊTE PAR SA PARTIE CENTRALE

612. Lorsque la ligne de cœur, au cours de son trajet, s'abaisse vers la ligne de tête au point de toucher, par sa partie centrale, cette dernière, elle sera le signe absolu de fausseté et de calcul dans les affaires sentimentales.
Du côté physique, elle révélera l'éventualité d'un dérangement cardiaque pouvant être mortel *(fig. 171).*

172

LIGNE DE CŒUR COUPÉE

613. Les coupures sur la ligne de cœur sont toujours des signes maléfiques graves, à tel point que, si elles ne sont pas protégées, elles annoncent la mort par défaillance cardiaque.
J'indique donc ci-dessous les principaux cas de coupures ainsi que les éléments de protection.
1. On peut voir une coupure nette sur la ligne, divisant celle-ci en deux tronçons et ne possédant aucun élément de protection à l'endroit de la coupure. Ce fait est le signe de défaillance cardiaque, donc d'une mort brusque *(fig. 172).*
Une coupure peut se voir sous l'auriculaire, sous l'annulaire ou sous le médius.

173

2. La coupure sous l'auriculaire est le signe d'aortite.
3. Une coupure sous l'annulaire révèle péricardite pouvant se compliquer en myocardite.
4. La coupure sous le médius annonce myocardite ainsi qu'endocardite.
Toutes ces coupures provoqueront des palpitations cardiaques, car toutes les affections cardio-vasculaires entraînent des palpitations.
A titre de renseignement, les palpitations sont, dans la plupart des cas, des symptômes plutôt que des maladies proprement dites. Même le

174

dérangement du tube digestif pourra produire des palpitations.
Les cas de coupures que j'appelle « protégées » et qui écartent la possibilité de mort sont les suivants :
1. La ligne se trouve coupée en deux tronçons, mais la deuxième partie de la ligne commence son trajet avant le point de coupure *(fig. 173)* ;
2. En dehors de la ligne, mais tout de suite à côté du vide laissé par la coupure, existe un trait *(fig. 174)* ;

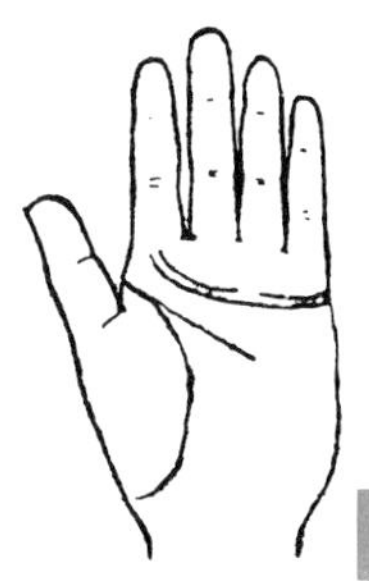

175

3. Une bonne ligne sœur qui accompagne la ligne de cœur coupée *(fig.175)* ;
4. Un carré qui encadre les deux bouts des tronçons et comble ainsi le vide produit par la coupure *(fig. 176)* ;
5. Une bonne ligne de cœur intacte dans l'autre main.

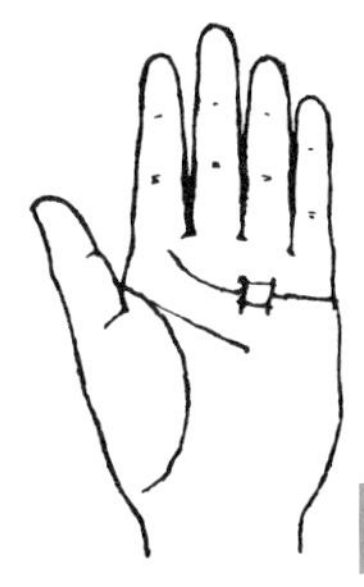

176

POINTS DE DÉPART DE LA LIGNE DE CŒUR

614. La ligne de cœur doit partir de la percussion même, mais on peut constater des départs anormaux comme suit :
1. La ligne de cœur pourra prendre naissance sur le mont de Mercure et même à la jointure du petit doigt. Cette anomalie dans le point de départ de la ligne de cœur révélera, du côté spirituel, fausseté dans les affaires sentimentales (amour ou amitié), donc capacité d'aimer par intérêt seulement. Du côté physique, elle annoncera un cœur nerveux *(fig 177)*.

177

2. Cette ligne peut débuter sous le mont de Mercure. Ce cas indiquera, du côté spirituel, un cœur émotif et impressionnable. Du côté physique, il annoncera possibilité d'arythmie *(fig 178)*.

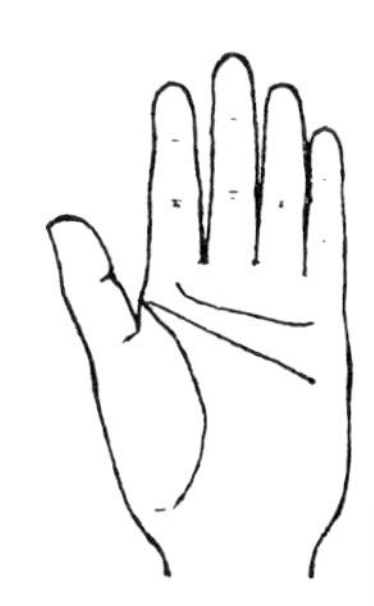

178

3. Si la ligne de cœur commence sous le mont du Soleil, elle indiquera du côté spirituel un amour platonique ainsi que de l'orgueil. Du côté physique elle révèlera angoisse et même syncope *(fig 179)*.
4. Lorsque cette ligne prend sous le mont de Saturne, elle dénote, du côté spirituel, sécheresse de coeur. Du côté physique, elle annonce la possibilité de mort par l'arrêt du cœur *(fig 180)*.

179

POINTS D'ARRIVÉE DE LA LIGNE DE CŒUR

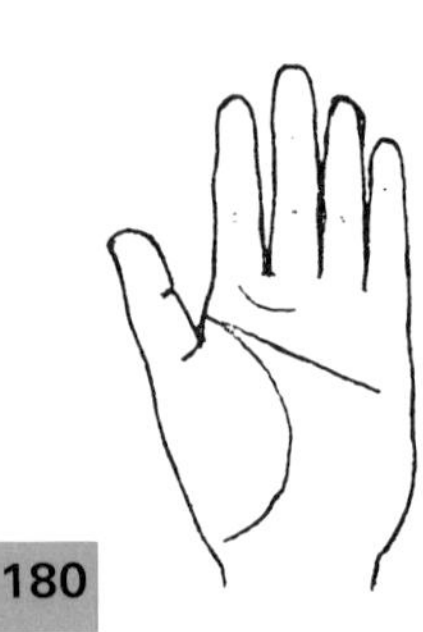

180

181

182

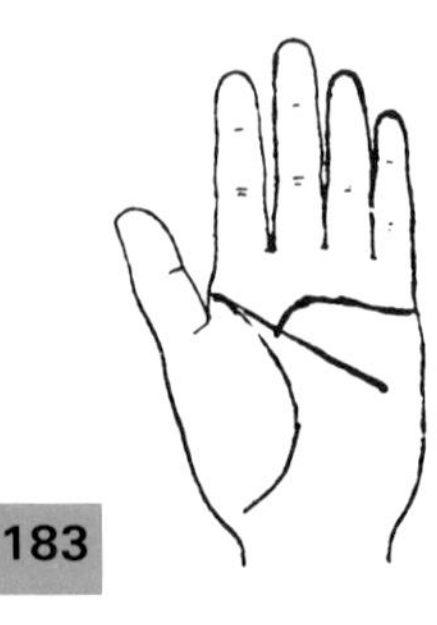

183

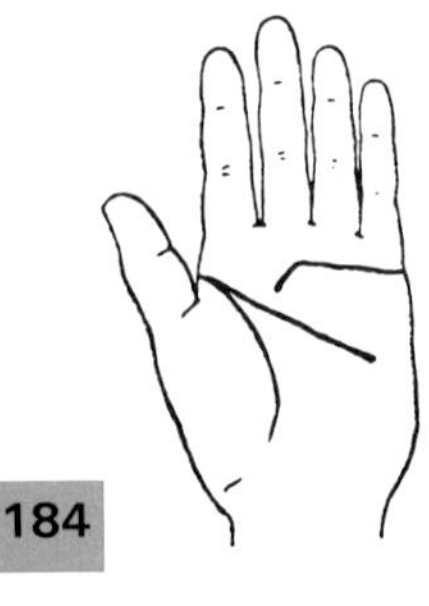

184

615. Au lieu d'arriver et de s'arrêter sur le mont de Jupiter (paragraphe 592), la ligne de cœur pourra continuer son trajet dans diverses directions et aboutir sur des points différents ; ou encore, n'étant pas suffisamment longue, elle pourra se terminer sous les autres monts. Plusieurs cas sont à envisager pour ces éventualités, dont voici les principaux :

1. La ligne de cœur pourra continuer son trajet au-delà du mont du Jupiter, de façon à barrer entièrement la main. Ce cas est exposé en détail dans le paragraphe 599.
2. A l'inverse de la ligne trop longue, comme ci-dessus, cette ligne, très courte, peut s'arrêter sous le mont du Soleil. Ce cas indiquera, du côté spirituel, des sentiments superficiels et une incapacité à rester stable dans ses amitiés comme dans ses relations sentimentales. Du côté physique, il révélera des troubles artériels *(fig. 181).*
3. Quand cette ligne s'arrêtera sous le mont de Saturne, elle révélera, du côté spirituel, de l'égoïsme et une jalousie due à l'égoïsme et non pas à la sincérité et à la profondeur des sentiments, car la personne ayant une telle ligne de cœur ne saura pas aimer tendrement. Du côté physique, cette ligne indiquera un défaut de constitution musculaire cardiaque *(fig 182).*
4. La ligne de cœur pourra arriver jusque sous le mont de Saturne et, continuant son trajet, se courber vers la ligne de tête, mais sans toucher cette dernière. Du côté spirituel, une telle ligne révélera un cœur tendre et pouvant s'attacher fortement, mais ces qualités seront doublées d'une nature mélancolique, encline à la tristesse et à la jalousie. Du côté physique, ce cas annoncera la possibilité d'une mort par défaillance cardiaque *(fig. 184).*
5. Mais si la ligne ci-dessus (n° 4) touche la ligne de tête, du côté spirituel elle révélera toujours sincérité et tendresse dans les sentiments, une capacité à pouvoir s'attacher fortement, avec, en plus, une extrême sensibilité, une mélancolie et une tristesse presque

continuelles. Elle révélera également une jalousie qui sera due à l'amour et non pas à l'égoïsme. Du côté physique, elle annoncera un cœur fragile et un état général languissant. La mort, dans ce cas, pourra venir d'une défaillance cardiaque ou de tout autre dysfonctionnement *(fig. 183)*.

6. La ligne de cœur, assez longue, pourra arriver jusque sur le mont de Jupiter, mais son extrémité se courbant vers la ligne de tête (ne pas confondre ce cas avec celui du n° 4). Une telle ligne révèle, du côté spirituel, un cœur affectueux, capable d'aimer sincèrement et de s'attacher fortement. Jalousie par amour sincère. Mais elle n'indique pas une nature mélancolique, elle révèle plutôt une personne qui a eu à souffrir de l'incompréhension ou de l'infidélité de son partenaire. Du côté physique, elle annonce un cœur nerveux, sujet à des palpitations fréquentes *(fig.185)*.

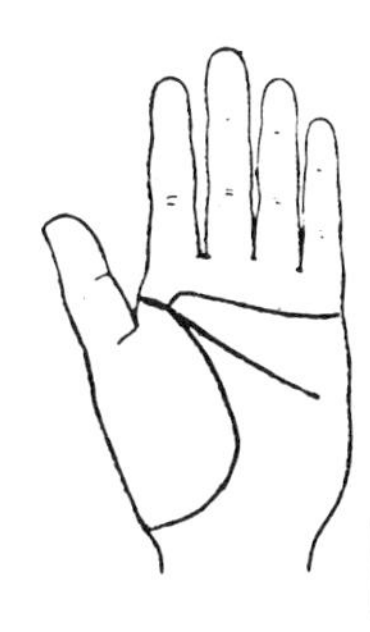

185

7. La croix pouvant exister sur la partie courbée de la ligne de cœur ci-dessus (n° 6) est appelée « croix de Saint-André ». La croix de Saint-André révèle malheur en amour et en ménage. Elle annonce également une nature triste, mélancolique et très sensible. La personne possédant une ligne de cœur avec la croix de Saint-André aura rarement des jours heureux et des occasions de bonheur. Dans la pratique, elle doit créer synthétiquement son bonheur en inventant des occasions (passagères) de plaisir et de détente *(fig.186)*.

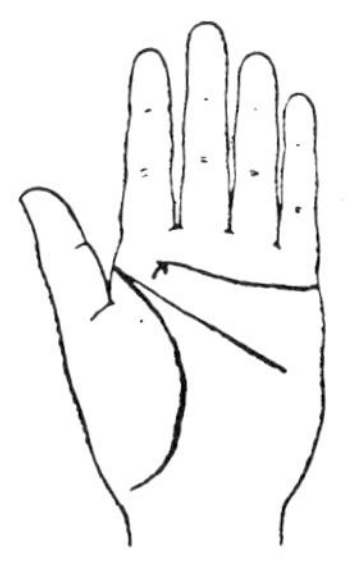

186

8. La partie courbée de l'extrémité de la ligne de cœur peut descendre encore plus bas et, coupant la ligne de tête, aller chercher la ligne de vie. La révélation de ce cas est plus maléfique que celle du n°7 ci-dessus. Il annonce malheur absolu et aucune chance en amour. Il dénote également une nature extrêmement mélancolique et sujette à une tristesse ininterrompue *(fig. 187)*.

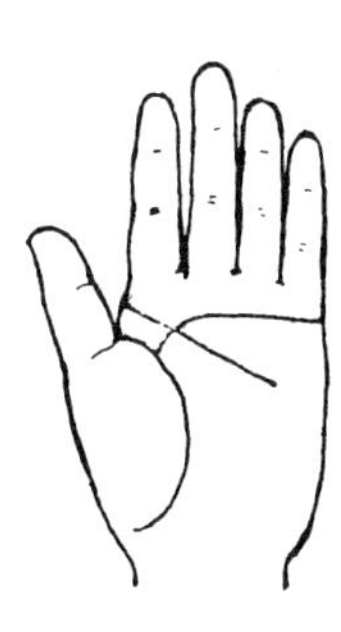

187

9. La ligne de cœur peut aller tout droit (sans courbure à son extrémité) et toucher le commencement de la ligne de tête. La plupart des auteurs interprètent ce cas comme le signe d'une grande fatalité et d'une mort imminente. Personnellement, je lui attribue une révélation moins tragique et, si j'admets

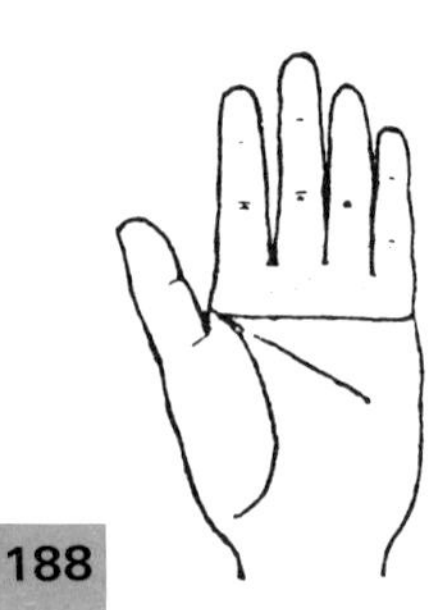

188

l'éventualité de mort, c'est sous condition suspensive d'imprudence. Une telle ligne indiquera, du côté spirituel, un cœur d'une extrême sensibilité et, du côté physique, un cœur et un état général vulnérables et fragiles. Chez la personne possédant une telle ligne de cœur, les maladies peuvent se succéder. Mais tout le monde connaît des personnes continuellement malades qui vivent assez longtemps. Dans le cas d'une telle ligne de cœur, la mort pourra survenir par imprudence *(fig.188).*

189

10. La ligne de cœur assez longue arrive presque sur le mont de Jupiter, mais son extrémité se dirigeant vers le haut vient aboutir entre l'index et le médius. Ce cas révèle amour sensuel et égoïsme, donc une incapacité d'aimer d'un amour réel. Il révèle aussi jalousie par égoïsme. Dans le domaine pratique, la personne ayant une telle ligne de cœur pourra connaître la réussite et l'ascension, mais par l'effort et le mérite personnels *(fig.189).*

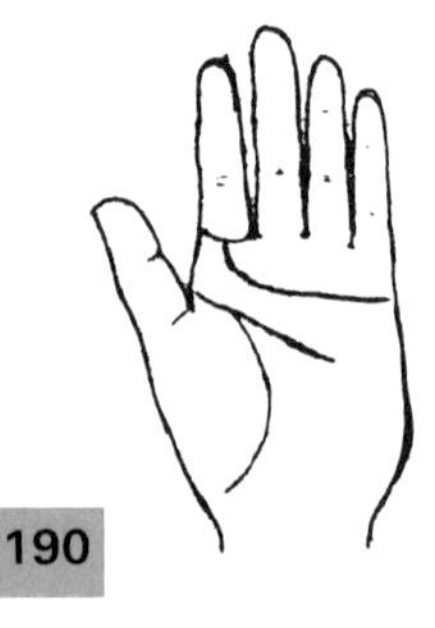

190

11. La ligne de cœur, arrivée sur le mont de Jupiter, se courbe vers le haut de la main et va aboutir au milieu de la jointure de l'index. Ce cas indique une capacité d'aimer sincèrement. Il indique également bonheur, réussite et ascension, réalisation des ambitions. La personne ayant une telle ligne pourra être jalouse, mais par suite de son attachement sincère et affectueux *(fig. 190).*

191

12. La ligne de cœur peut monter encore plus haut que dans le cas du n° 11 ci-dessus et, traversant la jointure de l'index, pénétrer dans la troisième phalange de ce doigt. Ce cas révélera le vrai idéalisme en amour, avec des sentiments d'altruisme et de bienveillance. Mais, dans le domaine de la vie pratique, ces sentiments sublimes, excluant l'égoïsme et le matérialisme, empêcheront l'être de mettre à profit les bonnes occasions de se faire une fortune ou, tout au moins, une situation élevée. La personne possédant une telle ligne de cœur pourra connaître le bonheur et la réussite, mais n'accédera pas aux situations réservées à la ligne de cœur s'arrêtant à la jointure de l'index *(fig.191).*

13. On pourra rencontrer aussi un aspect tout à fait particulier du tracé de la ligne de cœur, qui diffère nettement de ceux que l'on voit couramment. Il s'agit d'une ligne de cœur d'une largeur frappante, formée presque toujours d'une succession de traits. Elle est, en général, droite dans l'ensemble de son trajet et elle barre la main d'un côté à l'autre. En général, la ligne de tête n'existe pas. Nous avons déjà parlé de ce cas lors de l'examen de la ligne de tête *(fig. 192)*.

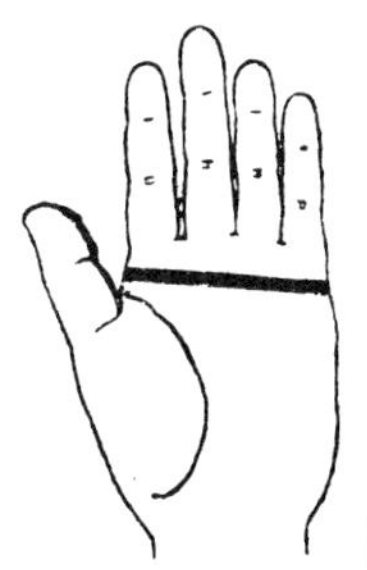

192

Ce cas est très significatif. Je l'ai surtout remarqué dans les mains des Françaises et des Français. Du côté spirituel, il révèle un attachement total, un cœur affectif très sensible, des sentiments sincères et humanitaires. Du côté physique, s'il révèle un cœur pratiquement bon, il annonce aussi une dépression et une fatigue générale qui sont dues, je pense, à une extrême sensibilité agissant sur le système nerveux.

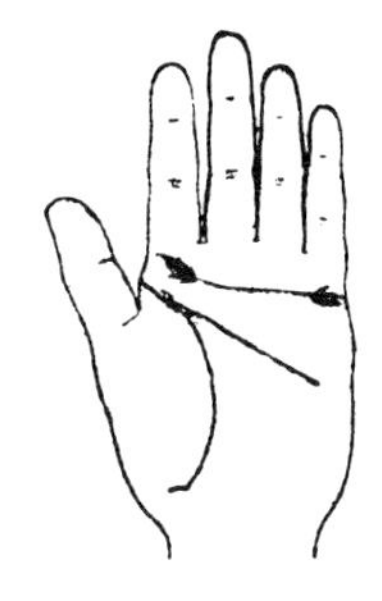

193

14. Enfin, si la ligne de cœur s'arrête, normalement, sur le mont de Jupiter, elle sera le signe d'un bon cœur.

RAMEAUX PARTANT DE LA LIGNE DE CŒUR

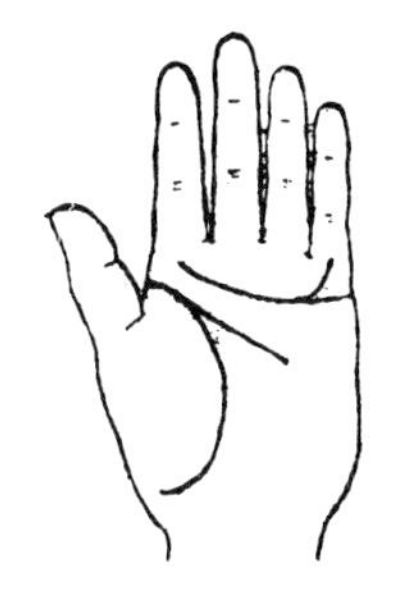

194

616. Comme je l'ai déjà expliqué au paragraphe 596, la ligne de cœur fait exception à la règle générale qui exige qu'une ligne soit nette, sans rameaux à son extrémité ni à son commencement.

1. La ligne de cœur entièrement nette à son commencement comme à sa fin révèle envie, jalousie et sécheresse de cœur.

2. Les petits rameaux au début ou à l'extrémité de cette ligne indiquent bon cœur et bienveillance *(fig.193)*.

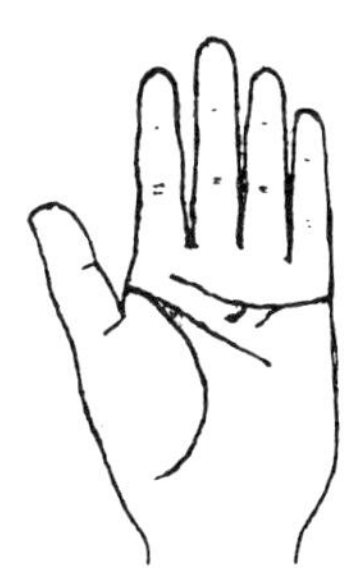

195

3. Si, au commencement de la ligne de cœur, un ou plusieurs petits rameaux se détachent et se dirigent vers le petit doigt, ce cas indiquera satisfaction spirituelle par de nombreux gains et même la richesse *(fig.194)*.

4. Les petites lignes se trouvant sur la percussion même et tout de suite en dessous du petit doigt sont appelées « lignes d'attachement » (voir paragraphe 635). Lorsque des rameaux partant de la ligne de cœur se dirigent vers

196

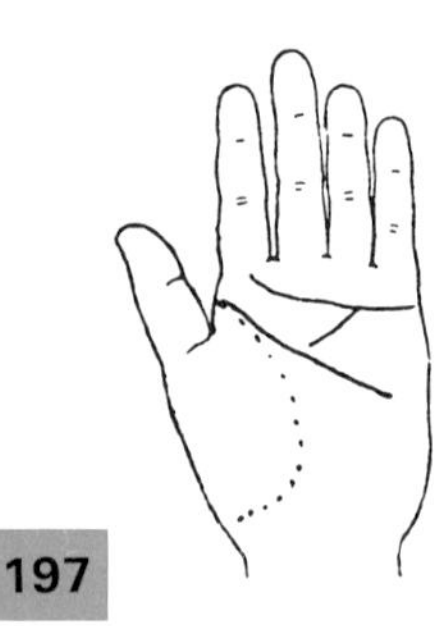
197

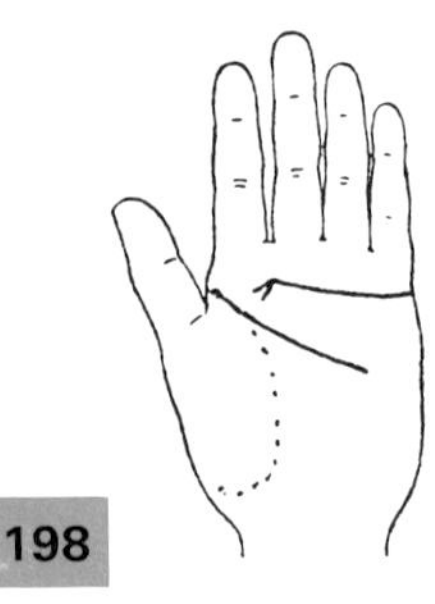
198

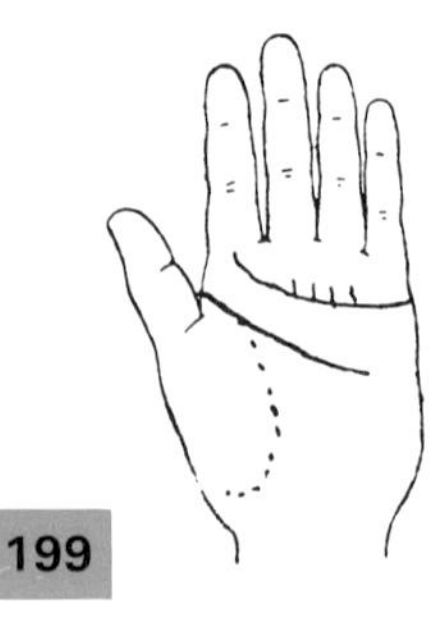
199

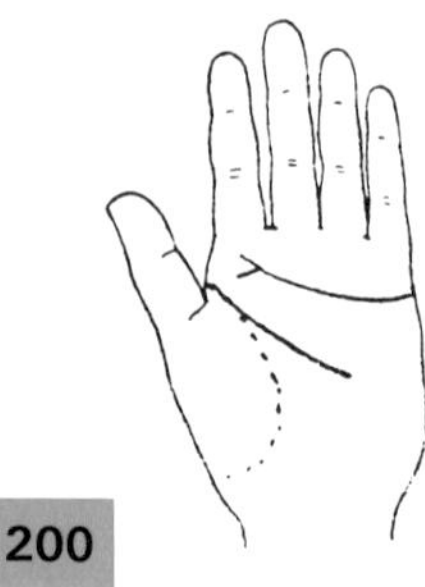
200

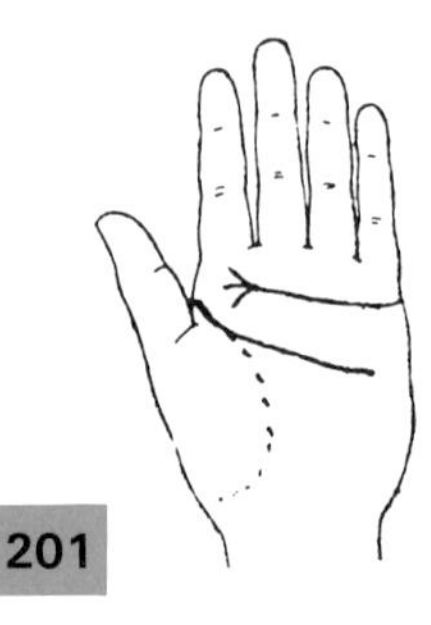
201

ces lignes, ils annoncent une personne capable de s'attacher sincèrement et vigoureusement, aussi bien dans ses amitiés que dans son amour sexuel.

5. Si la ligne de cœur, sur son parcours, jette quelques rameaux vers la ligne de tête, ce cas indiquera des chagrins d'amour. Le nombre de ces chagrins sera en proportion directe du nombre de ces traits *(fig. 195).*

6. Mais, si ces rameaux descendant de la ligne de cœur sont très nombreux et se succèdent, ils révéleront une possibilité de dérangement du rythme cardiaque (bradycardie ou tachycardie) *(fig. 196).*

7. Au lieu de petits rameaux, si une ligne assez longue part de la ligne de cœur et descend vers la ligne de tête, elle annoncera la possibilité de troubles cardiaques sérieux *fig. 197).*

8. Si la ligne de cœur est intacte et droite dans son tracé mais, arrivée sur le mont de Jupiter, jette un ou plusieurs rameaux vers la ligne de tête, c'est signe de tristesse et de mélancolie dues, en général, à une déception. Cet état s'aggravera suivant le nombre des rameaux. S'il en existe, par exemple, trois, ce sera le signe d'une extrême tristesse, avec des idées noires allant jusqu'au suicide *(fig. 198).*

9. Les petits rameaux partant de la ligne de cœur et se dirigeant vers le haut de la main sont de bons signes de satisfactions spirituelles *(fig. 199).*

LIGNE DE CŒUR FOURCHUE

617. Arrivée sur le mont de Jupiter, la ligne de cœur peut se diviser en deux ou trois branches. Ces branches peuvent être courtes et ne pas dépasser les limites de ce mont. Mais il peut arriver aussi que l'une ou plusieurs de ces branches se dirigent vers divers points.

1. Si la ligne de cœur, arrivée sur le mont de Jupiter, se divise en deux courtes branches (aucune de ces branches ne dépassant les limites de ce mont), ce cas révèle un bon cœur et des sentiments sincères *(fig. 200).*

2. Au lieu de deux, l'extrémité de la ligne de cœur pourra se diviser en trois branches. Ce

cas révèle aussi une affection pure et sincère, mais, subsidiairement, la possibilité de richesse et d'honneurs *(fig. 201).*

3. La ligne de cœur peut se diviser en deux branches, dont une reste sur le mont de Jupiter, l'autre se dirigeant vers l'espace se trouvant entre l'index et le médius. Ce cas révèle une nature complexe, pouvant être, suivant le cas, idéaliste en amour ou purement sensuelle *(fig. 202).*

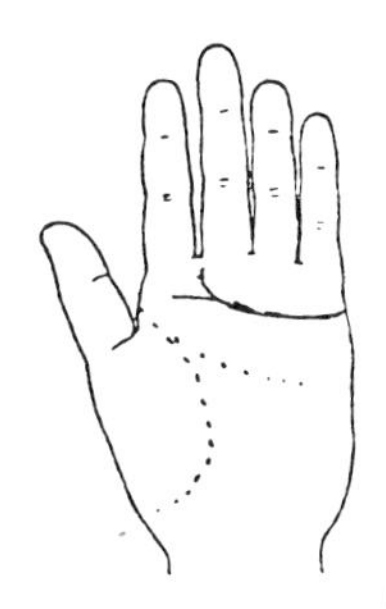

202

Les autres cas des diverses directions prises par l'une ou l'ensemble des branches formant une fourche sur le mont de Jupiter seront interprétés en se basant sur les explications fournies concernant les points d'arrivée de la ligne de cœur. Nous les avons vus en détail au paragraphe 615. Inutile d'insister sur le fait que l'on fera, obligatoirement, une synthèse des significations des différents cas, suivant les directions de l'un ou de l'ensemble de ces rameaux.

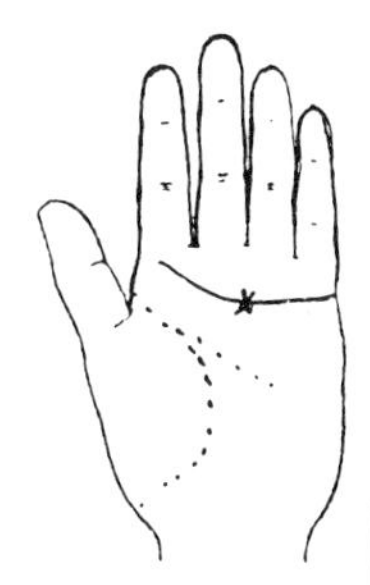

203

COULEUR

618. Rappelons que la couleur normale des lignes est le rose pâle ; juste assez de couleur pour les distinguer.

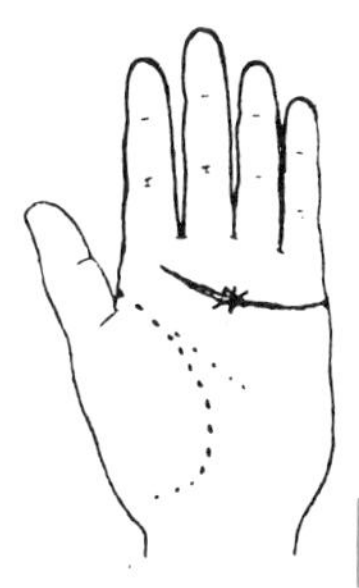

204

619. La ligne de cœur rouge annoncera des sentiments vigoureux et venant brusquement.

620. Très rouge, la ligne de cœur indiquera, d'une part, violence et brusquerie dans les sentiments et les réactions et, d'autre part, possibilité d'atteinte brusque au cœur.

621. Si la ligne de cœur est pâle, elle révélera des sentiments sans profondeur, donc, calme dans les affaires sentimentales et une impossibilité de s'attacher fortement.

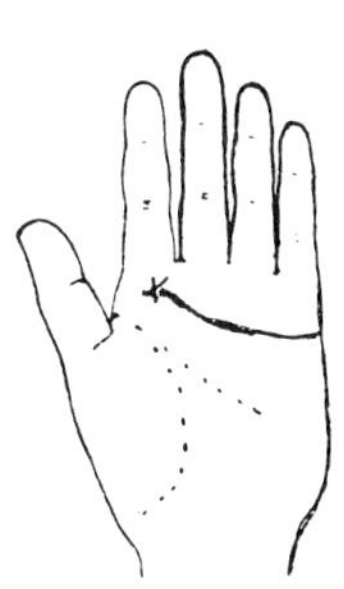

205

LES SIGNES SUR LA LIGNE DE CŒUR

622. Les signes sur cette ligne sont de mauvais augure, sauf la croix et l'étoile se trouvant à son extrémité sur le mont de Jupiter.

CROIX ET ÉTOILES

623. Comme nous l'avons déjà vu, la croix qui se présente sur la partie de la ligne de

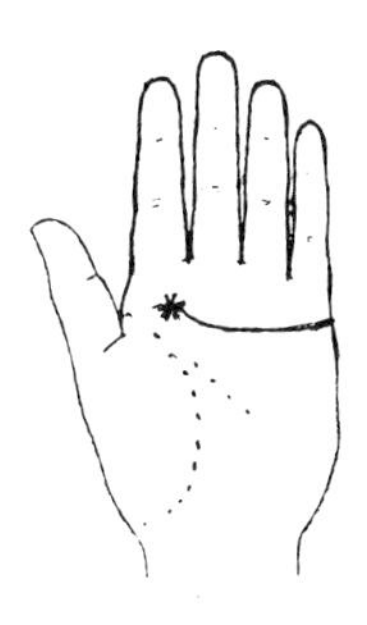

206

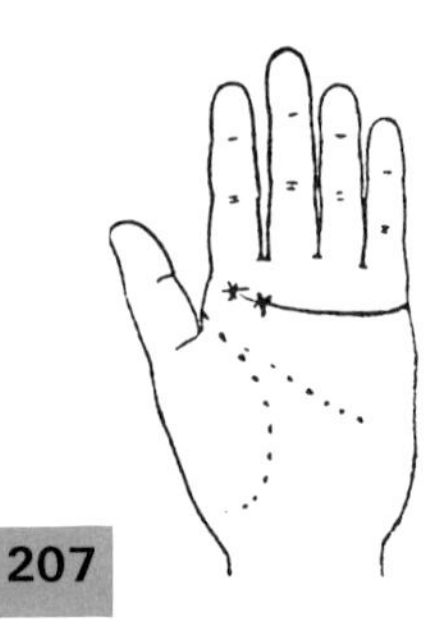

207

cœur se courbant vers la ligne de tête (croix de Saint-André), est un signe de malheur en amour, et d'une nature triste et mélancolique. Voir paragraphe 615, n° 7 et (fig. 186).

624. La croix se trouvant au milieu du trajet de cette ligne révèle maladie de cœur (asystolie) *(fig. 203).*

625. L'étoile sur le parcours de la ligne de cœur annonce possibilité de syncopes et de troubles graves dans le système circulatoire *(fig. 204).*

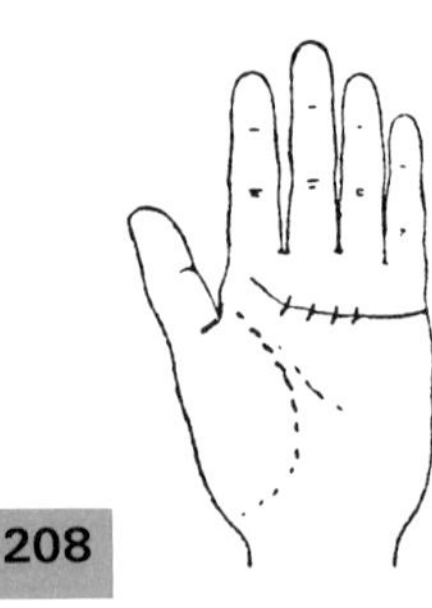

208

626. La croix attachée à l'extrémité de la ligne de cœur, sur le mont de Jupiter, est révélatrice de bonheur.

627. Cette même croix, accompagnée d'une étoile, est révélatrice d'ascension extraordinaire et de mariage avec une personne très haut placée *(fig. 205 et 207).*

628. L'étoile dessinée à l'extrémité de la ligne de cœur, sur le mont de Jupiter, annonce réussite et ascension sociale *(fig. 206).*

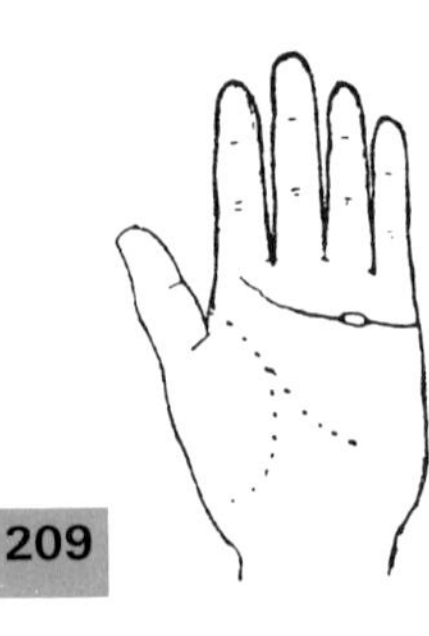

209

POINTS

629. Les simples points sur la ligne de cœur révèlent des chagrins sentimentaux. Le nombre de ces points indiquera la fréquence des chagrins.

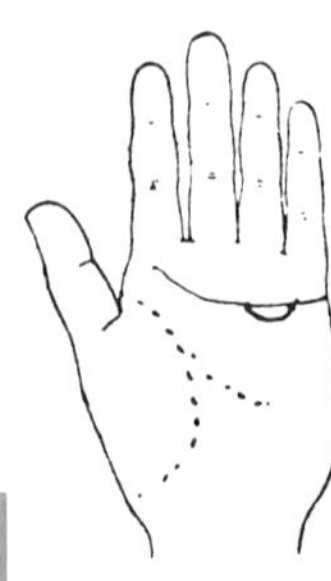

210

TRAITS

630. Les petits traits coupant cette ligne indiquent des déceptions *(fig. 208).*

TROUS

631. Les trous sur la ligne de cœur sont des signes de déceptions ressenties profondément et ayant laissé des traces pour assez longtemps. Ils annoncent, également, des troubles cardiaques.

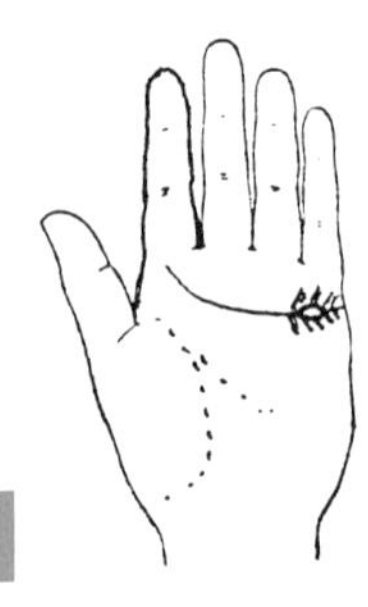

211

632. Mais, si les trous sont profonds et rouges en même temps, non seulement ils révéleront des déceptions, mais ils indiqueront surtout des dérangements cardiaques graves, pouvant provoquer l'apoplexie.

633. Les révélations de l'île sur la ligne de cœur sont discutées. Certains l'interprètent comme indice de maladie, et d'autres, comme signe d'adultère. Pour moi, les deux camps sont également dans le vrai, mais ils sont cependant victimes d'une confusion. Sur toutes les lignes (y compris la ligne de cœur) il peut exister deux sortes d'îles : l'une formée par la ligne elle-même, qui est une vraie défectuosité de la constitution de la ligne, et l'autre est une île qui est (si l'on peut s'exprimer ainsi) venue de dehors se greffer sur la ligne, la ligne elle-même pouvant être de constitution parfaite. La première de ces îles est sûrement un signe de maladie et la deuxième est, aussi sûrement, indice d'adultère *(fig. 209 et 210).*

634. La ligne de cœur portant de nombreux petits rameaux à son commencement doit être examinée attentivement, car ces traits cachent souvent une île. Nous éviterons ainsi une grave erreur d'interprétation. S'il n'y existait que de petits traits, ils seraient un bon signe de bienveillance et de bonté de cœur (paragraphe 616, n° 2). Mais l'existence d'une île changera du tout au tout cette signification, car elle est le signe de maladie de cœur *(fig. 211).*

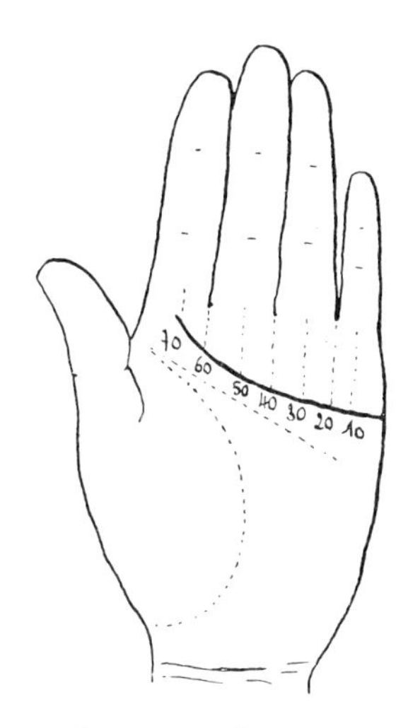

Les époques sur la Ligne de Cœur

CHAPITRE 36

Les Lignes d'Attachement Les Lignes d'Union

635. On appelle lignes d'attachement les traits qui se trouvent sur la partie de la percussion entre la base de l'auriculaire et le commencement de la ligne de cœur. On les appelle également lignes d'union *(fig. 212).*

Elles sont tracées horizontalement et se dirigent vers le mont de Mercure.

636. L'étude de ces lignes est très attrayante. Celles-ci deviendront encore plus intéressantes lorsque nous examinerons les lignes de chagrin d'amour, de séparation, de divorce et de veuvage, dans le chapitre 45, car nous serons souvent obligés de faire une synthèse en rassemblant les indications de ces dernières lignes spécifiques avec les révélations des lignes d'attachement. Nous compléterons notre synthèse en prenant également en compte les traits horizontaux se trouvant sur le mont de Jupiter.

637. En général, la signification des lignes d'attachement est donnée de manière contradictoire, ce qui crée, naturellement, une confusion dans l'esprit du néophyte. En effet, il existe, à ce jour, deux sources de connaissance : la tradition, qui nous a transmis certaines interprétations qui se révèlent, en grande partie, fausses, l'observation qui donne des

résultats comparativement plus exacts, mais qui comporte des lacunes.
Malgré ces difficultés, je m'efforcerai de procéder méthodiquement et de réduire les possibilités d'erreur.

212

LE NOMBRE DES LIGNES

638. Le nombre de ces lignes indique le nombre des attachements dans le passé. Donc, autant on voit de lignes horizontales sur cette partie de la percussion, autant il y a eu d'attachements. Bien entendu, il ne s'agit pas ici de flirts superficiels, mais d'attaches sérieuses ayant duré un certain temps et ayant laissé des traces.
D'autre part, la seule existence de ces traits à cet emplacement indique une personne capable de s'attacher.

LA LONGUEUR DES LIGNES

639. La tradition considère la longueur des lignes d'attachement comme en étant le signe de durée. Aujourd'hui, l'expérience réfute cette affirmation et admet que la longueur de ces lignes indique la profondeur de l'attachement et non sa durée. Donc, plus la ligne est longue, plus la passion a été intense.
La profondeur de la ligne est également considérée comme étant un signe d'attachement fort.

640. J'ajoute que ces attaches peuvent avoir comme origine aussi bien le mariage que l'amour libre.

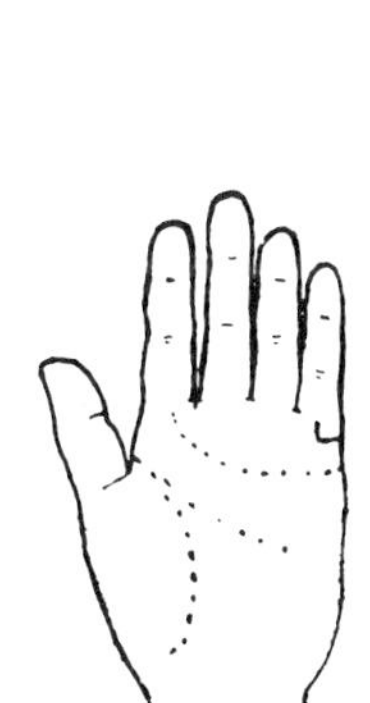

213

LA DIRECTION DES LIGNES

641. Si le plus fréquemment ces lignes horizontales s'arrêtent sur le flanc du mont de Mercure, elles peuvent aussi être longues et se diriger vers quatre points différents :
1. Elles peuvent monter vers la base du petit doigt, sur le mont de Mercure ;
2. Elles peuvent être horizontales et aller toucher la ligne de soleil ;
3. Toujours tracées horizontalement, elles peuvent toucher l'anneau de Vénus ;

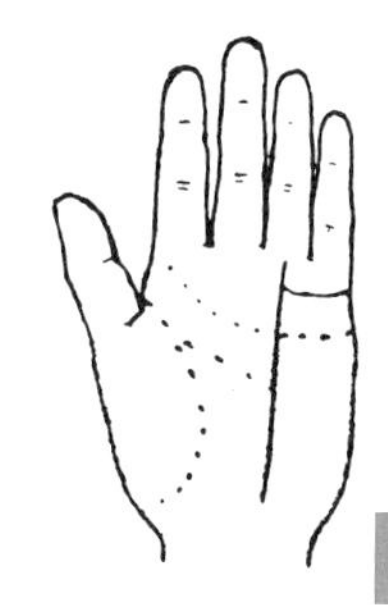

214

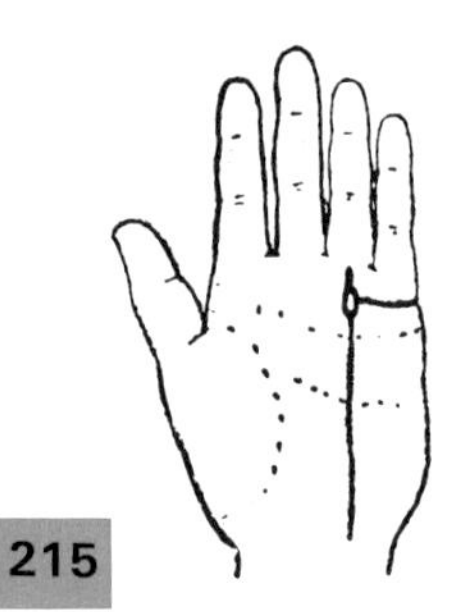
215

4. Elles peuvent aussi se courber vers la ligne de cœur et même traverser cette dernière. Relevons ces cas individuellement.

642. Si la ligne d'attachement se courbe sur le mont de Mercure et se dirige vers la base de l'auriculaire, elle est le signe de mariage riche, ou, tout au moins, de mariage satisfaisant à tous points de vue *(fig. 213).*

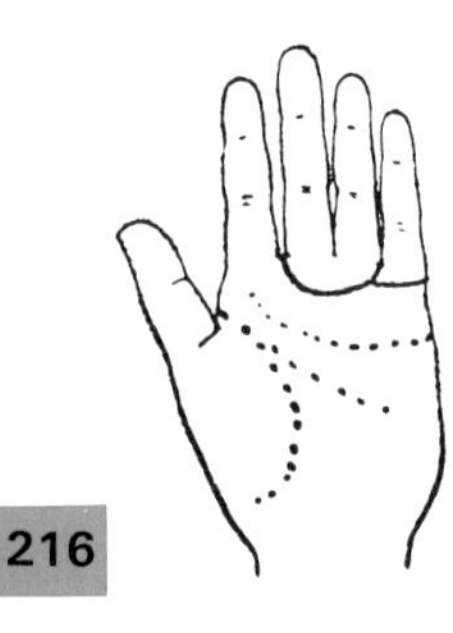
216

643. Lorsque la ligne d'attachement, tracée horizontalement, touche la ligne de soleil (la ligne de chance), ce cas est aussi le signe de mariage riche, dont la différence avec le premier est le fait qu'il sera conclu avec une personne de rang social élevé *(fig. 214).*

644. Mais si la ligne de soleil à laquelle touche la ligne d'attachement est îlée, ce cas est interprété comme étant un signe d'adultère *(fig. 215).*

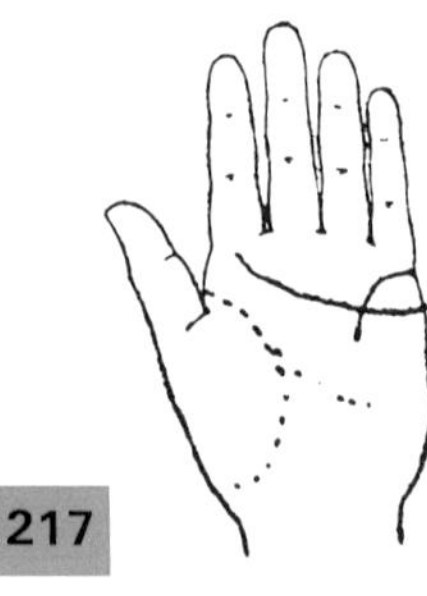
217

645. Une ligne d'attachement allant toucher l'anneau de Vénus est également considérée comme un indice d'adultère *(fig. 216).*

646. Si la ligne d'attachement se courbe vers la ligne de cœur, et surtout si elle la traverse, cela révèle un attachement ou une union malheureux, pouvant se terminer par une séparation *(fig. 217).*

LIGNES D'ATTACHEMENT FOURCHUES

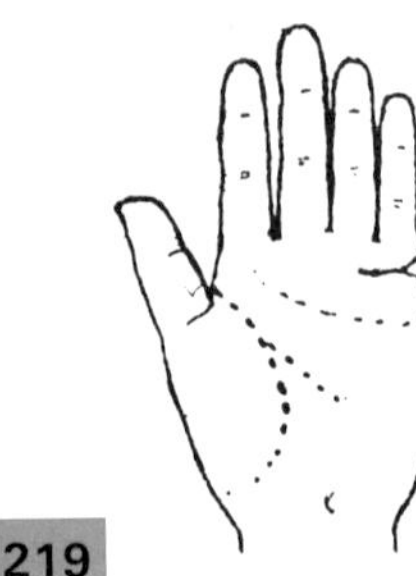
219

647. Si une des lignes d'attachement commence par une fourche, mais, par la suite, reprend son tracé normal, c'est signe de mésentente et même de divorce au début de la vie conjugale, mais réconciliation ensuite *(fig. 219).*

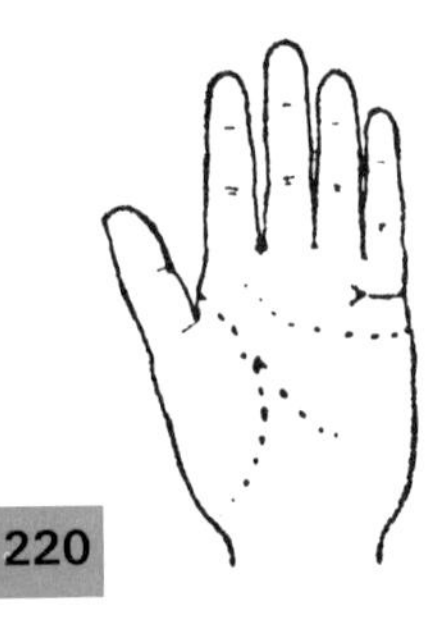
220

648. A l'inverse du cas ci-dessus, si la ligne d'attachement est fourchue à son extrémité, ceci révèle une séparation, mais le plus souvent une séparation morale. Elle indique donc une personne qui, malgré qu'elle soit unie, se sent spirituellement seule. Son union pourra se terminer par une séparation effective. Certains auteurs disent que la ligne d'attachement ainsi fourchue est le signe de stérilité *(fig. 220).*

STÉRILITÉ

649. A mon avis, la stérilité chez la femme est révélée par des petits traits coupant la ligne d'attachement vers son extrémité *(fig. 221).*

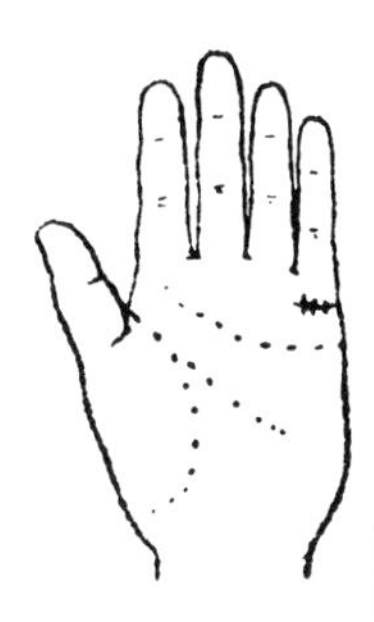

221

TROUS

650. Les trous sur cette ligne ne sont pas des indices de divorce, comme prétendent certains auteurs. A mon sens, ils révèlent mésentente, séparation morale et même physique, mais non séparation légale (divorce). Cette mésentente et cette séparation morale seront dues à la différence de mentalité et de goûts des conjoints. Lors de l'examen des lignes spécifiques de divorce ou de séparation, cette constatation pourra nous rendre service.

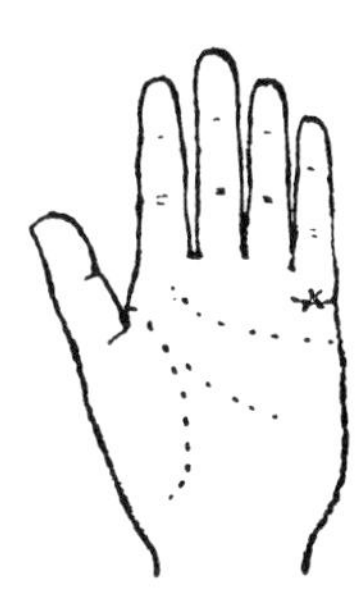

222

CROIX ET ÉTOILE

651. La croix sur une des lignes d'attachement est un signe de divorce *(fig. 222).*

652. L'étoile se trouvant sur la ligne d'attachement est un indice de veuvage *(fig. 223).*

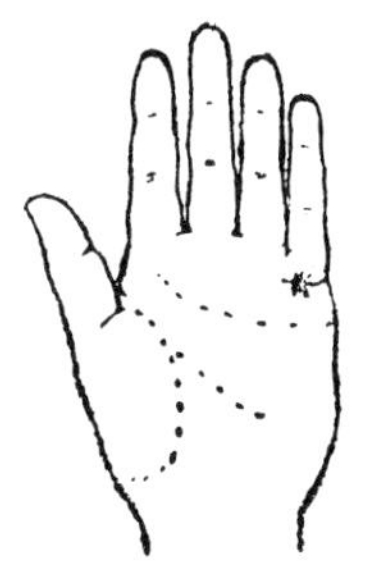

223

CARRÉ

653. Le carré marqué sur l'endroit où se trouvent les lignes d'attachement annonce entente parfaite et bonheur conjugal *(fig. 225).*

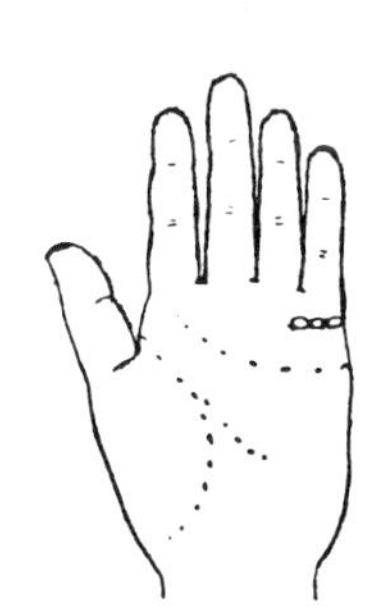

224

ÎLE

654. Certains considèrent l'île sur la ligne d'attachement comme le signe de mariage entre proches parents. Pour moi, l'île sur cette ligne est un signe d'infidélité dans ces attaches, mais dans le sens de jouer double jeu à cause des circonstances et non simplement par esprit d'adultère. Toutefois, la ligne d'attachement îlée sera sûrement le signe d'adultère proprement dit lorsqu'elle touchera l'anneau de Vénus *(fig. 226 et 227).*

655. Si la ligne d'attachement îlée touche une ligne de soleil îlée à son tour, ce cas révélera une personne à l'infidélité naturelle.

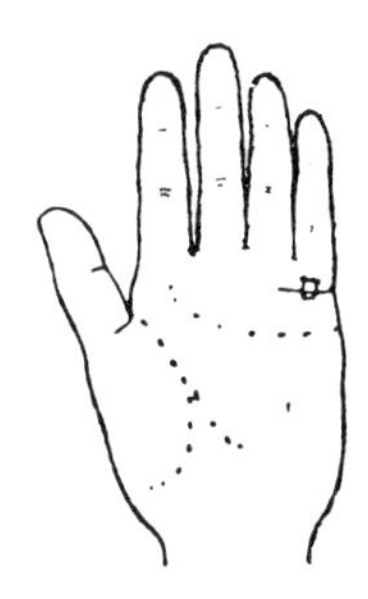

225

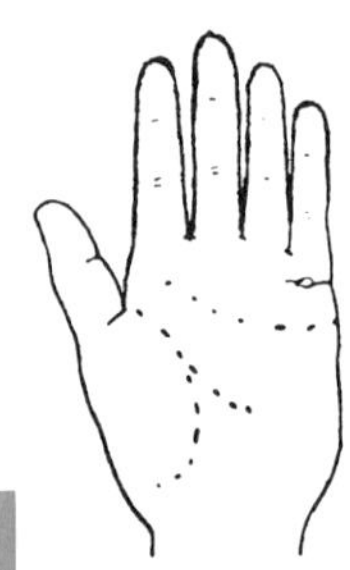

226

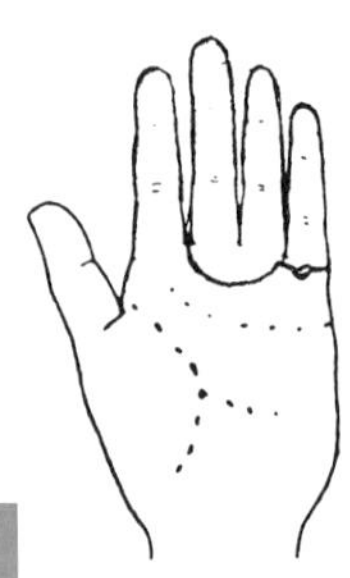

227

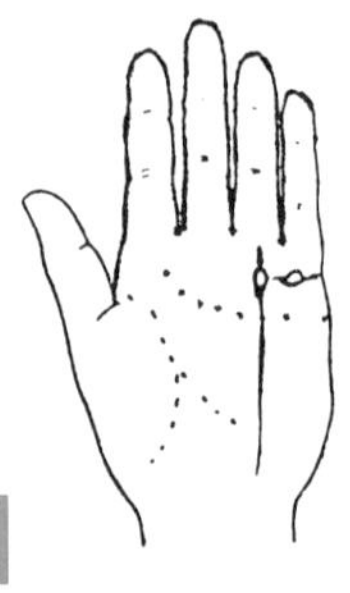

228

Elle pourra vivre une union idéale et n'avoir absolument rien à reprocher à son conjoint, elle n'en pourra pas moins dominer sa passion ni freiner son désir de changer de partenaire *(fig. 228).*

LIGNE CHAÎNÉE

656. La ligne d'attachement chaînée révèle une personne incapable de rester stable dans ses attachements *(fig. 224).*

CHAPITRE 37

Les Lignes d'Enfants

657. Les lignes d'enfants se trouvent marquées exactement au même endroit que les lignes d'attachement, soit sur la percussion, entre le commencement de la ligne de cœur et la base de l'auriculaire. Les lignes d'enfants sont tracées verticalement, alors que les lignes d'attachement sont horizontales *(fig. 230).*

658. Les révélations que l'on attribue à ces lignes sont aussi contradictoires que celles appliquées aux lignes d'attachement. Malgré cela, je m'efforcerai de les expliquer aussi nettement que possible.

LE NOMBRE D'ENFANTS

659. D'après la tradition, chacune de ces lignes verticales représente un enfant. S'il en existe, par exemple, deux ou trois, on doit annoncer autant d'enfants. Mais, dans la pratique, le chirologue débutant sera vraiment embarrassé lorsqu'il en verra un nombre incalculable, ce qui arrive très souvent.

660. Pour écarter au maximum toute possibilité d'erreur, on doit, à mon avis, procéder de la façon suivante :

On prendra comme indice d'enfants seulement les lignes qui sont profondément marquées et qui sont, en même temps, assez longues pour aller du haut en bas de cet espace, soit, à peu près, de la base de

l'auriculaire jusqu'au point du commencement de la ligne de cœur.
On négligera donc les traits courts ainsi que ceux qui sont superficiellement marqués. Ces deux dernières sortes de traits seront considérées comme révélant simplement l'amour pour les enfants ou le désir d'en avoir.

LES SIGNES SUR LES LIGNES D'ENFANTS

661. Lors de la recherche des signes sur les lignes d'enfants, ainsi que sur les lignes d'attachement, on doit faire attention de ne pas commettre l'erreur très courante de prendre, par exemple, pour une croix, le croisement obligatoire de ces deux catégories de lignes qui se trouvent simultanément sur le même petit espace. L'erreur sera encore plus possible lorsque l'une ou plusieurs de ces lignes seront courtes, ce qui d'ailleurs arrive très fréquemment. Les lignes d'enfants qui sont marquées verticalement et les lignes d'attachement horizontalement se couperont forcément et feront apparaître des croix et même des étoiles à l'endroit où elles s'entrecoupent.
Les trous sur les lignes d'enfants annoncent des soucis ayant trait aux enfants, ces soucis pouvant être dus à leur croissance anormale ou à toute autre cause.
La croix sur une de ces lignes indique une maladie d'enfant.
L'étoile annonce la mort d'un ou de plusieurs enfants, suivant le nombre des étoiles.

C H A P I T R E 38

La Ligne Saturnienne
La Ligne de Destinée

662. La ligne Saturnienne idéale doit partir du bas de la main, presque de la rascette mais sans toucher les bracelets, et monter, en une ligne droite, jusqu'à la base du médius (doigt de Saturne). Elle traverse donc, au cours de son trajet, les lignes de tête et de cœur, l'anneau de Vénus et le mont de Saturne. C'est d'ailleurs à cause de sa direction vers le doigt et le mont de Saturne qu'on l'appelle ligne saturnienne.
La chirologie n'ayant aucun rapport avec l'astrologie, cette appellation de saturnienne n'est que conventionnelle. On doit l'appeler plutôt ligne de destinée ou ligne d'existence à cause de ses révélations principales. C'est également une erreur de la considérer comme une ligne de chance. La ligne que j'appelle volontiers ligne de chance, c'est la ligne de soleil.
On confond très facilement les mots « chance » et « destinée », car, au départ, elles sont intimement liées. Si pour une ascension spectaculaire il faut que la chance aussi intervienne, les facteurs principaux de l'élévation sont les capacités et les mérites personnels. Napoléon ne serait peut-être pas devenu empereur si des coïncidences heureuses (la chance) ne l'avaient pas aidé, mais malgré l'intervention de la chance, il serait sûrement

resté un pauvre officier en guenilles, s'il n'avait pas possédé les capacités et les aptitudes extraordinaires que tout le monde connaît. La ligne saturnienne indique la destinée, c'est pourquoi je l'appelle couramment ligne de destinée. Elle indique aussi forcément le degré de vitalité et même la longévité.
Elle comporte donc les deux attributs principaux suivants :
A. Elle révèle une constitution robuste ;
B. Elle révèle les péripéties éventuelles dans la direction de la vie.
Pour ne pas me répéter à chaque cas, je précise, une fois pour toutes, qu'en plus des autres révélations une ligne saturnienne défectueuse annonce un état physique défectueux.

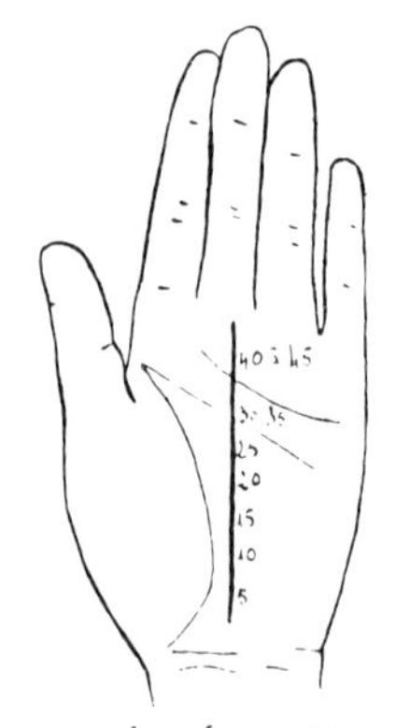

Les époques sur la Ligne Saturnienne

231

663. Donc, une bonne ligne saturnienne comblera l'insuffisance et rectifiera les défectuosités de la ligne de vie. Elle indiquera aussi l'uniformité ou, suivant le cas, l'irrégularité de l'existence, avec des ascensions éventuelles et la réalisation des ambitions, ou l'inverse. Par exemple, l'individu qui a été fonctionnaire, employé ou ouvrier durant toute sa vie et qui n'a jamais aspiré, d'une manière intense, à modifier la direction de sa destinée, possédera une ligne saturnienne droite.

LA LIGNE NORMALE

664. En plus de ce que j'ai exposé au paragraphe 662, pour qu'une ligne saturnienne soit considérée comme étant normalement constituée, elle doit être conforme aux dispositions des paragraphes 433 et 434.

LIGNE LONGUE

665. La ligne saturnienne sera considérée comme étant suffisamment longue lorsqu'elle partira du bas de la paume et arrivera sur le mont de Saturne. Elle sera très longue lorsqu'elle ira aboutir à la racine du médius. J'exclus intentionnellement de cette définition les cas d'extrême longueur où la ligne saturnienne pénètre dans la troisième phalange des doigts de Jupiter, de Saturne ou du soleil.

Les deux lignes, longue et très longue, comme décrites ci-dessus sont de très bon augure. Car elles révéleront, d'une part, une bonne constitution physique, et, d'autre part, une vie assurée avec de grandes possibilités de hautes ascensions.

Les Orientaux disent qu'une ligne de Saturne très longue, partant presque de la rascette et arrivant jusqu'à la base du médius, ne se trouve que dans les mains des rois ou dans les mains de ceux qui vont le devenir. Cette interprétation de la saturnienne très longue pourra choquer un peu nos conceptions modernes, mais si nous jetons un coup d'œil rétrospectif sur l'histoire, nous admettrons vite qu'elle n'est pas dénuée de vérité. Car, pour devenir roi, il fallait être robuste, fort et brave. Et, une fois devenu roi, on aurait (du moins théoriquement) réalisé toutes ses ambitions et, incontestablement, obtenu la situation sociale la plus élevée. Bien que d'une manière imagée, tout cela confirme ce que le chirologue moderne attribue, aujourd'hui, à la ligne parfaite et longue de Saturne *(fig. 232)*.

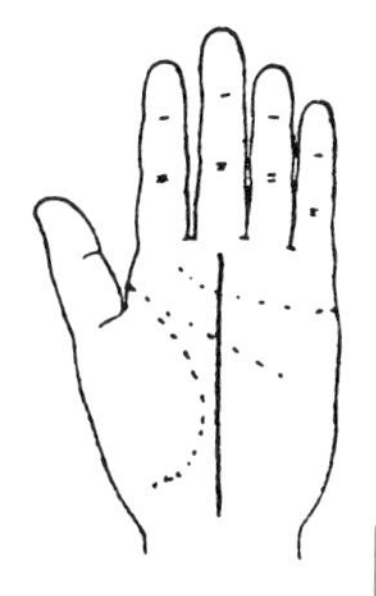

232

LES ÉPOQUES DES ÉVÉNEMENTS

666. Pour situer les événements sur la ligne saturnienne on pourra se baser, approximativement, sur le fait que, du bas de la main jusqu'à la ligne de tête, on compte environ 30 à 35 ans, et de la ligne de tête à la ligne de cœur encore 10 à 15 ans, soit l'âge de 40-45 ans et, de la ligne de cœur à la base du médius, le restant de la vie après 45 ans. Le lecteur comprendra maintenant facilement pourquoi les âges indiqués ci-dessus sont approximatifs, car il sait que différents éléments peuvent intervenir ; la ligne de tête, par exemple, pourra être tracée plus haut ou plus bas que la normale, la ligne de cœur peut se trouver rapprochée de la ligne de tête, ou, au contraire, s'en trouver écartée *(fig. 231)*.

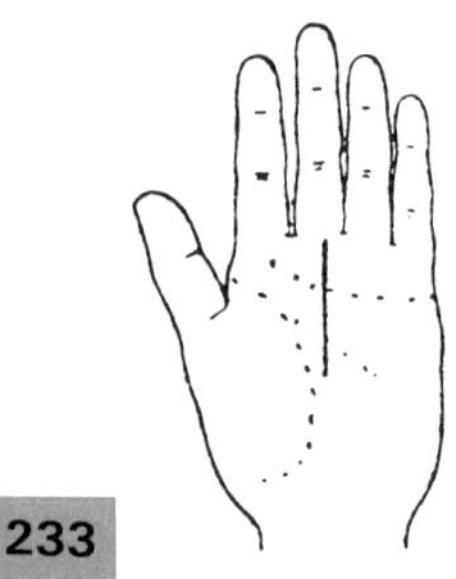

233

LIGNE COURTE

667. La ligne saturnienne courte commençant, par exemple, au creux de la main, n'indique pas, uniquement de ce fait, une mauvaise destinée. La destinée pourra être bonne et même excellente suivant l'état de la ligne. Ce qu'elle annonce particulièrement c'est que la réussite ou l'ascension seront gagnées par l'effort personnel et après de nombreuses luttes *(fig. 233).*

FAIBLEMENT TRACÉE

668. Si la ligne saturnienne est tracée faiblement, elle annoncera une destinée sans modifications profondes ; il n'y aura pas de changements spectaculaires dans la direction de la vie ; il ne se produira que des événements de peu d'importance et la vie sera plutôt végétative.

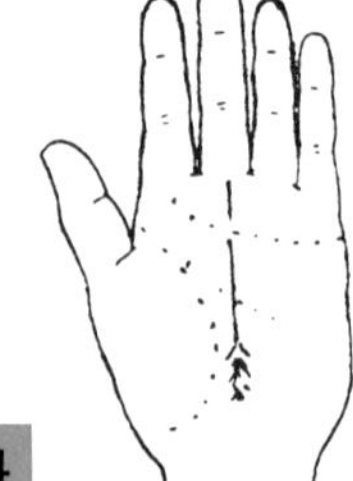

234

FINE MAIS BIEN MARQUÉE

669. La ligne de destinée fine mais bien marquée est, de loin, de meilleur augure que la ligne faible et superficielle. Elle annoncera une bonne destinée bien établie, sans modifications défavorables, et une ascension sûre.

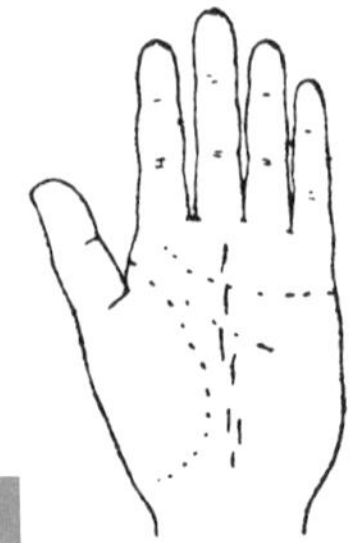

235

LIGNE LARGE

670. Mais, si la ligne de destinée est large, des événements de grande envergure pourront se produire, dépassant la volonté humaine ; l'être ne pourra exercer aucun contrôle sur eux. Ces modifications dans la direction de la destinée pourront être aussi bien bénéfiques que maléfiques. Ce dernier fait étant d'une importance capitale, il faudra chercher méticuleusement les indices complémentaires avant de se prononcer.

236

SATURNIENNE PROFONDE

671. La ligne de destinée profonde donnera approximativement les mêmes révélations que la ligne large, car elle aussi indiquera des événements intenses et de très grande impor-

tance. Comme c'est le cas pour la ligne large, les événements annoncés par la ligne profonde pourront être aussi bien bénéfiques que maléfiques. Avant de se prononcer, on agira donc de la même manière scrupuleuse que dans le cas de la ligne large.
La différence entre les révélations de la ligne large et celles de la ligne profonde est le fait que pour la première, les événements arriveront sans notre intervention, tandis que pour la seconde, ils seront le résultat de nos actes. Par exemple, si la personne possédant une ligne de destinée profonde subit un grand malheur, ce dernier sera dû à ses erreurs, et si elle obtient une très grande réussite, ce sera grâce à ses efforts personnels.

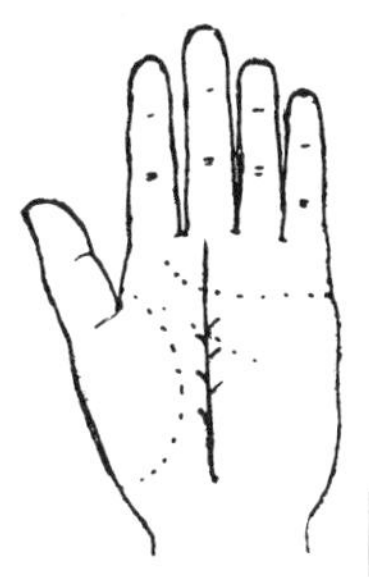
237

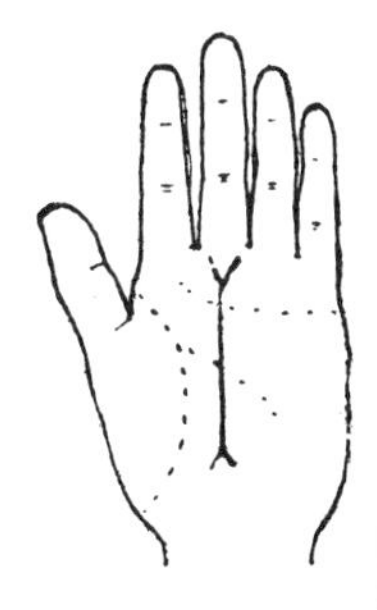
238

MAL FAITE A SON DÉBUT

672. Si la ligne de destinée est mal faite à son commencement, elle indiquera une jeunesse difficile *(fig. 234).*

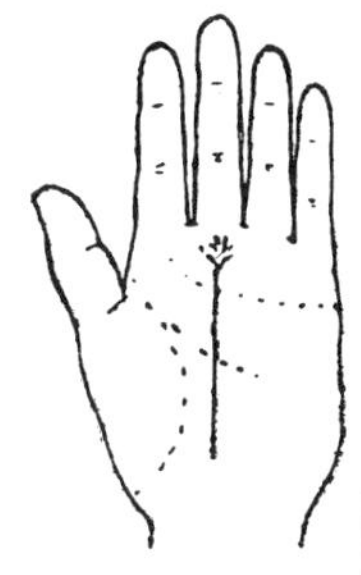
239

ENTIÈREMENT MAL FAITE

673. Mais si cette ligne est entièrement mal faite, c'est-à-dire qu'elle est confuse sur toute sa longueur, ou bien coupée et reprise par endroits, elle révélera une destinée faite de nombreuses péripéties.
La personne possédant une telle ligne de destinée connaîtra de nombreuses fluctuations au cours de sa vie. Elle pourra descendre très bas pour remonter ensuite, redescendre et remonter et ainsi de suite. Cela ne veut pas dire, cependant, qu'elle sera absolument privée de réussite. Elle pourra très bien réussir, mais ces résultats seront obtenus au prix de mille efforts *(fig. 235).*

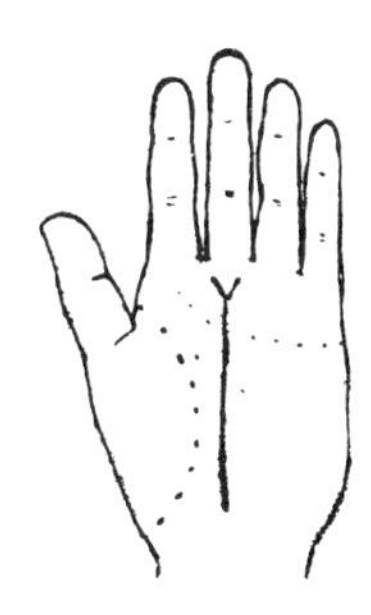
240

RAMEAUX SUR LA LIGNE DE DESTINÉE

674. On voit souvent des lignes de destinée droites et parfaites dans leur tracé, mais qui, au cours de leur trajet, jettent des rameaux latéraux, à droite ou à gauche. Ce fait indique que l'on aura une destinée satisfaisante dans l'ensemble avec des sursauts très profitables

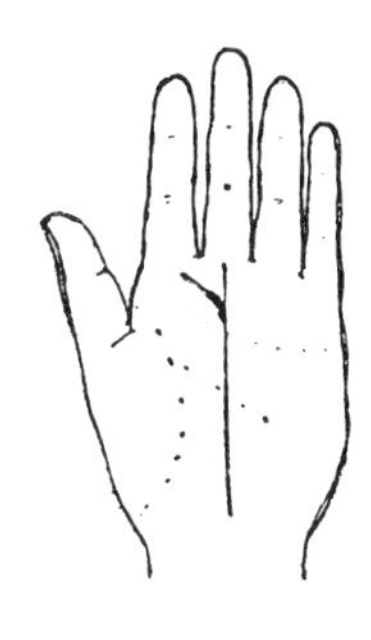
241

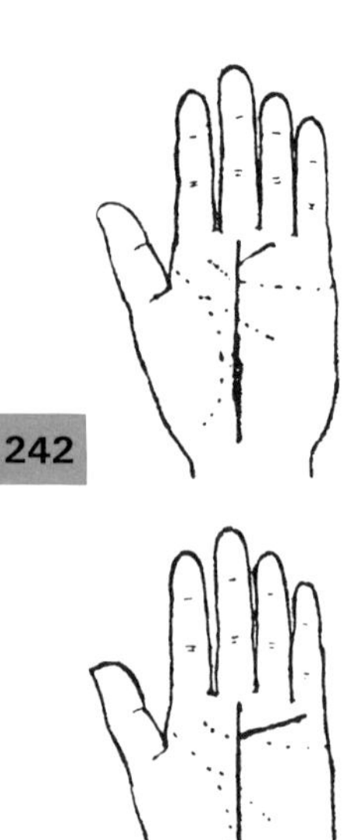
242

243

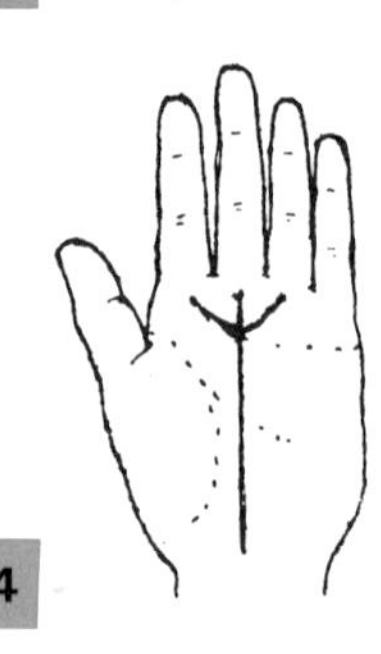
244

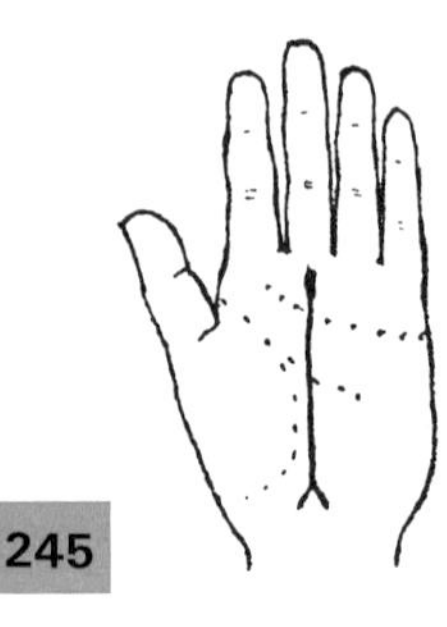
245

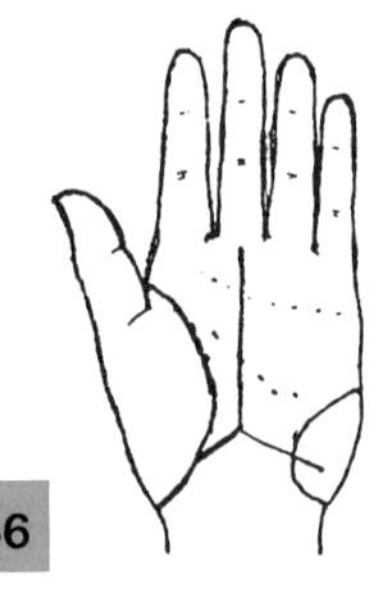
246

aux époques indiquées par l'emplacement de ces rameaux *(fig. 236)*

675. Au lieu de rameaux, s'il n'existe que de petits traits sur la ligne de destinée (la ligne elle-même étant toujours parfaite), ils indiqueront des événements bénéfiques, mais de peu de portée. La destinée ne se modifiera pas foncièrement *(fig. 237).*

676. Afin de rendre plus claire la signification des rameaux ou des traits sur la ligne de destinée, je précise qu'ils sont loin d'être de mauvais augure (bien au contraire) mais que les bienfaits qu'ils annonceront seront plutôt dus au mérite personnel.

SATURNIENNE FOURCHUE

677. Il faudra faire bien attention de ne pas confondre la ligne de destinée divisée en plusieurs petits traits à ses extrémités avec celle qui est nettement fourchue. Ce détail, qui peut paraître banal, est d'une très grande importance *(fig.238).*

678. Pour avoir leur pleine signification, chacune des branches d'une fourche doit être aussi nettement et aussi profondément marquée que la ligne mère. Dans le cas des rameaux faiblement ou superficiellement marqués, on nuancera ses révélations.

679. La ligne de destinée se terminant (sur le mont de Saturne) par une multitude de petits traits annoncera une vieillesse difficile *(fig. 239).*

680. Cette ligne peut se diviser en deux courtes branches, formant une petite fourche sur le mont de Saturne, aucune de ses branches ne dépassant les limites de ce mont. Ce cas révélera une fin de vie mouvementée, mais satisfaisante du point de vue matériel *(fig. 240).*

681. Mais il existe des cas où l'une, ou les deux branches de cette fourche, longues, se dirigent vers divers monts. Il peut arriver aussi que l'extrémité de la ligne se trouve intacte mais que des rameaux en partent dans diverses directions.

Au cas où la ligne de destinée elle-même se trouve intacte mais qu'un rameau partant de cette ligne se dirige vers le mont de Jupiter, ce fait annoncera une bonne destinée avec la réalisation des ambitions. La personne possédant une telle ligne sera ambitieuse et même orgueilleuse, et c'est peut-être ce fait qui la poussera vers le haut *(fig. 241).*

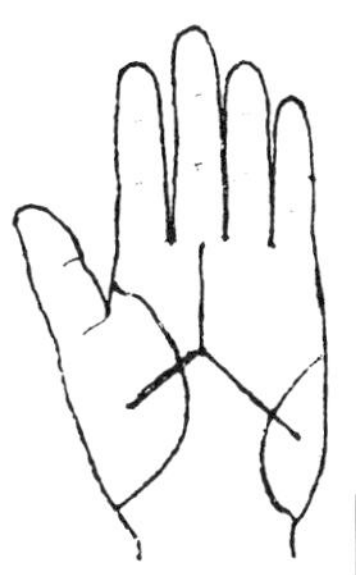

247

682. Le rameau partant de l'extrémité d'une parfaite ligne de destinée et se dirigeant vers le mont de l'annulaire indiquera la possibilité de devenir une personnalité très en vue et respectée *(fig. 242).*

248

683. Lorsque la ligne de destinée en parfait état envoie un rameau sur le mont de Mercure, ce sera le signe d'un bon destin forgé par un esprit réaliste et pratique. La réalisation de ce destin pourra se faire aussi bien dans le domaine du commerce et de l'industrie, que dans celui de la politique ou des sciences *(fig. 243).*

684. La ligne saturnienne peut se présenter, sur le mont de Saturne, sous la forme d'un trident, la ligne elle-même se dirigeant vers la base du médius, un rameau partant de la ligne et se dirigeant vers le mont de Jupiter et un autre se dirigeant vers le mont du Soleil. Ce cas est considéré comme le signe d'une destinée des plus heureuses. Une telle présentation de cette ligne sera donc l'indice d'une haute ascension, de la réalisation complète des ambitions et d'une renommée très enviable *(fig.244).*

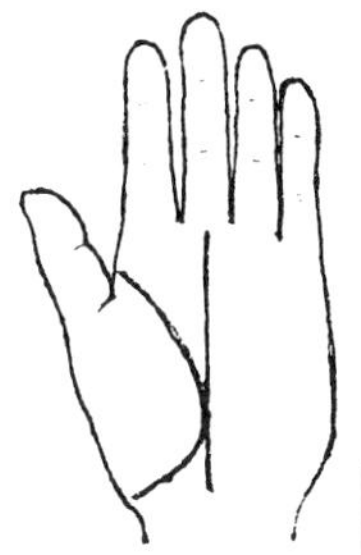

249

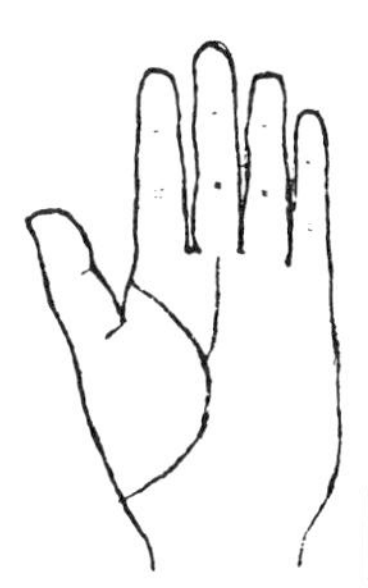

250

685. La ligne de Saturne commençant (au bas de la main) par une petite fourche révélera une jeunesse difficile, due à des causes héréditaires *(fig. 245).*

686. Cette ligne peut se trouver divisée en une grande fourche à son début, l'écartement des branches étant à tel point considérable que l'une d'elles commence à la ligne de vie et l'autre sur le mont de Lune. Ce cas annoncera une personne qui arrivera à une bonne destinée qui sera élaborée, d'une part, par les efforts personnels, et d'autre part, par la fantaisie et la coïncidence heureuse des événements *(fig. 246).*

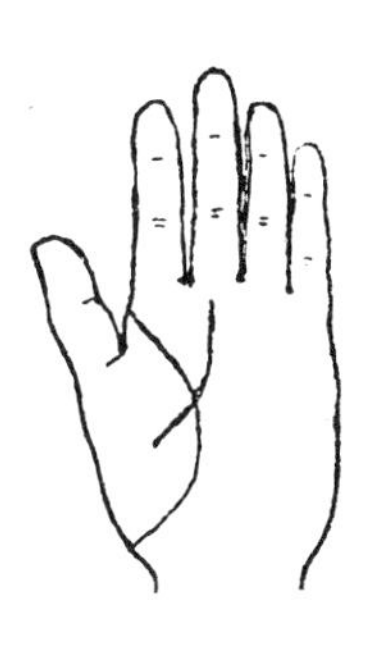

251

687. Si l'une des branches de la fourche mentionnée au paragraphe précédent prend sur le mont de Vénus (au lieu de la ligne de vie) et l'autre branche commence toujours sur le mont de Lune, ce cas révélera toujours une bonne destinée, créée avec les mêmes éléments que ceux mentionnés ci-dessus, mais avec, en plus, l'intervention du charme, de la beauté ou du pouvoir d'attraction physique du sujet *(fig. 247).*

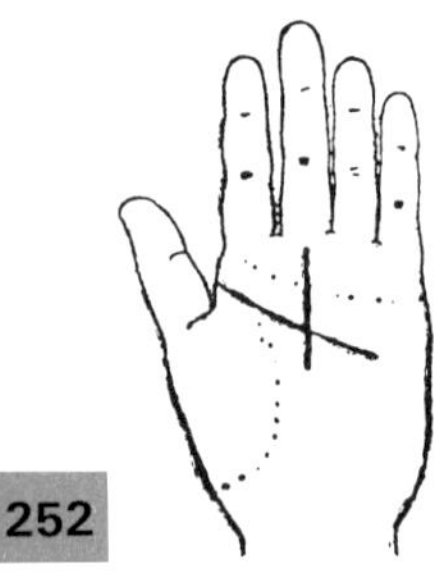
252

TRAJET DE LA SATURNIENNE

688. La ligne de destinée, tout en commençant au bas de la paume, peut se trouver tracée très près du mont de Vénus, de façon qu'au cours de son trajet elle frôle presque (sans y toucher) la ligne de vie. Ce cas indique une bonne destinée, mais due à l'aide des membres de la famille plutôt qu'au mérite personnel *(fig. 248).*

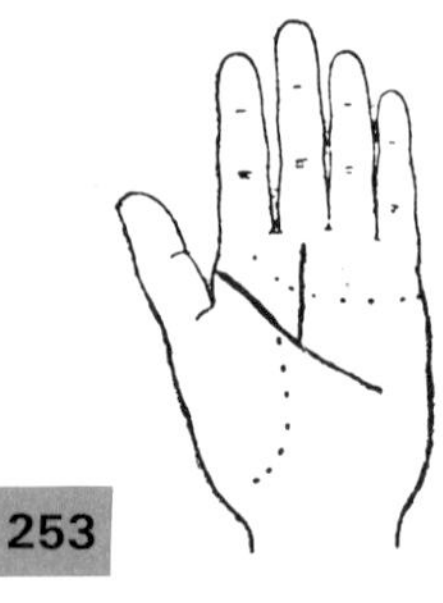
253

689. La ligne de destinée pourra être tracée encore plus près de la base du mont de Vénus, et en cours de route elle pourra toucher la ligne de vie et rester confondue avec cette dernière sur un petit parcours. Ce cas a une double révélation tout en annonçant une bonne destinée. Il indique, d'une part, que le sujet sera soumis à l'influence des membres de sa famille pendant sa jeunesse et reprendra sa liberté d'action par la suite ; d'autre part, qu'il se mariera, probablement, avec un proche parent *(fig.249).*

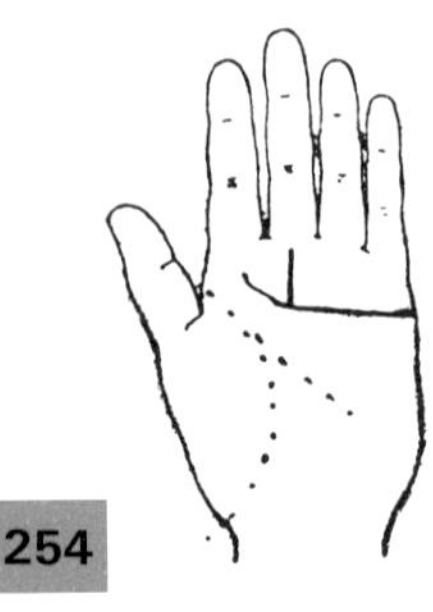
254

POINT DE DÉPART DE LA SATURNIENNE

690. On sait déjà que les points de départ et d'arrivée d'une ligne influencent énormément ses révélations. Je relèverai donc un à un les principaux points de départ et d'arrivée de la ligne de destinée.

691. La ligne de destinée prenant sur la ligne de vie annoncera une personne qui arrivera sûrement, mais par son sérieux, par sa persévérance, en un mot à la force du poignet *(fig. 250).*

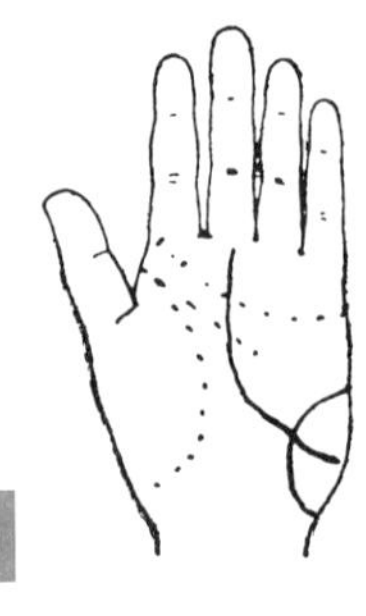
255

692. Mais, si la ligne saturnienne commence sur le mont de Vénus, elle indiquera une existence dominée par les sentiments. La destinée pourra être bonne mais elle sera sujette à fluctuations. D'autre part, les réussites seront très souvent obtenues grâce à l'intervention d'une ou de plusieurs personnes du sexe opposé *(fig. 251)*.

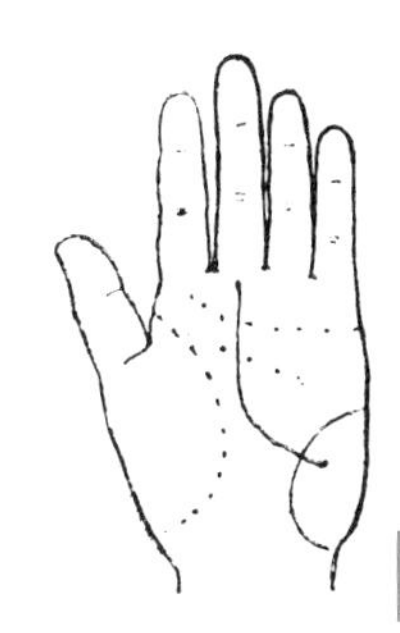

256

693. La ligne de destinée, au lieu de partir du bas de la paume, pourra commencer dans le creux de la main, près de la ligne de tête. Dans ce cas, la destinée pourra éventuellement être très bonne (suivant l'état de la ligne), mais le début de la vie sera difficile et les réussites seront obtenues par de multiples efforts *(fig. 252)*.

694. Si cette ligne part de la ligne de tête, elle indiquera une destinée méritée par des inventions, par des idées nouvelles, ou, tout au moins, par un esprit de recherche et d'organisation *(fig. 253)*.

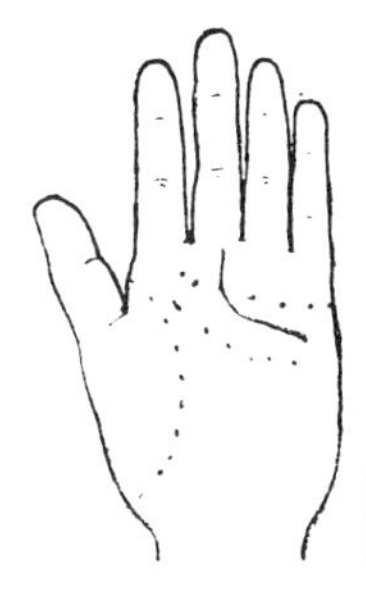

257

695. La ligne saturnienne partant de la ligne de cœur dénotera une destinée influencée par les questions de cœur. Les sentiments pouvant agir, dans ce cas, pourront être d'origine familiale ou sexuelle *(fig. 254)*.

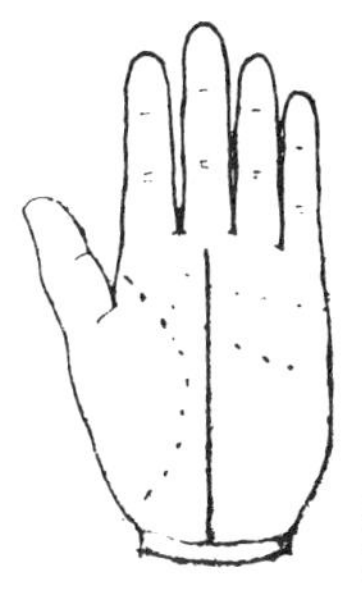

258

696. La ligne de destinée pourra partir du bas de la percussion et traversant le mont de Lune, arriver au milieu de la paume et continuer ensuite son trajet. Ce cas annonce un bonheur pouvant arriver par l'imagination et la fantaisie mais non par le travail assidu. Car la personne ayant une telle ligne ne sera pas capable d'accomplir un travail dur ou de longue haleine. Elle sera une imaginative et une fataliste. Le point d'arrivée de cette ligne indiquera le genre et l'étendue de la réussite. Une telle ligne annoncera, parallèlement, la possibilité de longs voyages *(fig. 255)*.

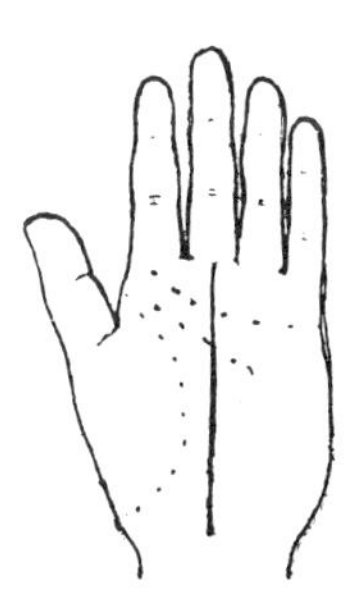

259

697. Mais si cette ligne prend naissance sur le mont de Lune, sa révélation, dans l'ensemble, sera approximativement semblable à celle de la ligne du paragraphe précédent, à la différence cependant que la personne possédant une telle ligne ne sera pas une fataliste et que souvent elle aura à faire preuve d'un esprit de lutte et de persévérance *(fig. 256)*.

698. Si la ligne de Saturne prend sur le mont de Mars, elle révélera plusieurs bonnes

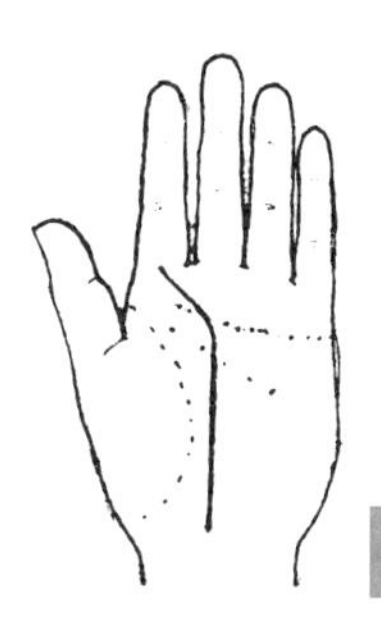

260

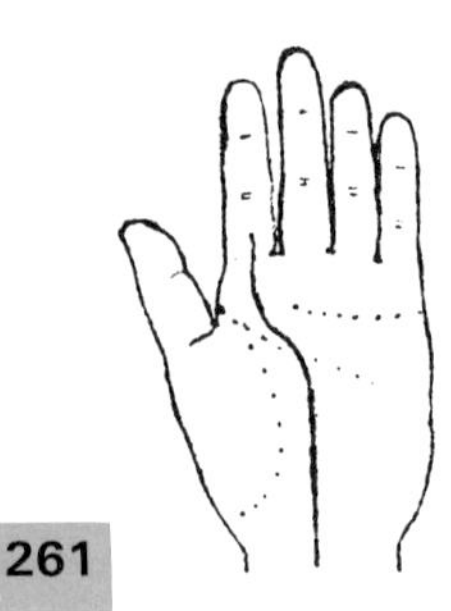

261

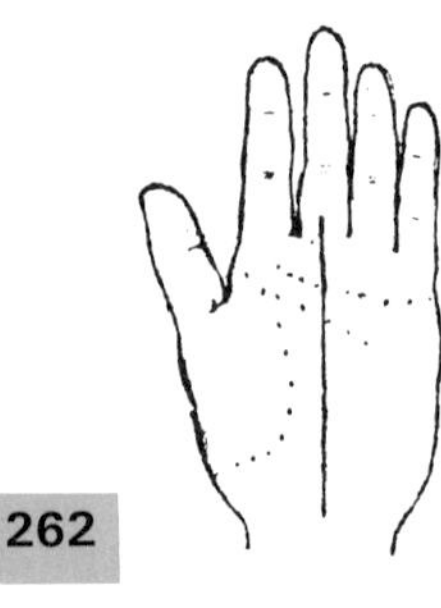

262

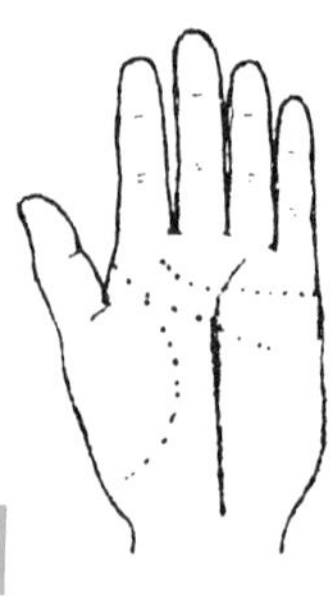

263

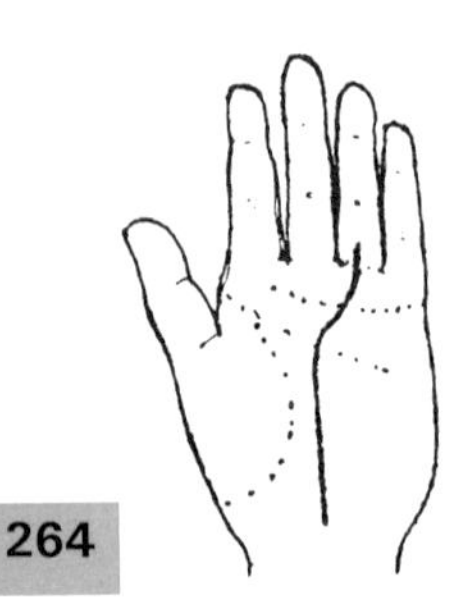

264

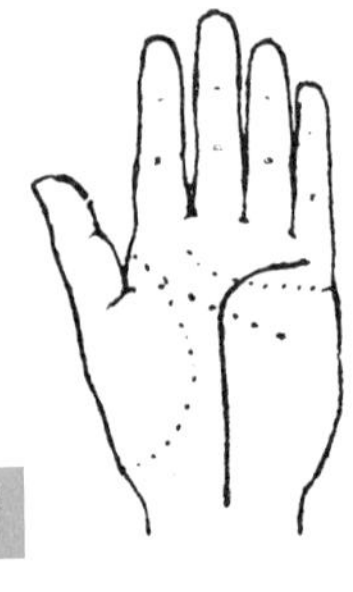

265

réussites au cours de la vie et une excellente destinée, mais tout cela au prix de luttes continuelles. D'ailleurs un tel départ indiquera de la part du sujet énergie, résistance, un esprit combatif et une capacité d'affronter n'importe quelle difficulté, n'importe quel obstacle. Rien ne pourra l'arrêter *(fig. 257).*

699. Pour terminer cette rubrique relative aux points de départ de la ligne de destinée, je précise que, contrairement à ce que l'on pourrait croire, la ligne prenant naissance sur les bracelets de la rascette sera relativement de mauvais augure.

700. Elle annoncera une enfance et une jeunesse pénibles. La suite de la vie sera bonne ou mauvaise suivant l'état de la ligne. Si par exemple, elle est bonne, malgré les difficultés du début la destinée finale pourra très bien être excellente *(fig. 258).*

POINTS D'ARRIVÉE DE LA SATURNIENNE

701. Sauf spécification, les indications données ci-dessous concernent la ligne saturnienne ayant un départ normal et, bien entendu, en parfait état.

702. Le point d'arrivée normal de cette ligne est la base du doigt de Saturne *(fig. 259).*

703. Si elle dévie et arrive sur le mont de Jupiter, elle annoncera la possibilité de grandes réussites matérielles et sociales, accompagnées de situations ou de titres honorifiques *(fig. 260).*

704. Mais si cette ligne traverse la jointure de l'index et pénètre dans la troisième phalange de ce doigt, elle révélera une destinée qui échappera au contrôle du sujet, car elle sera créée par un orgueil excessif. Le résultat final obtenu sera, par conséquent, très bon ou très mauvais, suivant les aptitudes ou les défauts de l'individu *(fig. 261).*

705. Si la ligne de destinée pénètre dans la troisième phalange du médius, elle annoncera un concours de circonstances maléfiques inévitables *(fig.262).*

706. La ligne de destinée se terminant sur le mont du Soleil annonce la réalisation des idéaux *(fig. 263).*

707. Mais, si elle pénètre dans la troisième phalange de l'annulaire, elle révèle une prétention artistique qui pourra se réaliser seulement si d'autres signes positifs se trouvent dans la main *(fig. 264).*

708. La ligne saturnienne allant aboutir sur le mont de Mercure annonce des réussites dans le domaine des choses pratiques ou d'ordre scientifique *(fig. 265).*

709. Cette ligne pourra venir s'arrêter sur la ligne de cœur. Dans ce cas, deux éventualités sont à envisager : l'une c'est la ligne de destinée venant en une ligne droite et s'arrêtant net sur la ligne de cœur ; l'autre, la ligne saturnienne arrivant à proximité de la ligne de coeur et puis se courbant légèrement pour se confondre avec cette dernière. Les deux cas sont des signes de changement maléfique dans la direction de la vie, avec la différence que dans le deuxième cas il sera possible de modifier les mauvais effets du changement de la destinée *(fig. 266 et 269).*

710. La ligne de destinée pourra partir du mont de Lune et venir se confondre avec la ligne de cœur, et à partir du point de conjonction de ces deux lignes, la ligne de cœur montant vers la base de l'index et donnant l'impression que c'est plutôt la ligne de destinée qui continue et qui monte. Ce cas est des plus favorables. Il révèle la réalisation de tous les désirs et de toutes les ambitions, comme richesse, réussite, ascension et gloire *(fig. 270).*

711. La ligne de destinée pourra aussi s'arrêter sur la ligne de tête. Dans ce cas il y aura également deux éventualités à envisager : la ligne de destinée venant en une ligne droite et s'arrêtant brusquement sur la ligne de tête, ou bien arrivée à proximité de la ligne de tête, se courbant légèrement et se confondant avec cette dernière. Ces deux cas révèlent une personne entêtée, agissant par coups de tête. Cette façon de se comporter lui sera sûrement nuisible et changera la direction de

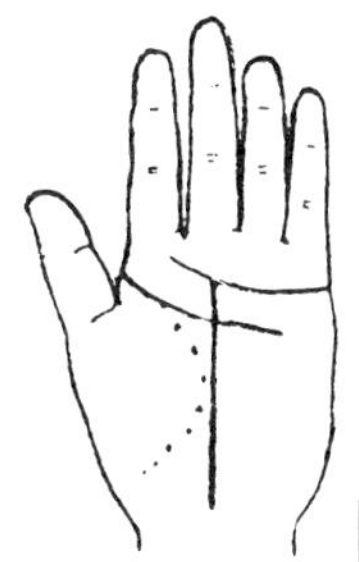
266

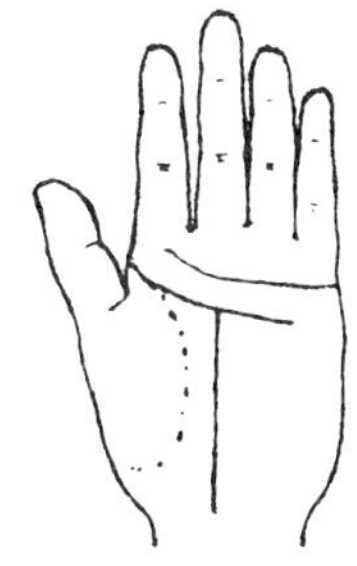
267

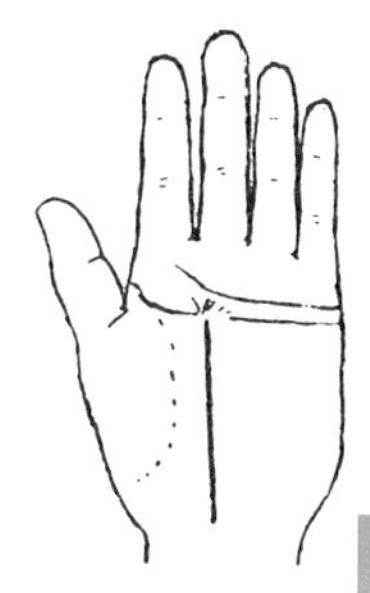
268

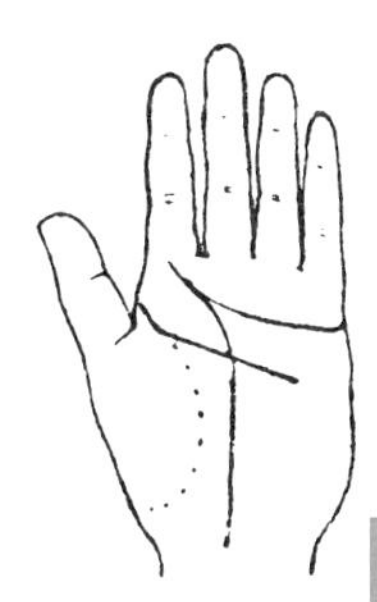
269

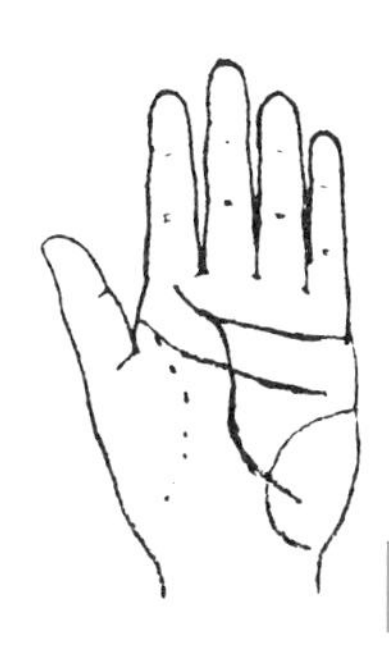
270

sa destinée dans un sens défavorable. Dans le deuxième cas, il sera possible de redresser la situation *(fig. 267)*.

712. Au cas où la ligne de destinée s'arrêtant brusquement sur la ligne de tête, à l'endroit de leur conjonction, cette dernière se trouve cassée et pulvérisée, ce sera le signe d'un accident à la tête *(fig. 268)*.

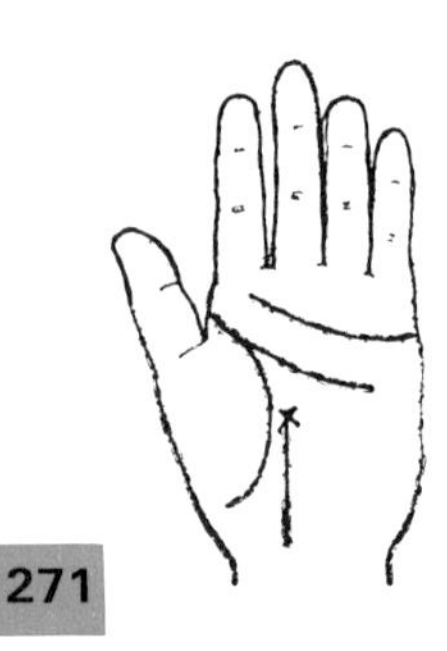

271

LES SIGNES SUR LA SATURNIENNE

713. Comme on le verra ci-dessous, la plupart des signes sur cette ligne sont de mauvais augure.

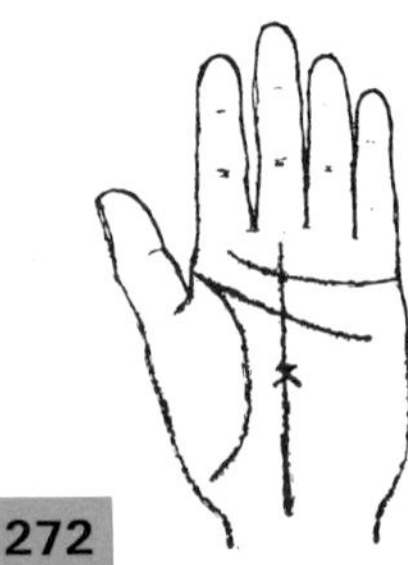

272

CROIX ET ÉTOILE

714. Une croix accrochée à l'extrémité d'une ligne de destinée courte (s'arrêtant vers le milieu de la paume) annonce risque d'accident *(fig. 271)*.

715. Mais, si la croix se trouve sur le parcours d'une ligne de longueur normale, elle révélera un changement très défavorable de situation *(fig. 272)*.

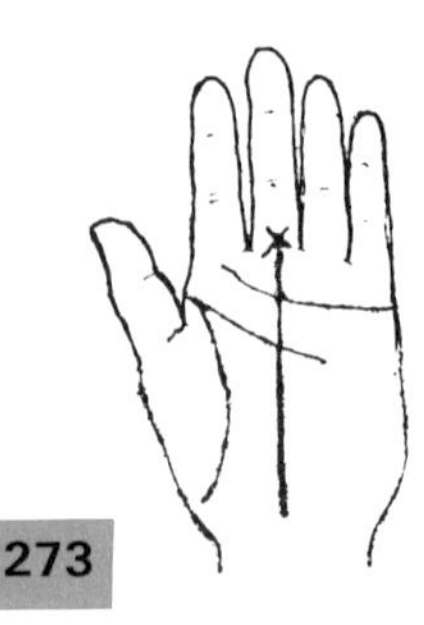

273

716. La croix à l'extrémité d'une ligne saturnienne très longue et qui pénètre dans la troisième phalange du médius annoncera un malheur dû à l'orgueil excessif *(fig. 273)*.

717. Une étoile à la fin d'une ligne de destinée courte (s'arrêtant au milieu de la paume) indique un accident très grave, avec changement très défavorable de situation *(fig. 274)*.

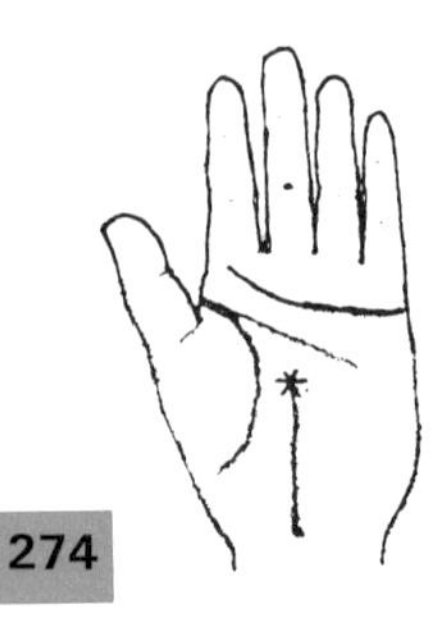

274

718. L'étoile sur le trajet d'une ligne saturnienne longue annonce un changement dramatique dans la direction de la vie, comme emprisonnement, perte de situation ou de fortune, ou encore disparition du conjoint ou d'une personne de la famille dans des conditions douloureuses *(fig. 275)*.

719. Si la ligne de Saturne qui pénètre dans la troisième phalange du médius porte une étoile à son extrémité, elle révélera des idées excentriques et même folles. Réputation sociale et situation matérielle sérieusement en danger *(fig. 276 et 277)*.

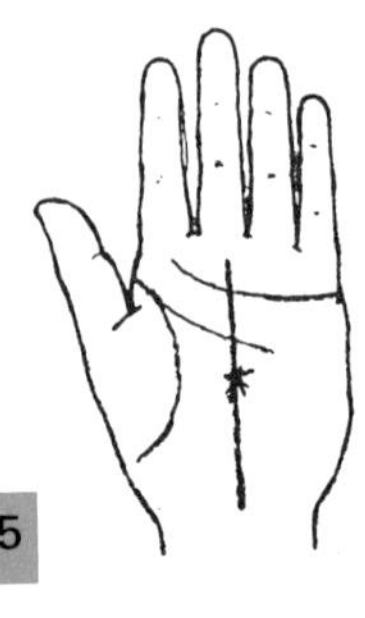

275

720. Et, si la ligne de destinée pénètre dans la troisième phalange de l'auriculaire et présente une étoile avant son extrémité, elle annoncera faillite et ruine dues à l'extrême avidité.

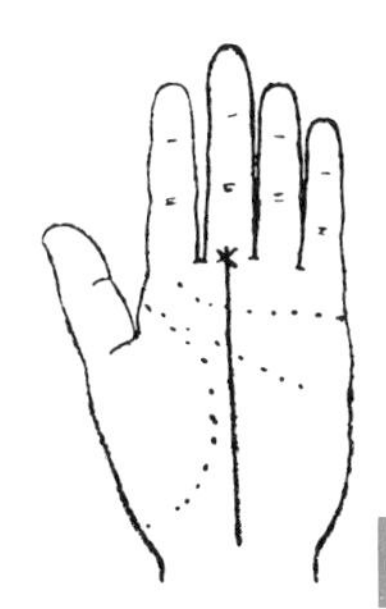

276

TRAITS PARALLÈLES

721. Les traits parallèles au parcours de la ligne de destinée (ne la coupant pas) sont de bon augure. Ils révèlent amélioration de situation aux époques de la vie indiquées par l'emplacement de ces traits *(fig. 278).*

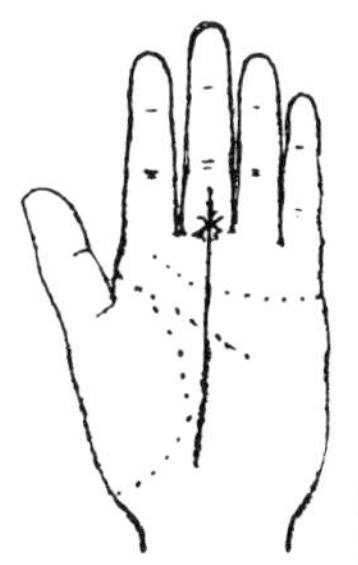

277

TRAITS COUPANT LA LIGNE

722. Mais, si de petits traits coupent la ligne de destinée, ils indiqueront des arrêts, aux époques indiquées par ces traits. Ces arrêts dans la marche de la destinée ne seront que provisoires et ne laisseront pas de traces profondes *(fig. 279).*

723. Quoique cela puisse paraître paradoxal, ces mêmes petits traits seront de révélation beaucoup plus maléfique lorsqu'ils se trouveront à l'extrémité de cette ligne, sur le mont de Saturne. Ils révéleront de nombreuses et sérieuses difficultés, aussi bien au cours de l'existence qu'à sa fin *(fig. 280).*

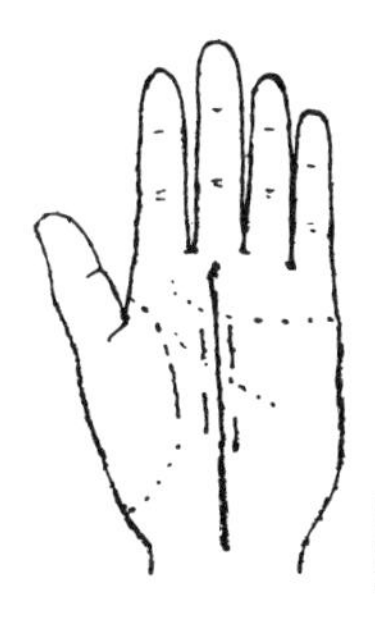

278

CARRÉ

724. Si un carré se trouve à l'extrémité de la ligne de destinée (sur le mont de Saturne), il sera un très bon signe et révélera réussite et fortune appréciable *(fig. 281).*

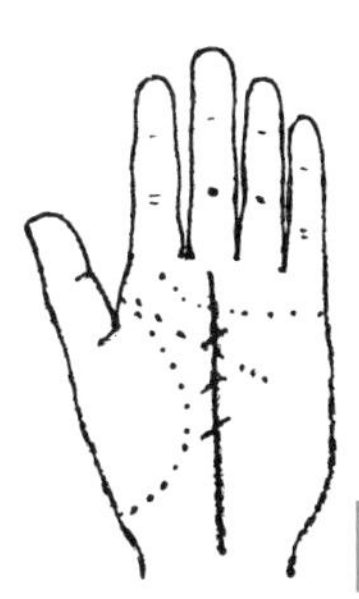

279

725. Si le carré se trouve au milieu d'une multitude de petits traits sur le mont de Saturne, il annoncera toujours réussite et fortune. S'il encadre ces petits traits sa révélation sera toujours la même, mais aussi bien dans le premier que dans le deuxième cas réussite et fortune seront obtenues au prix de nombreuses difficultés *(fig. 282).*

LES POINTS

726. Les points incolores sur la ligne de destinée révèlent de légers amoindrissements

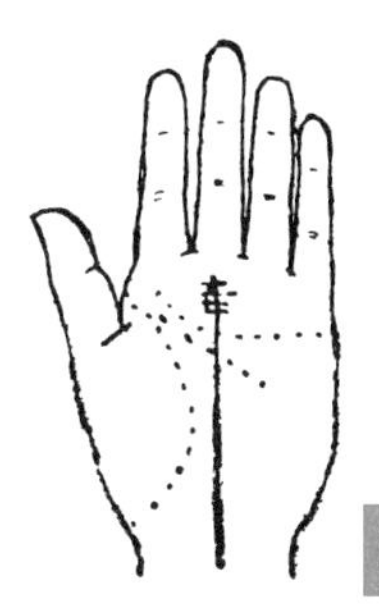

280

de la situation ou bien des obstacles surmontables, aux époques indiquées.

727. Les points rouges sur cette ligne sont des accidents et même des blessures.

281

ÎLE

728. L'île sur la ligne de Saturne annonce l'adultère. Il est à noter qu'on la rencontre surtout dans les mains des femmes.

Vous ne vous tromperez jamais en annonçant l'adultère lorsque cette île est nettement marquée, mais sur une longueur d'environ un ou deux centimètres. Au cas où elle est dessinée d'une manière plus ou moins confuse, elle révélera un adultère vécu en fantasme *(fig. 283).*

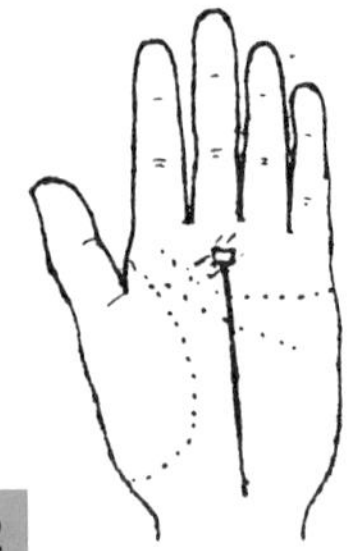

282

729. Si la ligne de destinée, au lieu de former une petite île comme dans le paragraphe précédent, se divise en deux branches très longues qui se réunissent près du mont de Saturne (formant ainsi une très grande île), elle révélera un esprit tourmenté par les questions sentimentales. S'il s'agit d'une jeune fille, par exemple, elle sera continuellement harcelée et tourmentée par des questions de mariage, et, dans le cas d'une femme mariée, cette dernière se sentira malheureuse et cherchera obstinément à modifier sa vie conjugale *(fig. 284).*

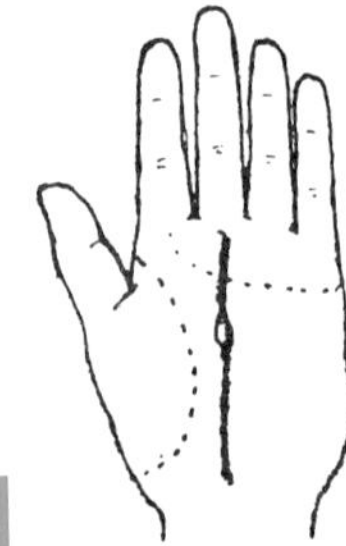

283

LIGNE CHAÎNÉE

730. Si la ligne de destinée est formée par la succession de nombreux anneaux, rendant la ligne chaînée, ceci annoncera un caractère et un physique faibles, manquant de résistance. Elle révélera également une destinée incertaine et sujette à de nombreuses fluctuations *(fig. 285).*

284

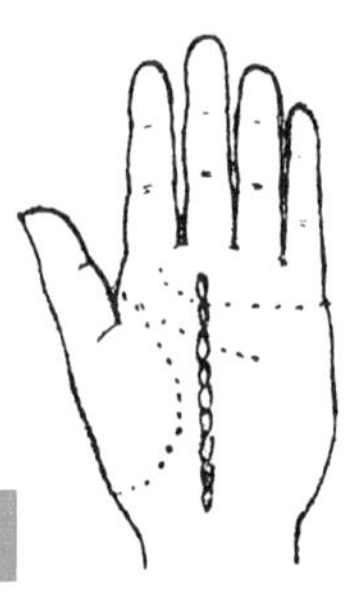

285

C H A P I T R E 39

La Ligne de Soleil
La Ligne de Chance et d'Art

731. La vraie ligne de chance qui révèle, en même temps, des goûts subtils et des aptitudes artistiques, est celle qu'on a l'habitude d'appeler « ligne de soleil ». On l'appelle ainsi parce qu'elle se dirige vers le mont et le doigt du soleil (l'annulaire). Suivant les auteurs, elle est également appelée « ligne de réussite », « ligne de gloire », « ligne de satisfaction », etc. Personnellement, je l'appelle, le plus fréquemment, ligne de chance.

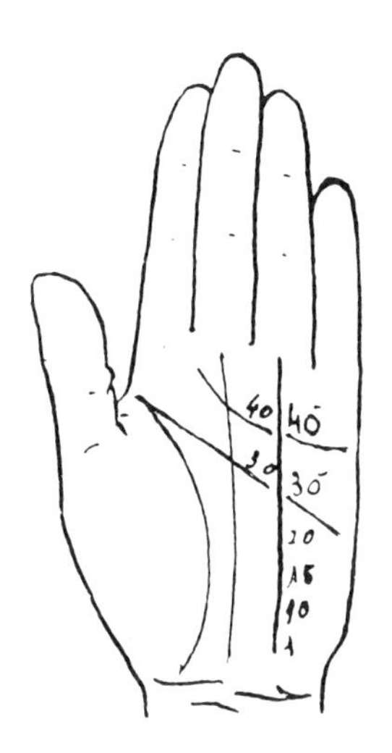

La ligne de chance prend naissance à la base de la paume, presque au même endroit que la ligne de destinée, et comme cette dernière elle se dirige vers le haut de la main, en traversant les lignes de tête et de cœur, l'anneau de Vénus et le mont du Soleil, pour aboutir à la racine de l'annulaire.

732. La ligne de chance nous fournit des renseignements sur les deux domaines suivants :

A. Elle nous renseigne sur la chance, sur les possibilités de réussite, d'ascension et de gloire.

B. Elle nous renseigne sur la sensibilité, la finesse de goûts et les aptitudes artistiques de l'être.

Lorsque la ligne de soleil manque totalement dans les deux mains, il ne faut compter que sur soi-même, sur sa persévérance et sur son travail opiniâtre.

Quant aux goûts et aux aptitudes artistiques, le manque total de la ligne de soleil annoncera un être ayant des goûts et des inclinations banals, vulgaires et même bestiaux.

Il faut qu'il existe, au moins, une petite ligne de chance sur le mont du soleil pour obtenir des réussites appréciables.

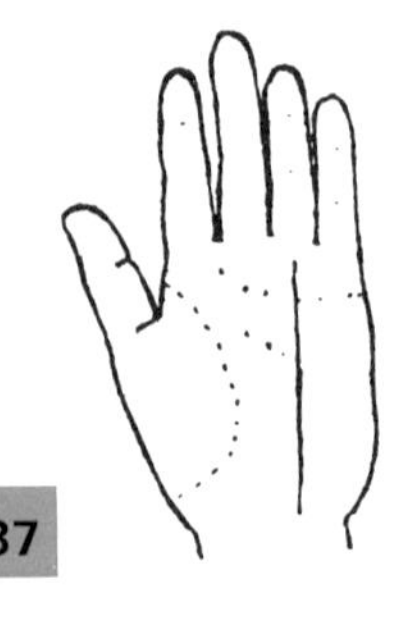

287

LA LIGNE IDÉALE

733. La ligne de soleil idéale doit être conforme au deuxième alinéa du paragraphe 731 ainsi qu'aux dispositions des paragraphes 433 et 434.

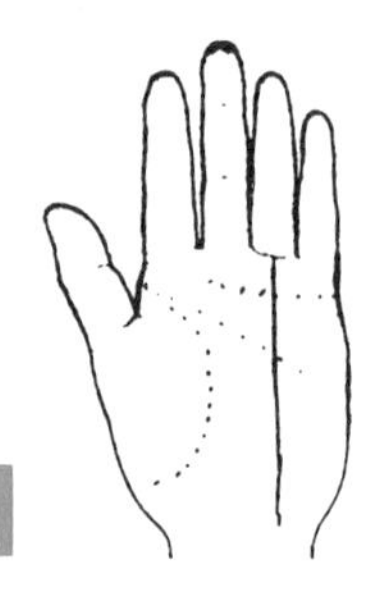

288

LIGNE LONGUE

734. Cette ligne sera considérée comme étant déjà suffisamment longue lorsqu'elle partira du bas de la paume et arrivera sur le mont du Soleil. Elle sera très longue lorsqu'elle arrivera à la jointure du doigt du soleil. Restent exclus de cette définition les cas de longueur exceptionnelle où la ligne de soleil pénètre dans la troisième phalange de ce doigt *(fig. 287 et 288).*

735. Une ligne de soleil longue ou très longue est un signe magnifique.
Elle révélera une sensibilité exquise et une grande clarté d'esprit, donc possibilité de réalisations artistiques de très grande valeur. Elle annoncera, en outre, réussite et ascension dans la carrière choisie.
Ici, je voudrais attirer l'attention du lecteur sur deux détails très importants. La réussite annoncée par une très belle ligne de soleil n'est pas restrictive. Il ne s'agit pas obligatoirement et uniquement de réussite artistique. Un avocat, un industriel, un chimiste ou un politicien pourront arriver au sommet de leur carrière, sans pour cela être artistes.
Le deuxième détail d'importance capitale est de fixer le degré d'ascension ou l'étendue de la réussite à obtenir. Par le mot « réussite » il ne faut pas comprendre une ascension à des situations au-dessus des capacités et des aptitudes du sujet. Une très belle ligne de soleil dans les mains d'un étudiant, doué d'une vive intelligence, pourra annoncer un futur savant érudit, mais la même ligne dans les mains d'un balayeur de rue ne peut annoncer qu'un chef cantonnier. A ce propos, il serait intéressant pour le lecteur de relire l'anecdote du garçon de café au paragraphe 224.

LES ÉPOQUES DES ÉVÉNEMENTS

736. Du bas de la main jusqu'à la ligne de tête on compte approximativement 30 à 35 ans, et de la ligne de tête jusqu'à la ligne de coeur encore 10 à 15 ans, soit 40 à 45 ans, et de la ligne de cœur jusqu'à la jointure de l'annulaire, le restant de la vie après 45 ans *(fig. 286).* Au paragraphe 666, j'ai expliqué pourquoi ces dates sont données d'une manière approximative.

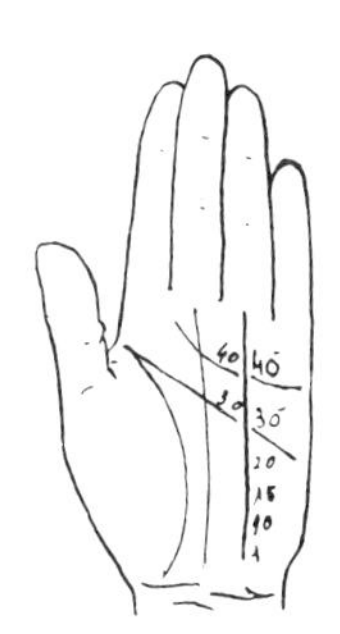

286

LIGNE COURTE

737. Conformément aux dispositions du paragraphe 731, la ligne de chance sera considérée comme courte lorsqu'elle partira plus haut que le poignet. Mais une ligne de soleil courte partant par exemple du creux de la main ne signifie pas obligatoirement une mauvaise chance ou une vie ratée. Tant qu'elle est bien marquée, nette et sans défaut, elle annoncera toujours réussite, ascension et même gloire. Toutefois, il existe des différences entre les révélations de la ligne courte et celles de la ligne longue. La ligne courte indique d'abord l'âge où la réussite commencera à prendre corps, qui est le point de départ de cette ligne. La deuxième différence est le fait que la vie pourra être incertaine, mouvementée et même difficile jusqu'à l'âge du départ de la ligne courte *(fig. 289).*

289

TRACÉE FAIBLEMENT

738. La ligne de soleil superficiellement et faiblement marquée révèle une chance voilée et des faibles possibilités de réussite. Elle annonce également des modifications peu profondes dans la direction de la vie *(fig. 290).*

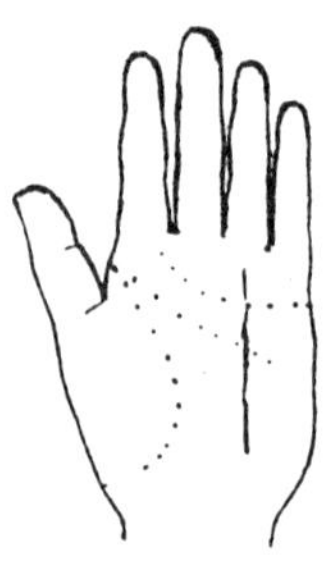

290

FINE ET NETTE

739. Contrairement à la ligne faiblement et superficiellement marquée, la ligne de chance fine et nette annoncera une sensibilité artistique bien marquée, une finesse et une clarté d'esprit. Elle dénote également de grandes possibilités de réussite et d'ascension.

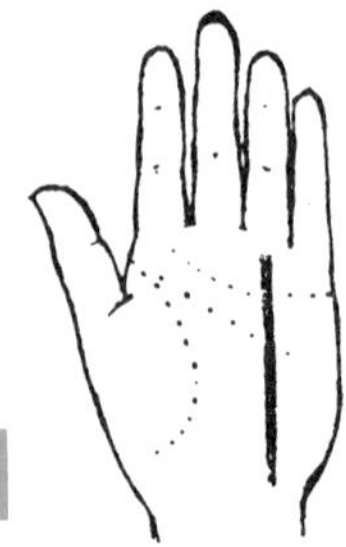

291

LIGNE PROFONDE

740. La ligne de soleil nette et profondément marquée indiquera une grande sensibilité artistique, une forte capacité de concentration, avec une clarté d'esprit exceptionnelle. La personne possédant une ligne de chance profonde et nette est destinée à des situations très élevées, aussi bien matérielles qu'honorifiques.

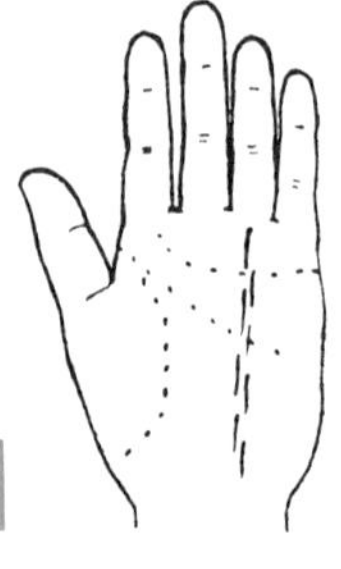

292

LIGNE LARGE

741. La ligne de chance simplement large (sans être profonde) n'est pas un signe aussi favorable que la ligne fine ou profonde. Elle révélera un goût et une sensibilité médiocres. Elle annoncera aussi une réussite moyenne à cause de l'incapacité du sujet de se concentrer et de fournir un effort continu *(fig. 291)*.

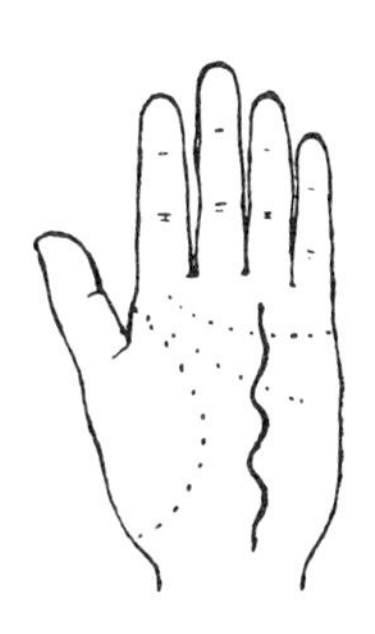
293

LIGNE MAL FAITE

742. La ligne de chance mal faite, c'est-à-dire confuse et irrégulière dans son tracé, annonce des réussites par saccades, suivies de périodes de difficultés. Une ligne mal faite, pouvant se présenter sous de multiples formes, doit être examinée attentivement, car les durées des réussites ainsi que l'étendue de celles-ci seront toujours des cas d'espèce *(fig. 292)*.

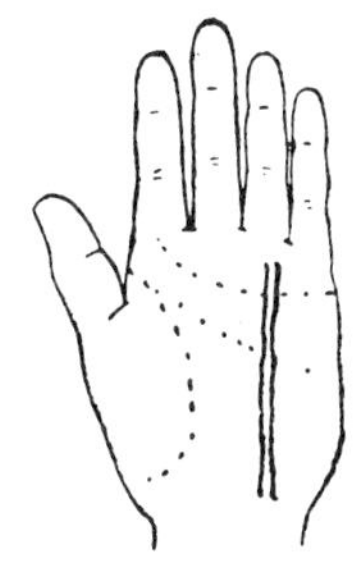
294

LIGNE ONDULÉE

743. La ligne de chance ondulée ou tortueuse annoncera une instabilité dans la direction de la vie. Des hauts et des bas sont à prévoir dans la marche de la carrière choisie à cause du manque de stabilité dans les idées et les désirs. De bonnes réussites artistiques sont possibles, mais passagères *(fig. 293)*.

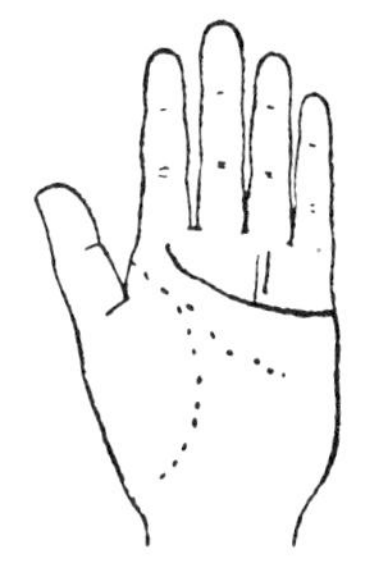
295

LIGNES SŒURS

744. Dans la même main, on peut voir parfois deux et même trois lignes de chance. Si toutes ces lignes sont bonnes, elles seront d'une merveilleuse révélation. Même s'il n'en existe que deux, elles seront déjà l'indice de succès et d'ascension considérables. Au cas où les trois lignes sont belles et nettement marquées, elles annonceront une exquise sensibilité, une grande réussite, accompagnée d'une gloire presque universelle *(fig. 294)*.

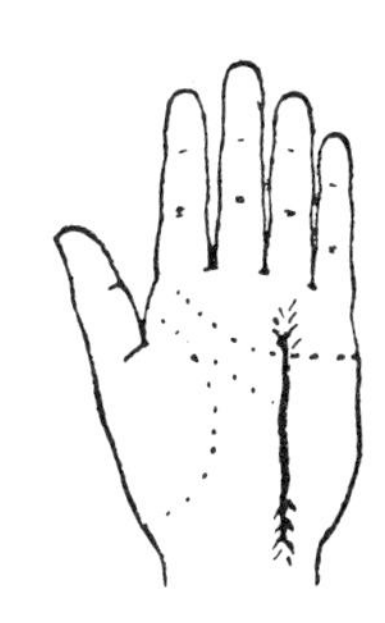
296

EXISTANT SUR LE MONT DU SOLEIL SEULEMENT

745. Dans la grande majorité des mains, on voit la ligne de chance sous forme de fragments marqués seulement sur le mont du

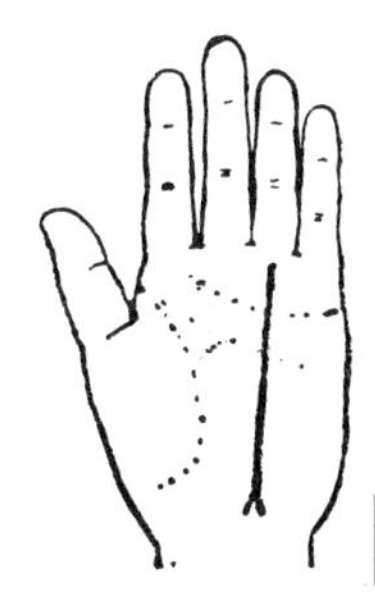
297

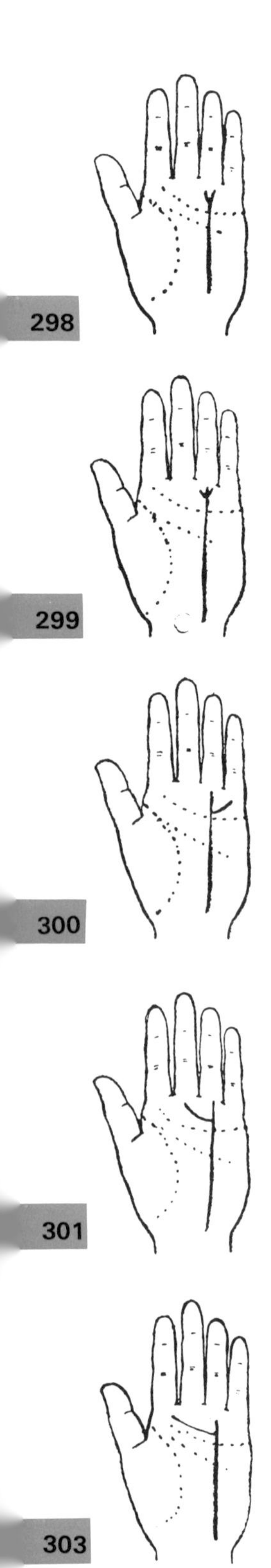

Soleil, après la ligne de cœur. On voit presque aussi souvent plusieurs lignes verticales sur ce mont au lieu d'une seule.
Ce cas révèle d'abord ce qu'une ligne de soleil courte annonce, comme nous l'avons vu au paragraphe 737. La réussite commencera donc à se stabiliser après 40-45 ans et jusque-là la vie sera faite de hauts et de bas, de difficultés et même de tourments. Il est inutile d'insister sur le fait que si ces lignes sont nettes et profondes, malgré les difficultés subies dans le passé, la réussite obtenue sera appréciable.
La multiplicité de petites lignes de soleil sur ce mont révèle des capacités multiples ; capacité de s'occuper de plusieurs affaires ou de plusieurs questions à la fois, ou bien, à cause des circonstances de la vie, l'obligation de s'intéresser à plusieurs carrières.
Je précise qu'il est préférable d'avoir une seule ligne nette et bien marquée que plusieurs superficielles *(fig. 295).*

COMMENÇANT OU FINISSANT EN BALAI

746. On ne doit pas confondre la ligne fourchue à l'une de ses extrémités avec celles qui commencent ou se terminent par des traits donnant l'impression d'un balai. La différence de révélation de ces deux présentations est considérable.
La ligne de chance commençant par un balai annonce un début de vie incertain, pénible et fait de nombreuses fluctuations. Et, si cet éparpillement en petits traits se produit sur le mont du Soleil, il annoncera une fin de vie incertaine et une réussite finale douteuse *(fig. 296).*

LIGNE DE SOLEIL FOURCHUE

747. La ligne que je considère fourchue est celle qui se divise en deux ou trois branches dont chacune est aussi nette et aussi bien marquée que la ligne mère.
Si la ligne de soleil est fourchue à son commencement, elle révèle un flottement au début de la vie concernant le choix de la voie à suivre *(fig. 297).*

Mais, si la fourche se produit à son extrémité (sur le mont du Soleil) plusieurs cas seront à envisager :

748. La ligne de soleil pourra se diviser en deux branches sur le mont de l'annulaire, formant une toute petite fourche dont aucune des branches ne dépasse les limites de ce mont. Ce cas annoncera que l'on sera obligé d'embrasser deux carrières. La réussite de ces carrières sera fonction de la netteté et de la profondeur des branches. Au cas donc où l'une ou les deux branches seraient faiblement tracées, cela indiquerait l'atténuation de la réussite en proportion du nombre des branches faibles *(fig. 298).*

749. La ligne de soleil pourra se diviser en trois branches sur le mont de l'annulaire, formant une petite fourche ne dépassant pas les bornes de ce mont. Ce cas révélera de nombreuses réussites dans plusieurs carrières par l'esprit de réalisme plutôt que par les capacités du sujet *(fig. 299).*

750. Lorsque la ligne de chance se divise directement à la jointure de l'annulaire, mais envoie une branche sur le mont de Mercure, elle révélera un esprit souple et subtil, réaliste et même matérialiste. La personne possédant une telle ligne pourra devenir un fin diplomate, un politicien ou un financier de grande envergure *(fig. 300).*

751. La ligne de soleil peut présenter une branche allant vers le mont de Saturne. Ce cas annonce une nature posée et sérieuse, pouvant réussir dans les sciences, les mathématiques ou dans toutes autres carrières exigeant des aptitudes aux études méticuleuses *(fig. 301).*

752. La ligne de chance envoyant une branche sur le mont de Jupiter annoncera la réalisation d'ambitions avec une réputation considérable *(fig. 303).*

753. La fourche la plus bénéfique est le trident formé par la ligne de soleil qui se présente sous l'aspect suivant : la ligne de soleil vient en ligne droite se terminer à la

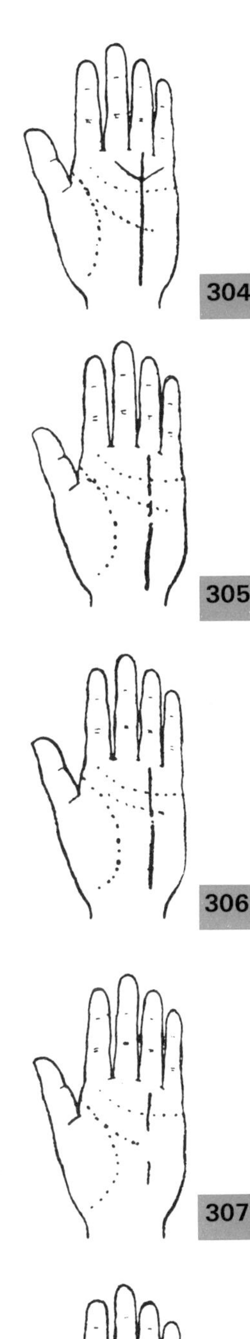

304

305

306

307

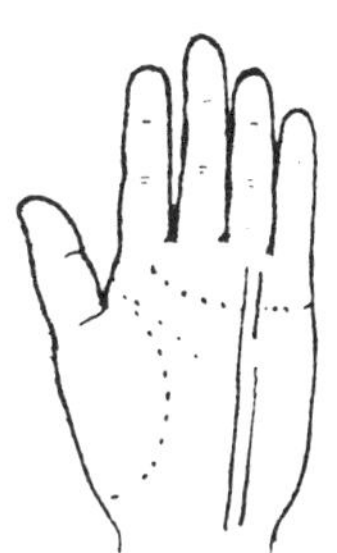

308

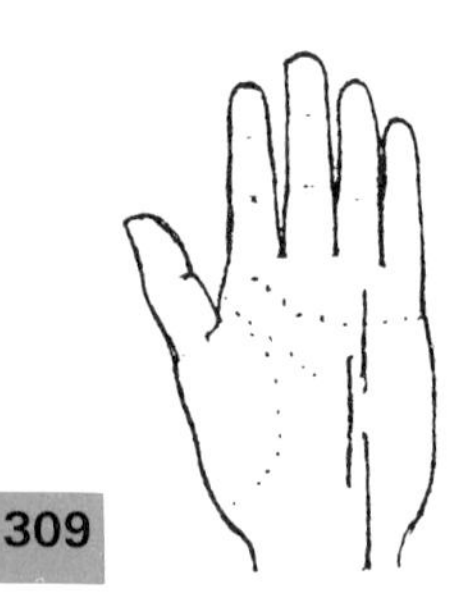
309

jointure de l'annulaire, mais elle envoie une branche sur le mont de Mercure et une autre sur le mont de Saturne. On doit faire attention de ne pas prendre pour l'une des branches d'un trident les fragments de l'anneau de Vénus. Les débutants commettent très souvent cette erreur.

Celui qui possède un trident formé par la ligne de soleil peut s'attendre à l'avenir le plus prometteur. Il annonce une réussite extraordinaire, une réputation et une gloire inestimables, la possibilité de réussir dans presque toutes les carrières.

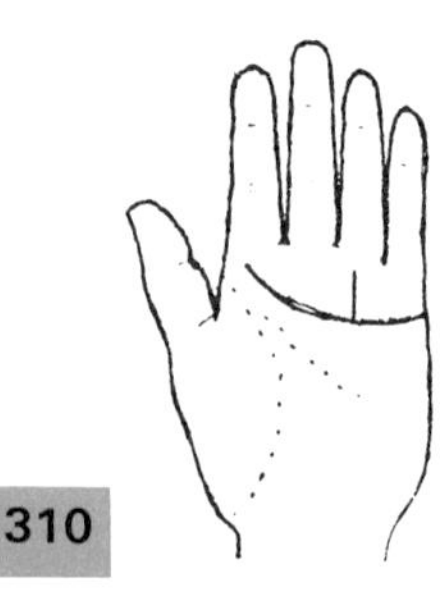
310

Le trident formé par la ligne de soleil est préférable à celui formé par la ligne saturnienne, car dans son cas c'est la chance qui entrera en jeu, parfois même sans l'intervention appréciable du sujet, tandis que dans le deuxième cas les résultats obtenus seront dus aux mérites, aux capacités et aux efforts personnels *(fig. 304).*

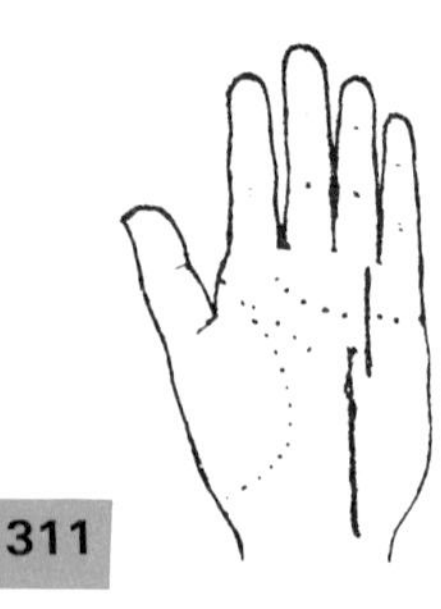
311

LIGNE DE SOLEIL COUPÉE

754. Les coupures sur la ligne de chance indiqueront des arrêts et des modifications dans la marche vers la réalisation des projets. Il se produira autant d'arrêts qu'il existe de coupures, dont les effets et la durée seront plus ou moins considérables suivant l'état et l'importance des coupures *(fig. 305).*

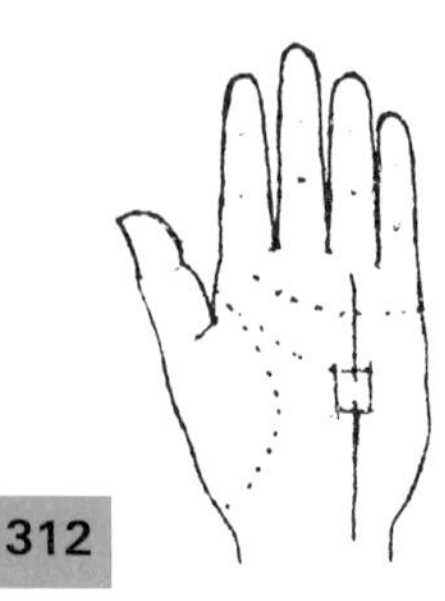
312

755. S'il n'existe qu'une toute petite coupure de quelques millimètres et qu'après avoir laissé un vide insignifiant la ligne continue aussi belle qu'à son départ, l'arrêt dans la marche vers la réussite ne sera dû qu'à des difficultés momentanées et surmontables *(fig. 306).*

756. Mais, si le vide laissé par la coupure est d'une certaine importance, le cours de la chance sera sérieusement entravé et il y aura une possibilité de modification profonde dans la voie choisie *(fig. 307).*

313

757. La modification dans la direction de la vie ne sera profondément grave que lorsque la coupure importante n'est pas « protégée ».

En cas de signes de protection, les obstacles rencontrés seront bien moins fâcheux, et surmontables. Les cas de coupures protégées sont les suivants :

A. L'existence d'une belle ligne sœur *(fig. 308)* ;

B. Un fragment de ligne sœur comblant le vide laissé par la coupure *(fig. 309)* ;

C. Le chevauchement des deux tronçons de la ligne coupée *(fig. 311)* ;

D. Un carré encadrant les deux bouts des tronçons *(fig. 312)* ; à ce propos, on a intérêt à relire les paragraphes 480 à 486.

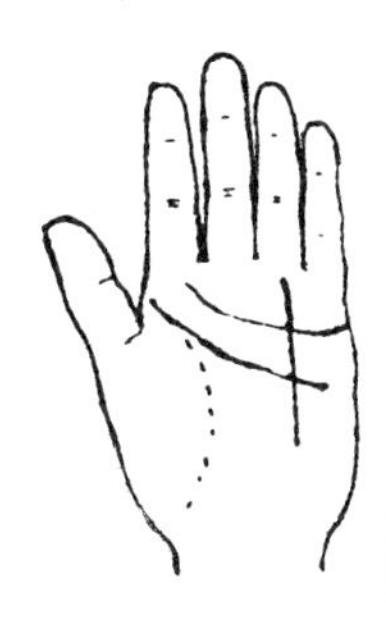

314

LES POINTS DE DÉPART DE LA LIGNE DE SOLEIL

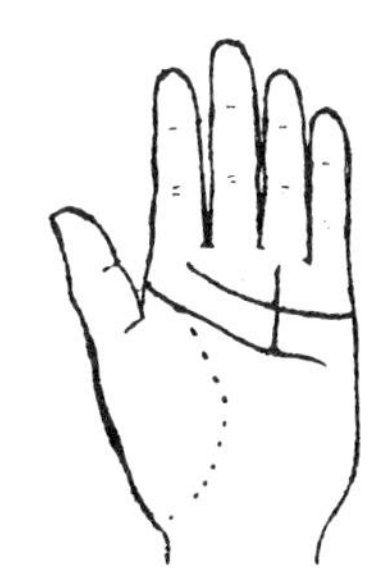

315

758. Le point de départ normal de la ligne de chance est la partie basse de la paume. La ligne ayant un tel point de départ et étant suffisamment longue et nette sera d'une très bonne révélation suivant les détails énumérés aux paragraphes 734 et 735 *(fig. 313).*

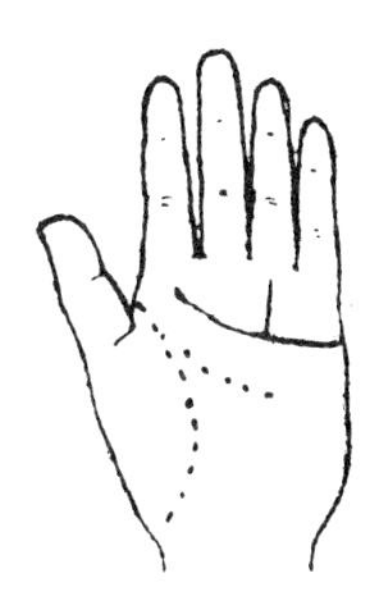

316

759. Cette ligne pourra cependant commencer plus haut, avant la ligne de tête, dans l'endroit que l'on appelle la Plaine de Mars (le creux de la main). Une telle ligne sera forcément considérée courte (voir ligne courte, paragraphe 737). La ligne de soleil courte n'annonce pas un échec ou une catastrophe. Suivant son état, elle pourra même révéler réussite, gloire et célébrité, mais dont la réalisation commencera à partir de l'âge d'où part la ligne courte *(fig. 314).*

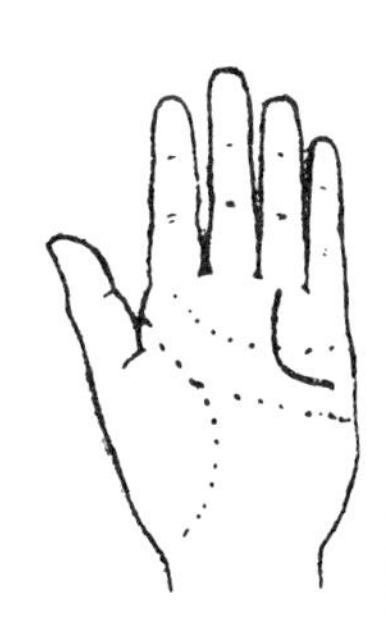

317

760. La ligne de chance partant de la ligne de tête annonce une personne décidée à réussir et à arriver à des situations élevées. Elle y parviendra sûrement s'il existe dans ses mains des signes indiquant une certaine force de volonté, de la persévérance et de l'intelligence *(fig. 315).*

761. Si cette ligne part de la ligne de cœur, elle annoncera toujours une bonne réussite, quoique tardive, due plutôt au bon caractère et au bon cœur du sujet *(fig. 316).*

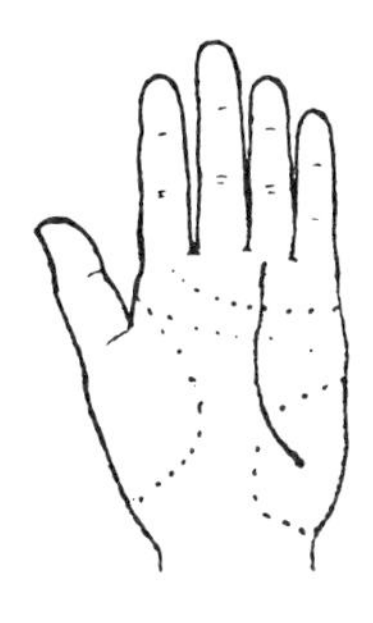

318

762. La ligne de soleil pourra partir du mont de Mars. Un tel départ de cette ligne indiquera que le sujet est habité d'un désir ardent de réussir, de briller, d'être célèbre et même d'obtenir la gloire.

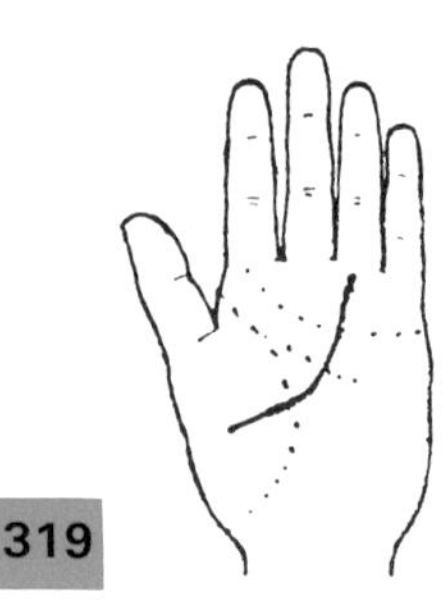

319

763. La personne possédant une telle ligne arrivera sûrement à ses buts si d'autres indices maléfiques ne viennent annihiler ses efforts. Mais, d'une manière ou d'une autre, un tel départ de la ligne de chance annoncera une personne active, combative, n'ayant pas peur de lutter *(fig. 317).*

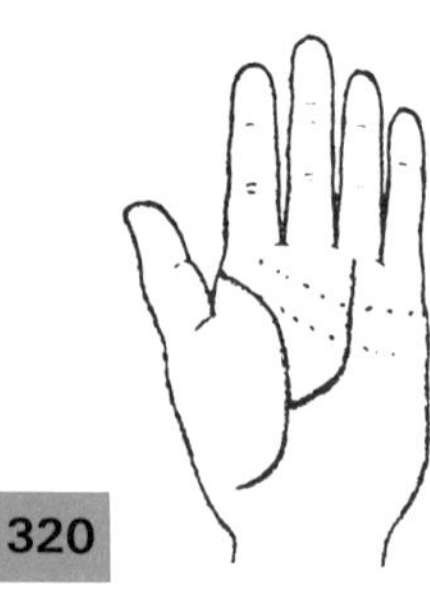

320

764. La ligne de chance partant du mont de Lune révélera une personne d'un caractère tout à fait différent. Elle sera capricieuse et dotée d'une imagination très vive, tout cela ne l'empêchant pas d'obtenir une bonne réussite dans les carrières où passion et imagination sont nécessaires. Cette personne pourra donc parfaitement réussir dans les carrières de comédien, de romancier, de poète et des arts en général *(fig. 318).*

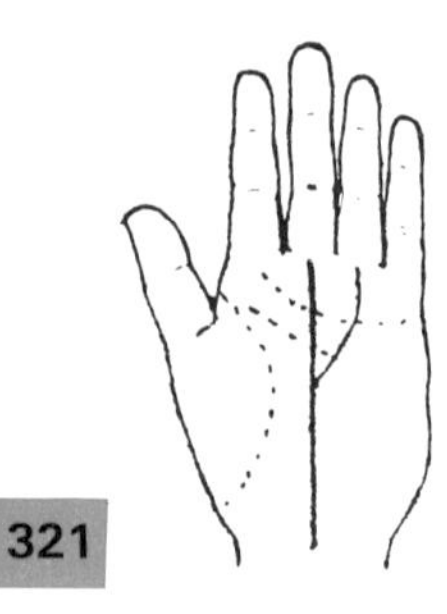

321

765. Partant de la ligne de vie, la ligne de soleil révélera des aptitudes pour tout ce qui est du domaine des sciences et des études. Elle annoncera également l'intervention des mérites personnels dans l'obtention des réussites *(fig. 320).*

766. Si la ligne de soleil part du mont de Vénus, tout en révélant les aptitudes attribuées à la ligne partant de la ligne de vie, elle annoncera un amour bien marqué pour l'art et la poésie. D'autre part, elle indiquera une personne agissant par l'amour intense qu'elle ressent pour sa profession plutôt que pour des résultats matériels. Elle aimera les honneurs et la renommée. Elle deviendra un artiste exquis, un poète très sensible ou un homme de science capable de se sacrifier pour son œuvre.

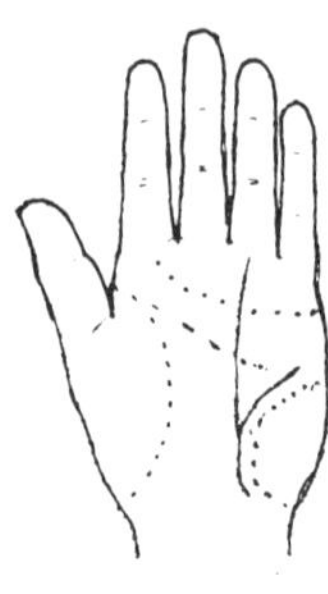

322

On dit également qu'un soutien du sexe opposé constituera un des éléments de sa réussite *(fig. 319).*

767. La ligne de soleil partant de la ligne saturnienne est très bon signe. Elle annonce réussite dans toutes les carrières. Les professions les plus indiquées étant cependant la musique, l'art et la littérature *(fig. 321).*

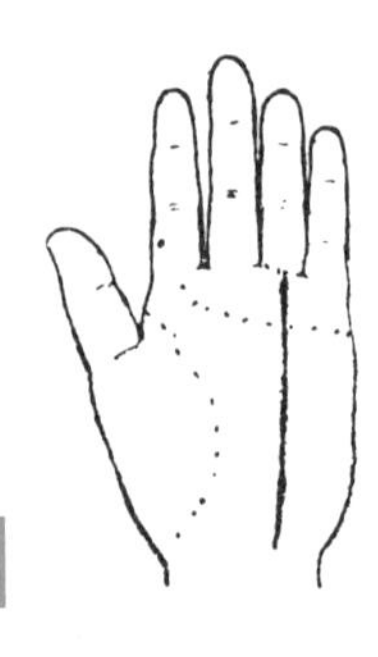

323

768. La ligne de chance pourra aussi partir

de la ligne d'intuition. Ce point de départ révèle, à lui seul, l'origine de la réussite de la personne possédant une telle ligne. Le succès et l'ascension ne viendront donc pas des aptitudes à étudier sérieusement, ni par la persévérance ou le labeur, mais plutôt par la fantaisie et les idées paraissant, à première vue, irréalisables *(fig. 322).*

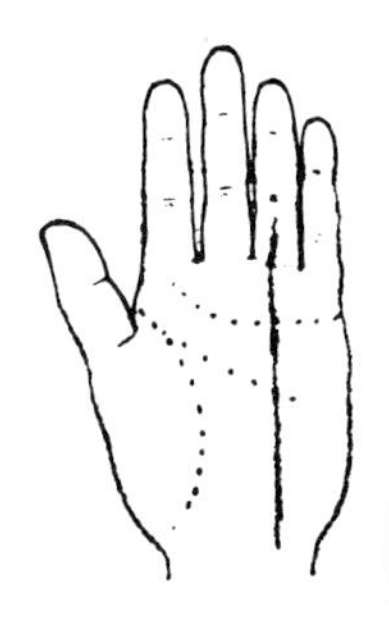
324

769. Si cette ligne part de la ligne de Mercure, tout en indiquant un esprit clair et des goûts raffinés, elle annoncera que la réussite sera obtenue plutôt par le savoir-faire. En d'autres termes, la personne possédant une telle ligne de soleil réussira plutôt par son réalisme *(fig. 327).*

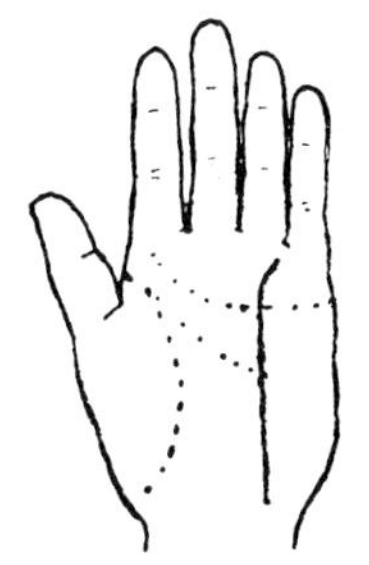
325

LES POINTS D'ARRIVÉE DE LA LIGNE DE SOLEIL

770. Rappelons que le point d'arrivée normal de la ligne de soleil est le milieu de la jointure de l'annulaire, sans dépasser toutefois cette limite, c'est-à-dire sans pénétrer dans la troisième phalange de l'annulaire *(fig. 323).*

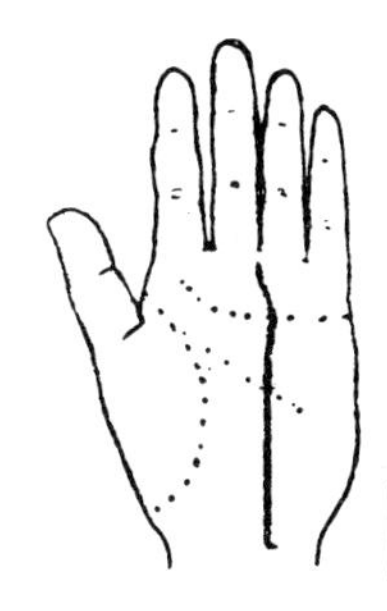
326

771. Lorsque cette ligne pénètre dans la troisième phalange de l'annulaire, elle révélera un succès incontrôlable, qui pourra être très bon ou très mauvais, suivant les autres indices des mains. Au cas où il existe des signes d'intelligence, de volonté et de persévérance, le succès obtenu pourra être considérable et durable ; mais dans le cas contraire, ruine et déchéance sont à craindre après ascension. Ne sont pas rares les artistes, hommes de science ou commerçants qui, montés au sommet de leur carrière sont tombés vertigineusement à la ruine et à la misère. Tout ceci dépendra de la conjonction d'autres indices *(fig. 324).*

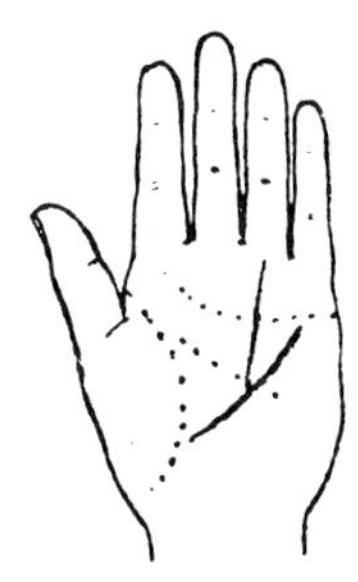
327

772. Au lieu de se diriger normalement vers le milieu de la jointure de l'annulaire, l'extrémité de la ligne de soleil peut se diriger vers le préjoint du doigt du soleil et de l'auriculaire. Ce fait, non seulement n'enlève rien à l'importance de la réussite ou à la finesse d'esprit du sujet, mais il indique que, parallèlement, le sujet possède un esprit réaliste et même matérialiste *(fig. 325).*

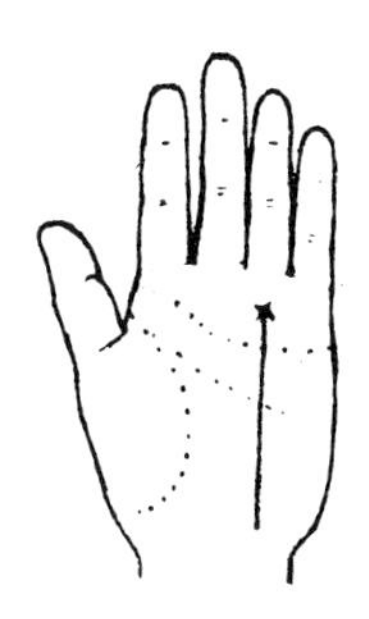
328

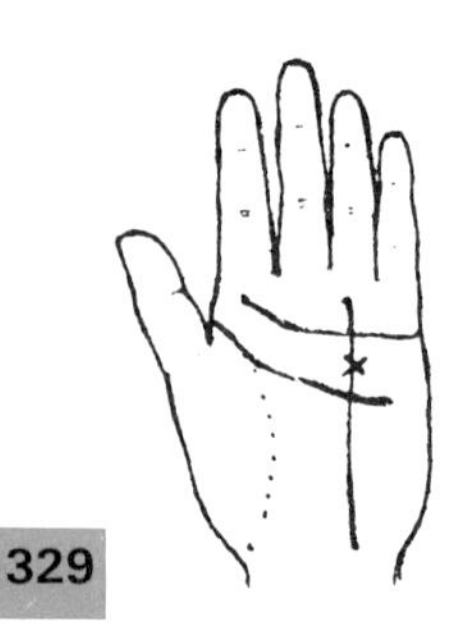

329

773. Lorsque l'extrémité de la ligne de chance se dirige vers le joint de l'annulaire et du médius, elle indiquera une personne ayant l'aptitude d'étudier et de rechercher. Celle-ci n'agira pas à la légère, sans avoir examiné le pour et le contre d'une entreprise. Sa réussite sera basée sur des éléments solides. Ce fait n'excluant pas l'existence d'un esprit fin *(fig. 326)*.
Au cas où la ligne de soleil arriverait sur d'autres monts (de Jupiter, de Saturne ou de Mercure), les réussites obtenues seront dues à l'intervention des qualités de ces monts.

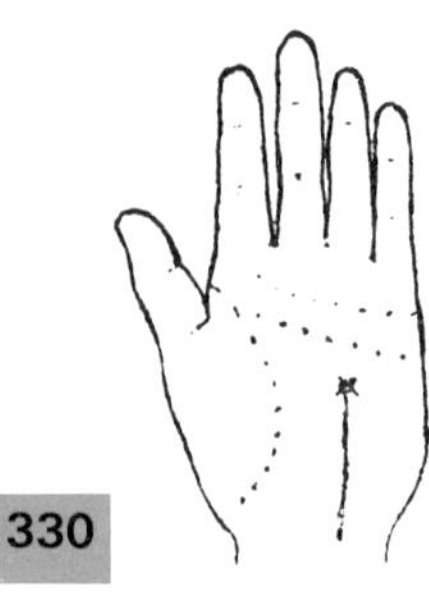

330

LES SIGNES SUR LA LIGNE DE SOLEIL

774. Les signes sur cette ligne sont en général de mauvais augure, sauf quelques exceptions indiquées ci-dessous.

775. La croix à l'extrémité de cette ligne (sur le mont du Soleil) prédit des difficultés et des retards dans la réussite *(fig. 328)*.

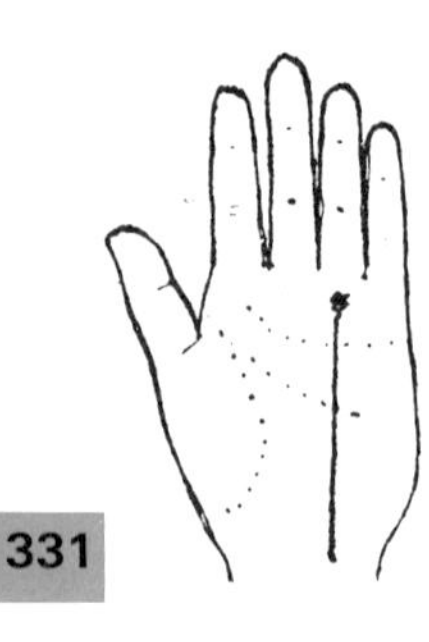

331

776. La croix au milieu de cette ligne est le signe d'arrêt de la marche vers la réussite. Mais si la ligne continue après la croix, l'arrêt sera provisoire *(fig. 329)*.

777. Si une ligne de soleil vient se terminer au milieu de la main, avec une croix à son extrémité, c'est le signe d'arrêt complet de l'entreprise qui pourra, suivant le cas, ne pas être irréparable *(fig. 330)*.

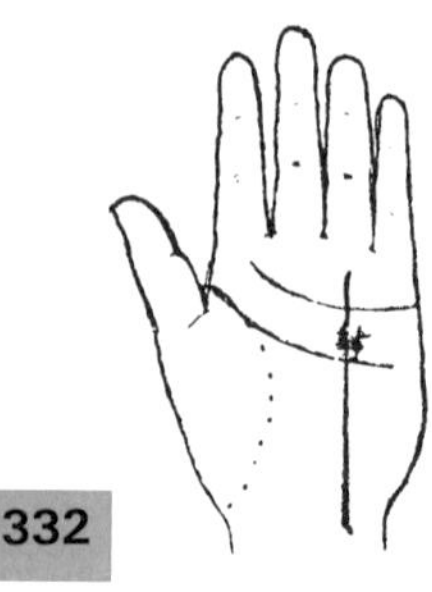

332

ÉTOILE

778. L'étoile à l'extrémité de la ligne de chance (sur le mont du Soleil) indique infamie et même emprisonnement *(fig. 331)*.

779. L'étoile au milieu de la ligne de chance est le signe d'une catastrophe, comme la mort d'un être cher, l'emprisonnement ou la faillite. Suivant la conjonction d'autres indices, ces catastrophes peuvent être passagères, la mort rapidement oubliée, l'emprisonnement suivi de libération ou la faillite suivie de réhabilitation *(fig. 332)*.

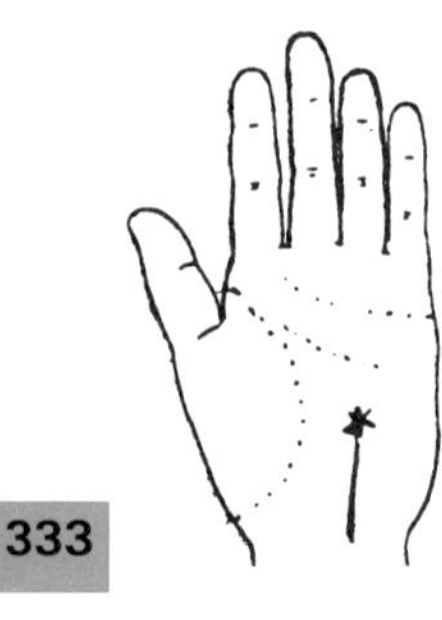

333

780. Mais si la ligne de soleil s'arrête sur une étoile au milieu de la main, c'est une catastrophe irréparable *(fig. 333)*.

ÎLE

_781._ Une île sur cette ligne est le signe d'adultère. Mais si la ligne continue (dans un état parfait) après l'île et arrive jusqu'à la partie supérieure du mont du Soleil, c'est réussite et élévation dues à une union non régularisée, ou bien régularisée tardivement *(fig. 334).*

334

POINTS

_782._ Les points sur la ligne de chance sont des difficultés passagères.

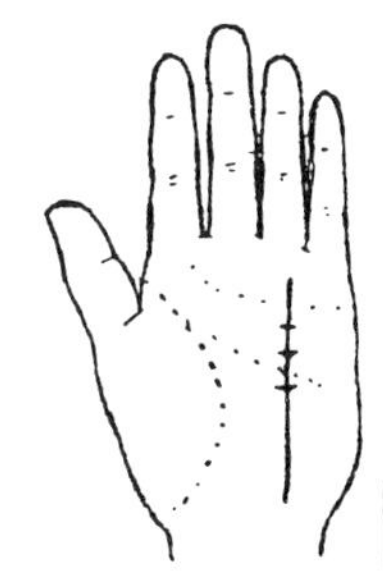

335

TROUS

_783._ Les trous sont des difficultés plus importantes que celles révélées par les points et d'une durée plus longue, mais il s'agira toujours d'arrêts ou de difficultés passagers.

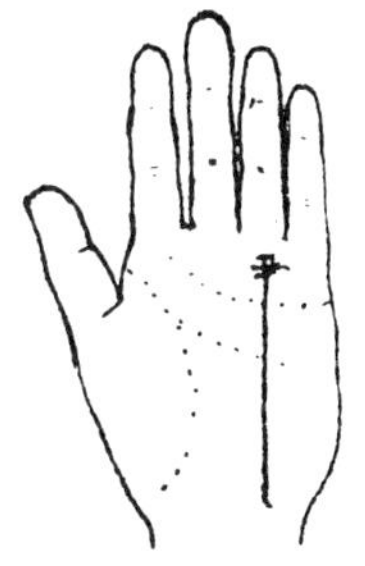

336

LES BARRES

_784._ Les barres, suivant leur emplacement, changent de révélation.

A. Les petits traits barrant la ligne de soleil sur son parcours sont des signes d'obstacles ennuyeux mais surmontables *(fig. 335).*

B. Ces mêmes traits sur le mont du Soleil annoncent des difficultés très graves, entravant sérieusement la réussite *(fig. 336).*

C. Mais, si un carré encadre ces barres, il annonce que le sujet parviendra à surmonter les difficultés et les obstacles *(fig. 337).*

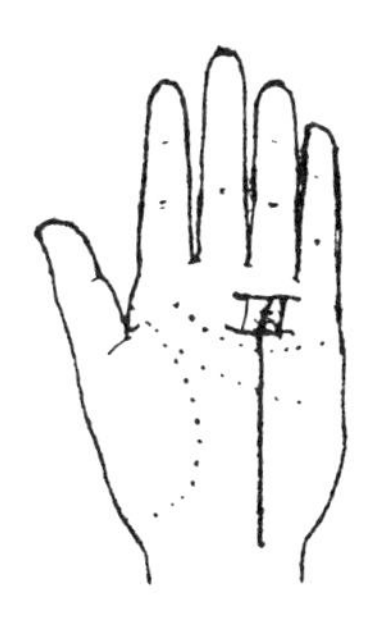

337

CHAPITRE 40

La Ligne de Mercure ou Ligne de Santé ou Ligne Hépatique

785. La ligne partant du bas de la paume, à proximité de la ligne de vie, et se dirigeant vers le mont de Mercure est appelée ligne de Mercure, ou ligne de santé, ou encore ligne hépatique.

786. Je l'appelle plus fréquemment, ligne de santé, car elle nous fournit des renseignements sur les deux domaines suivants :

A. L'état général physique ;

B. L'évolution et l'harmonie des fonctions intellectuelles.

787. Certains auteurs la considèrent comme étant tout à fait secondaire, accidentelle et même imaginaire, n'existant que dans l'imagination de certains chirologues.

Rien que la lecture du paragraphe précédent indique déjà à quel point ont tort ceux qui la dédaignent.

LONGUE ET TRÈS LONGUE

788. La ligne de santé sera considérée comme étant suffisamment longue lorsqu'elle partira à proximité de la ligne de vie et aboutira à la base du mont de Mercure.

789. Elle sera considérée très longue lorsqu'elle prendra sur la ligne de vie ou sur le mont de Vénus et se terminera sur le mont de Mercure.

790. La ligne de santé longue et en parfait état révélera un très bon état général physique et un intellect en parfait équilibre. Elle annoncera donc une bonne santé, une vitalité normale, des appétits sexuels, et, d'autre part, une vive intelligence, de l'initiative et de la clarté d'esprit.

791. Contrairement à l'opinion de certains auteurs qui considèrent la ligne de Mercure très longue comme un signe maléfique, à mon avis elle indique toujours un parfait équilibre physique et intellectuel, aussi bien dans le cas où elle prend sur la ligne de vie que sur le mont de Vénus. Et, en plus, elle annonce les particularités suivantes :

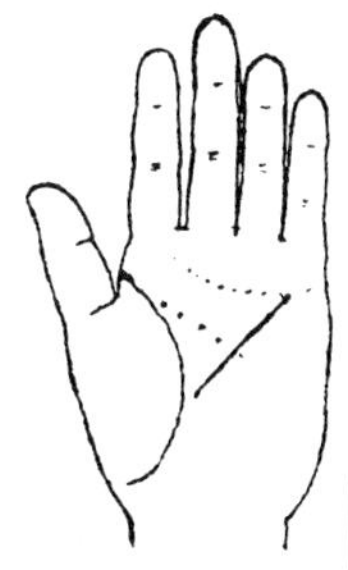

338

792. La ligne de santé prenant sur la ligne de vie, tout en possédant les bons attributs mentionnés au paragraphe 790, indique l'intervention du mérite personnel dans toutes les phases de la vie *(fig. 338).*

793. Et, lorsqu'elle prend sur le mont de Vénus, elle annoncera, en plus, une personne gaie, joviale, souple et très sociable *(fig. 339).*

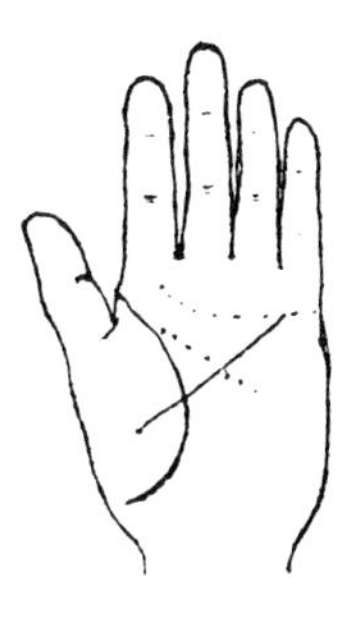

339

LIGNE COURTE

794. La ligne de santé sera considérée courte lorsqu'elle commencera loin de la ligne de vie ou n'arrivera pas jusqu'à la base du mont de Mercure.

795. Courte, cette ligne annonce une diminution des qualités attribuées à la ligne longue ou très longue. Elle dénotera donc une certaine insuffisance de vitalité physique et des capacités intellectuelles.

LIGNE FINE

796. Lorsque cette ligne est fine et bien marquée, elle indique une santé satisfaisante et une intelligence vive.

LIGNE PROFONDE

797. La ligne de santé profondément marquée annonce une bonne vitalité, un état

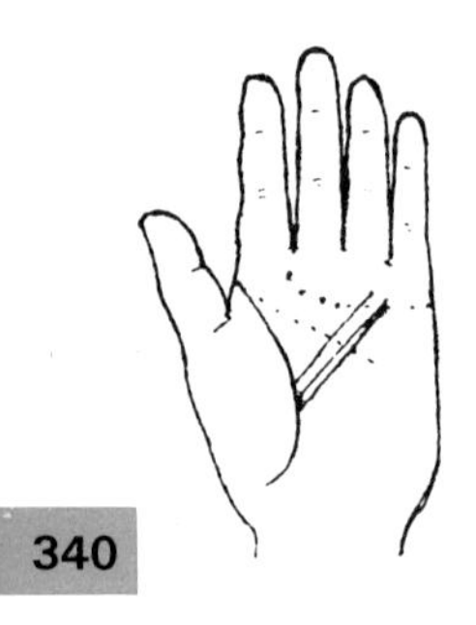

340

général résistant, des appétits sexuels accentués, une intelligence toujours en éveil et une bonne aptitude aux études.

LIGNES MULTIPLES

798. Si, en général, on ne voit qu'une ligne de santé, on peut également voir deux, trois et même quatre lignes. La multiplicité de ces lignes sera certainement de bon augure, à condition cependant qu'elles soient suffisamment longues, nettes et profondes *(fig. 340).*

CONFUSE, IRRÉGULIÈRE OU SUPERFICIELLE

799. Car, au cas où cette ligne sera marquée d'une manière irrégulière, confuse ou superficielle, elle annoncera un état physique plus ou moins défaillant, des troubles des organes vitaux, une intelligence ombrée avec des troubles de mémoire, et tout cela même en cas de multiplicité des lignes.

LIGNE LARGE

800. La ligne de santé large n'est pas obligatoirement le signe de défaillance totale physique et intellectuelle. Dans la généralité des cas, elle annonce un état physique « pratiquement » bon et une intelligence plutôt lourde.

TORTUEUSE ET ONDOYANTE

801. La ligne de santé tortueuse et ondoyante pourra annoncer un état physique satisfaisant suivant l'état de constitution de la ligne. Mais elle dénote surtout un manque de franchise allant jusqu'à la fourberie, un penchant net vers les « combines » et pour les affaires plus ou moins louches.

LIGNE CHAINÉE

802. La ligne de santé chaînée annonce, d'une part, une défaillance physique grave et, d'autre part, un intellect presque déséquilibré, avec possibilité d'hallucinations, ainsi qu'une moralité plus que douteuse.

RAMEAUX PARTANT DE LA LIGNE DE SANTÉ

341

803. La ligne de santé envoyant un ou plusieurs rameaux dans n'importe quelle direction sera toujours de bonne signification. Il existe un cas où cette ligne envoie, à la fois, des rameaux vers la percussion et vers les différents monts de la main. Ce cas sera, évidemment, le plus bénéfique, étant donné qu'il y aura accumulation des révélations de chacun des rameaux individuellement pris *(fig. 341).*

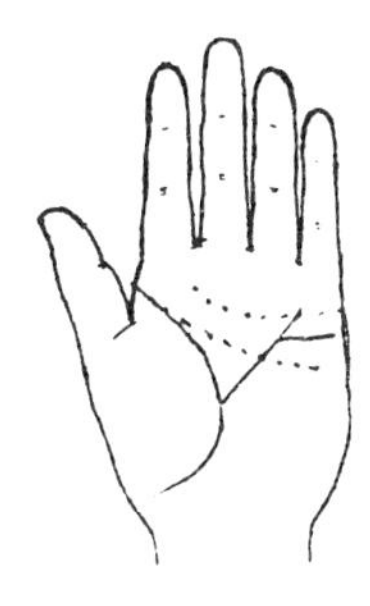

342

804. Un rameau vers la percussion révèle une personne persévérante et combative. Sa capacité de résistance, la formation et le fonctionnement harmonieux de son cerveau permettront tout espoir *(fig. 342).*

805. Un rameau vers le mont de l'annulaire indique un esprit clair et fin avec des goûts raffinés. Il dénote également une personne d'initiative et possédant du savoir-faire *(fig. 343).*

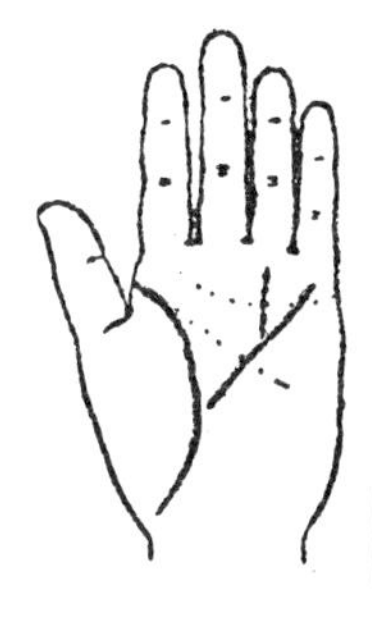

343

806. Un rameau vers le mont du médius annonce une personne de nature sérieuse et studieuse qui pourra entreprendre toutes affaires industrielles, scientifiques ou financières exigeant des aptitudes aux études minutieuses ou aux recherches *(fig. 344).*

LES SIGNES SUR LA LIGNE DE SANTÉ

344

807. On ne voit pas souvent de signes sur cette ligne : ceux rencontrés le plus fréquemment sont la croix, l'étoile, l'île et le point.

LA CROIX

808. La croix sur cette ligne annonce un dérèglement général physique et intellectuel, la perturbation se manifestant surtout au niveau du système nerveux et du tube digestif *(fig. 345).*

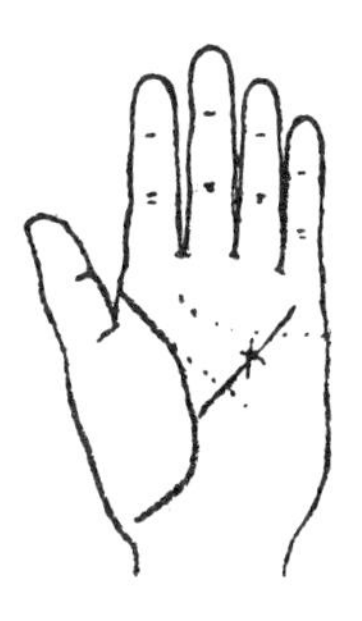

345

L'ÉTOILE

809. L'étoile annonce un dérèglement profond des organes vitaux, y compris naturellement le cerveau, le tube digestif et le système nerveux *(fig. 346)*.

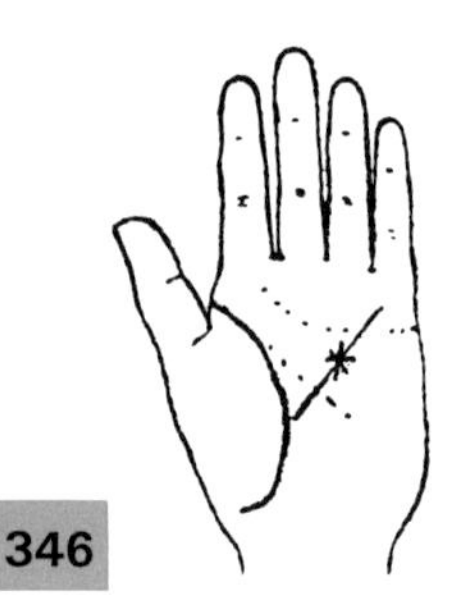

346

L'ÎLE

810. L'île sur la ligne de santé annonce défaillance physique, et, du côté moral, dénote mensonge, hypocrisie et même propension au vol. Quant aux fonctions intellectuelles, elle prédit un manque presque total de capacité de concentration et des troubles de mémoire *(fig. 347)*.

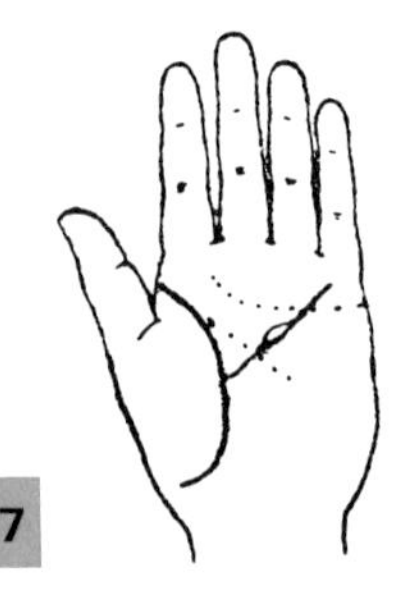

347

LES POINTS

811. Les points sur cette ligne représentent des troubles légers dans le fonctionnement des capacités intellectuelles, ainsi que des ennuis de santé, mais sans séquelles.

CHAPITRE 41

La Ligne d'Intuition

812. Ce sera une faute grave de délaisser l'étude de la ligne d'intuition, surtout lorsqu'il s'agira des mains des femmes. Car la femme agit, très souvent, par intuition, pressentiment ou même par « flair ». On comprend donc facilement l'effet énorme que pourra produire cette ligne sur un tel terrain. Elle pourra être excessivement bénéfique, ou, en sens inverse, horriblement maléfique suivant l'état et la présentation de cette ligne.

LIGNE NORMALE

813. La ligne d'intuition doit partir du bas du mont de Lune et, traçant un arc à la lisière de ce mont ainsi que celui de Mars, arriver sur le mont de Mercure ou même à la jointure de l'auriculaire *(fig. 348)*.

814. Une telle ligne révèle les dispositions suivantes :

A. Une imagination puissante, accompagnée d'intuition et même de clairvoyance ;
B. Un esprit d'attaque, de riposte et de lutte ;
C. Subtilité, clarté d'esprit et capacité d'écrire et de parler agréablement et gracieusement.

LIGNE LONGUE

815. Lorsque cette ligne, partant du bas du mont de Lune, arrive jusque sur le mont de

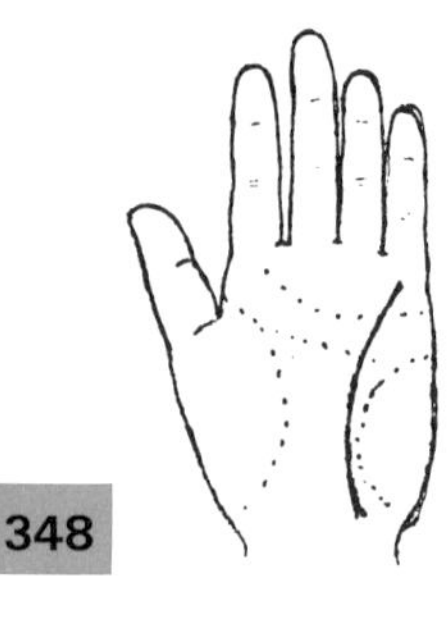
348

Mercure, elle sera déjà considérée comme suffisamment longue.

816. Une ligne d'intuition longue et en parfait état est d'une excellente révélation. Elle annonce une nature intuitive, sensitive avec une imagination créatrice et saine. Elle révèle également capacité de riposte, un caractère tenace et une conversation agréable et persuasive.

LIGNE COURTE

817. Tant qu'elle est nettement marquée, la ligne d'intuition courte ne doit pas être prise pour un mauvais signe. Elle comporte toujours les mêmes bonnes révélations que la ligne longue, mais, naturellement, en moindre degré. Elle sera maléfique seulement lorsqu'elle sera mal faite.

LIGNE MAL FAITE

818. Mal faite, mal tracée ou formée par une succession de traits, la signification de la ligne d'intuition changera du tout au tout. Elle sera un indice vraiment maléfique, surtout chez la femme. Elle indiquera une imagination maladive, une impressionnabilité et une nervosité extrêmes, provoquant des troubles psychiques avec des idées de persécution.

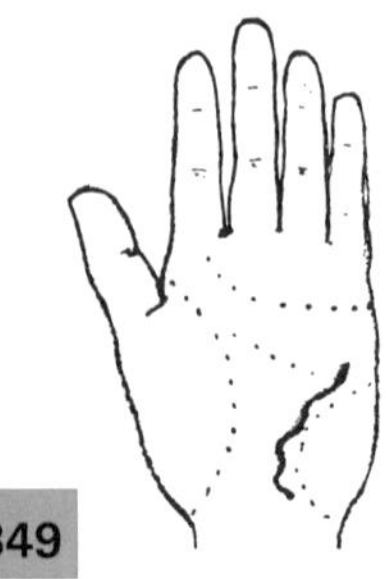
349

TORTUEUSE ET ONDOYANTE

819. La ligne d'intuition tortueuse est également de mauvais augure, mais jamais aussi maléfique que la ligne mal faite. Elle pourra, suivant l'état de sa constitution, révéler mensonge, roublardise, une moralité douteuse et une imagination plus ou moins déréglée *(fig. 349).*

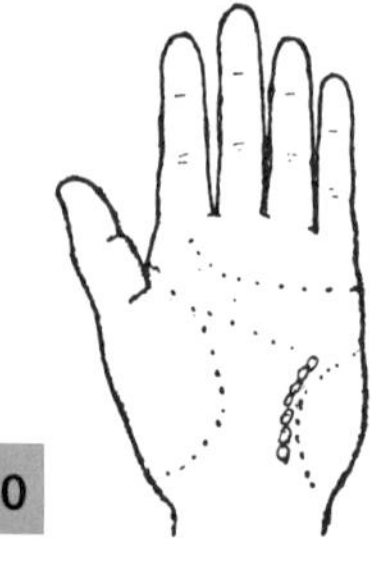
350

CHAÎNÉE

820. Chaînée, cette ligne annonce une imagination vagabonde et dévergondée, un esprit ombré, une conversation banale et dépourvue de finesse *(fig. 350).*

LES SIGNES SUR LA LIGNE D'INTUITION

821. Les signes les plus fréquemment observés sur cette ligne sont l'île, la croix et les points.

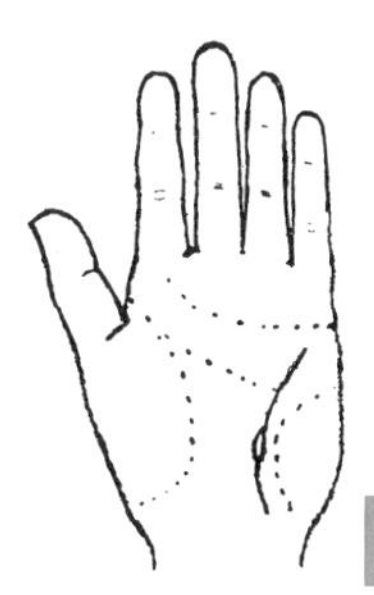

351

ÎLE

822. L'île sur la ligne d'intuition révèle des idées vagues, bizarres et souvent fausses. Certains auteurs lui attribuent des capacités de voyance. En réalité, la personne possédant une ligne d'intuition îlée croit voir ou entendre des choses qui n'existent que dans son imagination *(fig. 351).*

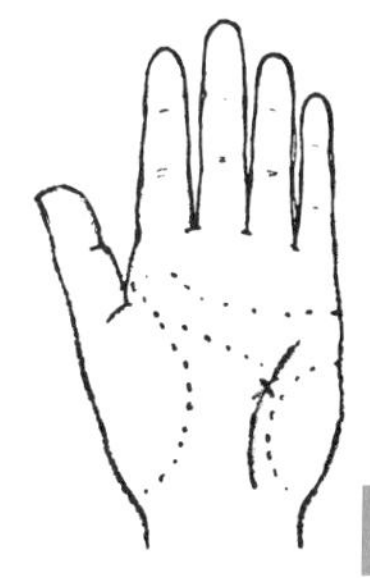

352

LA CROIX

823. La croix annonce un léger dérèglement psychique pouvant être passager *(fig. 352).*

POINTS

824. Les points agissent sur l'imagination et sur la clarté d'esprit, mais sans effet profond.

CHAPITRE 42

La Ligne Lascive

825. La plupart des auteurs considèrent la ligne lascive comme étant la ligne sœur de la ligne d'intuition. Car elle se trouve marquée au même endroit et elle suit parallèlement son trajet sur le mont de Lune.

LIGNE NORMALE

826. La ligne lascive normale doit être nette et partant du bas du mont de Lune doit arriver au mont de Mars *(fig. 353).*

827. Elle comporte approximativement les mêmes attributs que la ligne d'intuition, avec, bien entendu, des nuances parfois assez importantes.

828. La ligne lascive de longueur normale et nette porte les révélations suivantes :

A. Une imagination vive, une conception rapide et des inspirations fréquentes ;

B. Une bonne vitalité et de l'endurance ;

C. Un vif amour pour tout ce qui peut être bon, beau et agréable, y compris une nette attirance vers les plaisirs sexuels.

La ligne lascive, nette et de longueur normale, est le signe d'un succès éclatant dans les mains d'un comédien, d'un musicien compositeur, d'un peintre, d'un romancier ; en un mot, toutes les professions qui demandent une imagination saine et féconde, de l'endurance et un amour pour le beau et l'agréable.

LIGNE TRÈS LONGUE

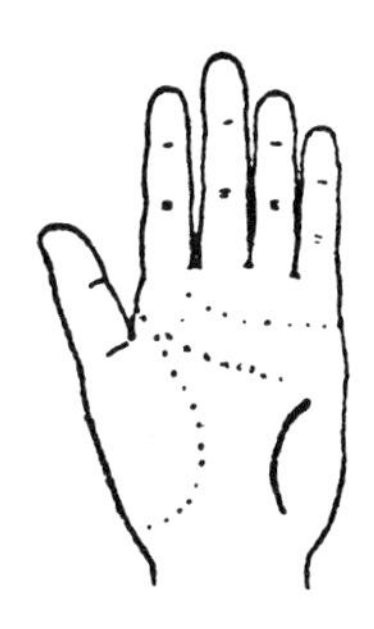
353

829. La ligne lascive pourra être plus longue que celle décrite au paragraphe 826 et arriver jusqu'au mont de Mercure. Il est cependant très rare de trouver des lignes de cette longueur.

830. La ligne lascive très longue est interprétée comme le signe d'un bonheur providentiel, ineffable et durable, et ceci sans préjudice des bonnes révélations mentionnées au paragraphe 828 *(fig.354).*

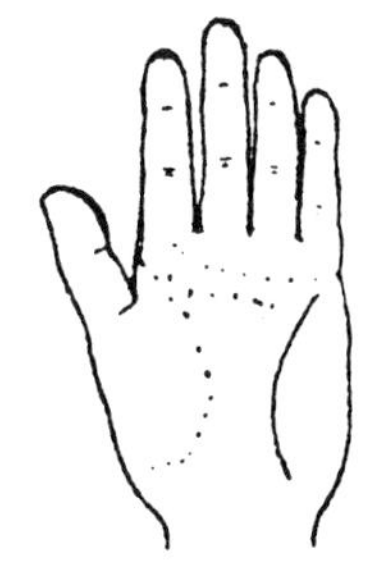
354

LIGNE CONFUSE

831. La ligne lascive se voit assez souvent sous la forme d'un ruban formé de petits traits *(fig. 355).*

832. Le terme « lascive » trouve ici sa véritable application, car la ligne lascive confuse annoncera, d'une part, une imagination vagabonde et dévergondée, et, d'autre part, un appétit charnel immodéré avec des désirs bizarres. Aussi bien chez l'homme que chez la femme, elle provoquera des rêves érotiques et un état d'excitation continuelle insatiable. Il est à remarquer aussi que cette ligne se trouvant sur le mont de Lune, qui est passif et non pas actif, tout restera, très probablement, dans le cadre de la passivité ou bien dans le domaine de l'imagination s'il n'existe pas d'indices d'une très bonne vitalité.

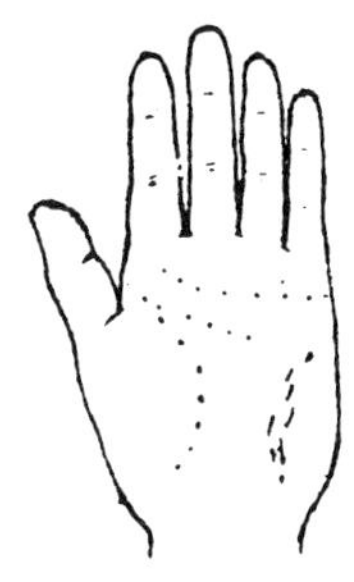
355

LIGNE CHAÎNÉE

833. Lorsque la ligne lascive est chaînée, elle annoncera approximativement ce que révèle la ligne confuse, mais surtout la possibilité d'un dérangement intellectuel *(fig. 356).*

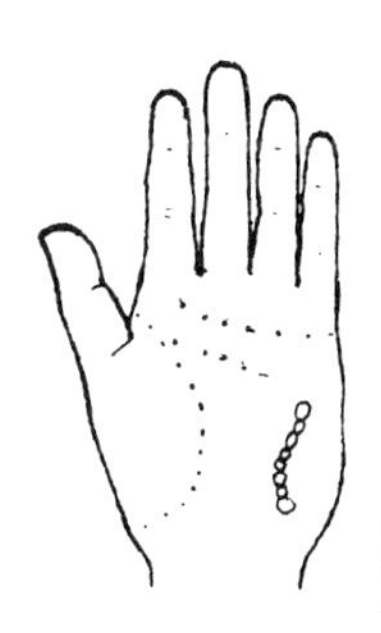
356

LIGNE ONDOYANTE

834. La ligne lascive ondoyante ou tortueuse révèle un manque de moralité, donc, mensonge, instabilité sentimentale et tromperie. Elle indique, simultanément, écart d'imagination et excentricité *(fig. 357).*

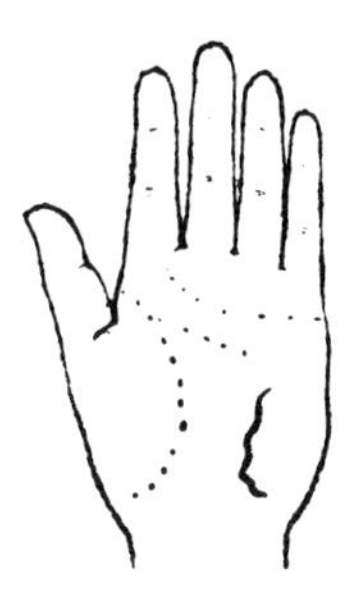
357

CHAPITRE 43

Les Lignes de Voyage et le Désir de Changement

835. Le désir de changer de compagnon ou de situation, ainsi que celui de voyager étant révélés par les mêmes lignes, le chirologue débutant doit faire preuve de prudence pour distinguer lequel de ces faits s'applique à la ligne à examiner.

836. Ces mêmes lignes peuvent révéler aussi une personne ayant une imagination vagabonde et changeant fréquemment d'idée.

837. Pour arriver à déterminer si la ligne examinée est l'indice d'un désir réalisable ou, au contraire, d'une sorte de rêve, il faudra se préoccuper des trois éléments suivants :
A. Vérifier si son consultant est une personne énergique, car c'est seulement dans ce cas qu'il pourra mettre en application son désir ;
B. Vérifier la netteté et la profondeur de la ligne, car si la ligne est nette et profonde, le désir est ardent, la décision est prise, donc le changement ou le voyage pourra avoir lieu ;
C. Vérifier la longueur de la ligne, car elle indiquera l'importance du changement ou la distance du voyage.

POINTS D'ATTRACTION OU D'ORIGINE

838. Ces lignes peuvent partir de trois endroits différents :

A. Elles peuvent partir de la percussion et venir s'arrêter sur le mont de Lune *(fig. 358)*;
B. Elles pourront partir du mont de Lune et se diriger vers le creux de la main; parfois elles continuent leur trajet et elles arrivent sur un mont, le plus souvent sur le mont de Jupiter *(fig. 359)*;
C. Elles partent de la ligne de vie ou même du mont de Vénus et se dirigent vers le mont de Lune *(fig. 360)*.
On voit donc que toutes ces lignes ont le même point d'attraction ou d'origine : le mont de Lune.

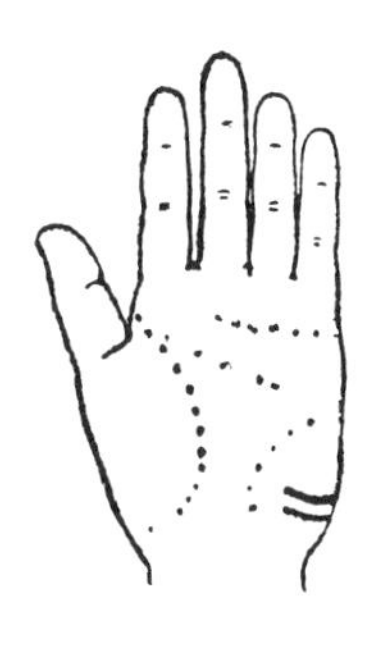
358

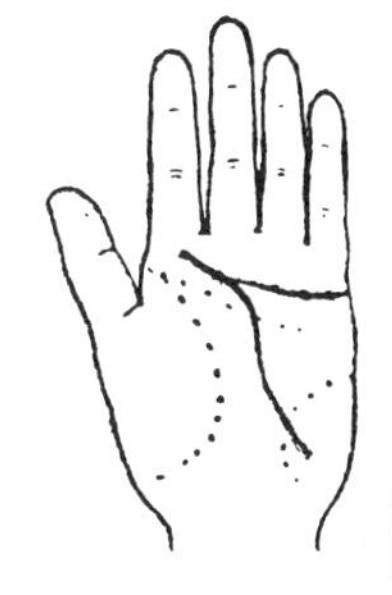
359

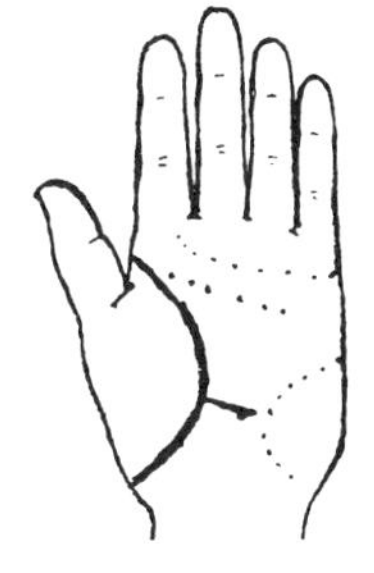
360

LIGNES SUPERFICIELLES

839. Les rameaux superficiellement tracés, partant de la ligne de vie et se dirigeant vers le mont de Lune, révèlent un désir de changement (changement d'époux, de situation ou de lieu d'habitation), ou plus simplement une personne imaginative changeant fréquemment de projet.

LIGNES NETTES ET PROFONDES

840. Si les rameaux partant de la ligne de vie sont nets et profonds, ils indiqueront un vif désir de changer ou de voyager. Ils annonceront donc un voyage, ou bien un changement dans la situation matérielle ou même matrimoniale. Si la main est énergique, ces projets se réaliseront *(fig. 360)*.

841. Une ou plusieurs lignes nettes et profondes, partant de la percussion et venant aboutir sur le mont de Lune, sont des indices de voyage *(fig. 358)*.

842. La ligne partant du mont de Lune et se dirigeant vers le creux de la main est également un signe de voyage ainsi qu'un indice de changement dans la direction de la vie. Une telle ligne pourra se diriger vers un mont. Suivant le mont sur lequel elle arrive, sa signification de changement sera influencée par les attributs du mont en question. Par exemple, lorsqu'elle est dirigée vers le mont de Jupiter et, arrivée sur la ligne de cœur, se confond avec cette dernière, elle annoncera une haute ascension, réussite et réalisation des ambitions *(fig. 359).*

843. Partant du mont de Vénus et venant aboutir sur le mont de Lune, elle révélera un voyage d'amour, ou un simple voyage se terminant par une entente sentimentale. Mais si cette ligne est superficiellement marquée elle annoncera simplement un désir de modifier sa situation sentimentale.

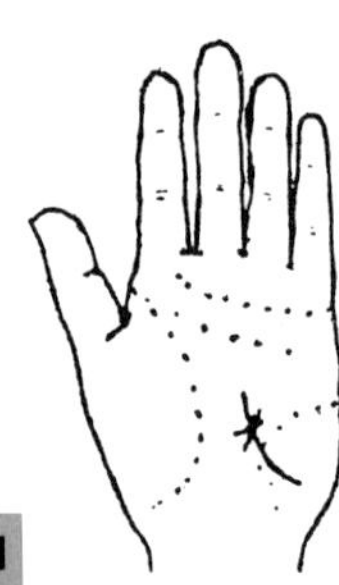

361

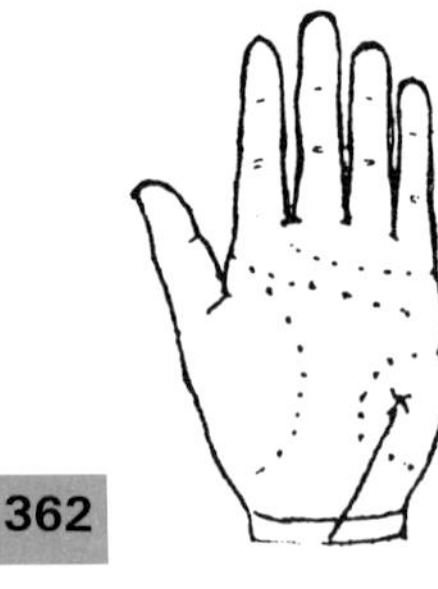

362

LES SIGNES

Quoique peu nombreux, les signes sur ces lignes doivent être pris sérieusement en considération, car ils sont souvent de révélation grave.

CROIX

844. La croix sur une ligne de voyage annonce un voyage malheureux *(fig. 361).*

845. Une ligne partant d'une croix qui se trouve sur le mont de Lune et descendant à la rascette est le signe de naufrage, qui pourra ne pas être mortel *(fig. 362).*

ÉTOILE

846. L'étoile sur cette ligne annonce un accident grave en voyage.

847. Une ligne partant d'une étoile qui se trouve sur le mont de Lune et descendant à la rascette prédit mort par noyade.

CHAPITRE 44

Les Anneaux dans la Main

Dans la main, cinq anneaux sont connus ; ce sont :
A. L'anneau de Vénus ;
B. L'anneau de l'index (l'anneau de Salomon) ;
C. L'anneau du médius (l'anneau de Saturne) ;
D. L'anneau de l'annulaire (l'anneau du soleil) ;
E. L'anneau de l'auriculaire (l'anneau de Mercure).

L'ANNEAU DE VÉNUS

848. L'anneau de Vénus se trouve dans la partie supérieure de la paume, entre la ligne de cœur et la base des doigts. Il forme un arc de cercle, en partant du préjoint de l'index et du médius et en arrivant entre l'annulaire et l'auriculaire *(fig. 363).*

ANNEAU DE VÉNUS NORMAL

849. L'anneau de Vénus normal doit être formé d'une seule ligne et cette ligne doit être intacte.

850. Les révélations principales de l'anneau de Vénus sont les suivantes :
A. La sensibilité ;
B. La sensualité ;
C. Une imagination penchant vers la luxure.

851. La main portant un anneau de Vénus doit être attentivement examinée, car il s'agira

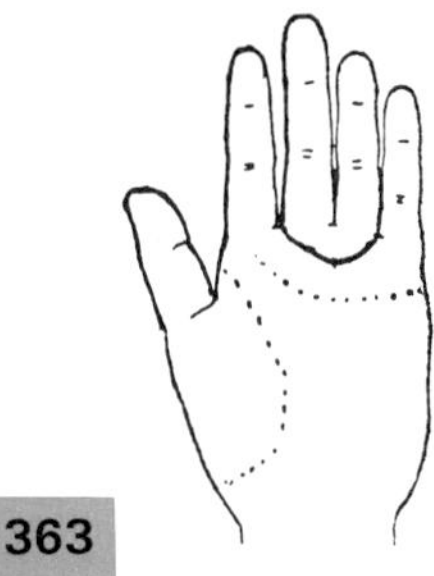

363

d'un terrain excessivement sensible et très facilement excitable. Les petits défauts qui resteraient dans le cadre de « péchés mignons » dans une main sans anneau de Vénus deviendraient des vices et des défauts impardonnables dans celle qui en porte un.

FORMÉ DE PLUSIEURS LIGNES

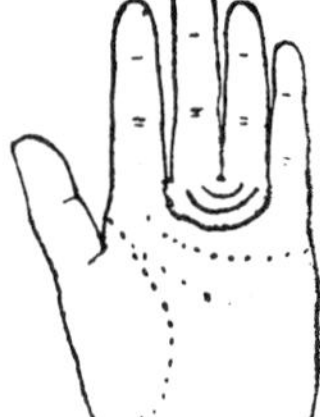

364

852. Si l'anneau de Vénus est formé de plusieurs lignes, il annoncera une extrême sensibilité et un débauché insatiable. Mais si, dans la main, il manque des indices d'une bonne vitalité, tout se bornera à une imagination lugubre et un désir vicieux continuel *(fig. 364).*

L'ANNEAU DE VÉNUS MAL FAIT

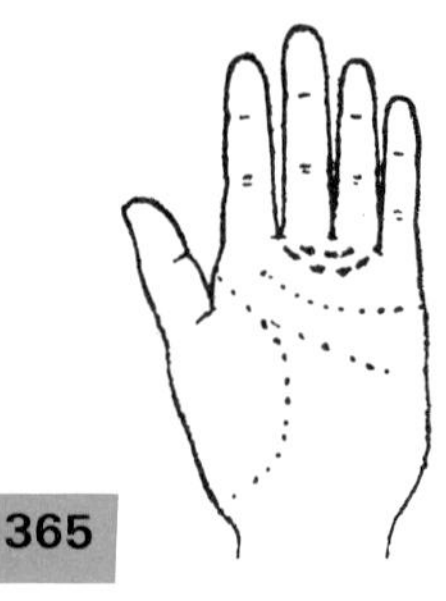

365

853. Bien que cela puisse paraître incroyable, l'anneau de Vénus mal fait est d'une révélation un peu moins néfaste que celui formé d'une ou de plusieurs lignes parfaites. Car, s'il annonce approximativement la même sensualité, il révèle également une personne pouvant aimer sentimentalement et s'attacher franchement en freinant ses désirs instinctifs *(fig. 365).*

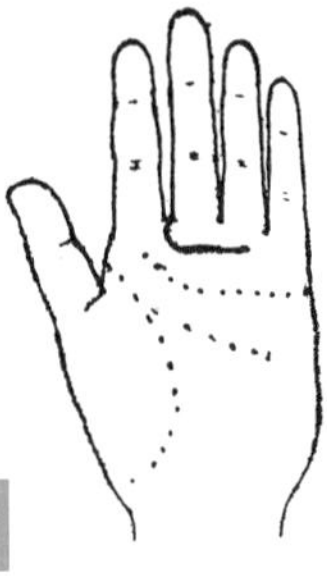

366

S'ARRÊTANT SUR LE MONT DE L'ANNULAIRE

854. L'extrémité de l'anneau de Vénus, au lieu de monter entre l'annulaire et l'auriculaire, peut s'arrêter sur le mont du Soleil. Ce cas est interprété comme un signe de réussite et d'ascension, dues aux questions sentimentales *(fig.366).*

SE TERMINANT SUR LE MONT DE MERCURE

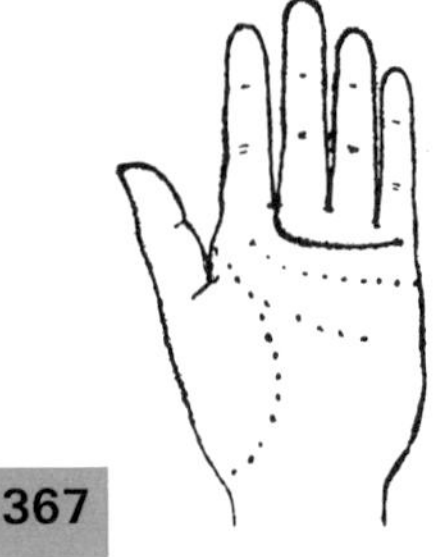

367

855. L'anneau de Vénus se terminant sur le mont de Mercure est également considéré comme un signe de réussite dû aux questions sentimentales, mais aussi à l'intervention du mérite personnel *(fig. 367).*

SE TERMINANT A LA BASE DE L'AURICULAIRE

856. Si l'extrémité de l'anneau de Vénus monte et se termine à la base de l'auriculaire, il indique une passion déchaînée et une surexcitation difficile à freiner *(fig. 368).*

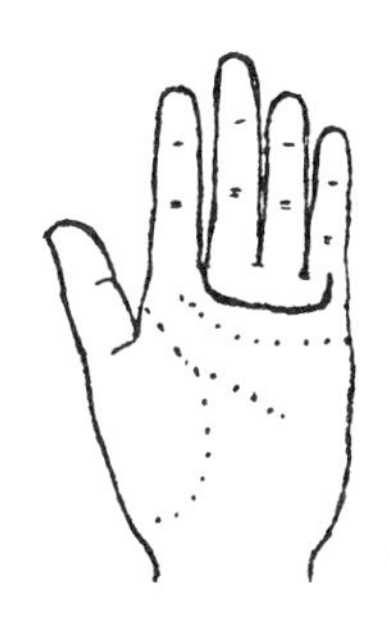
368

LES SIGNES SUR L'ANNEAU DE VÉNUS

857. On ne voit sur l'anneau de Vénus que des croix, des étoiles ainsi que de petits traits.

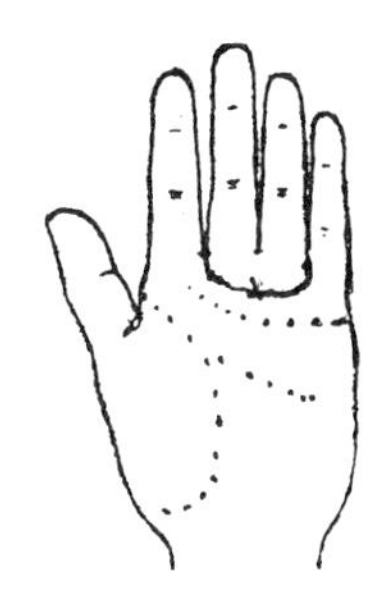
369

CROIX

858. La croix sur l'anneau de Vénus révélera une maladie vénérienne ou des maladies des organes sexuels *(fig. 369).*

859. La croix à son extrémité est l'éventualité de disputes passionnelles, pouvant se terminer fâcheusement *(fig. 370).*

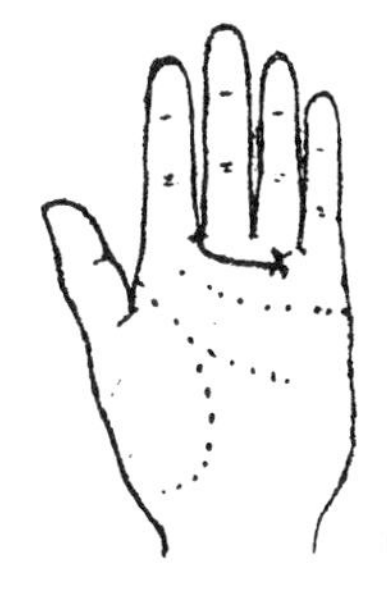
370

ÉTOILE

860. L'étoile sur cette ligne annonce une maladie sexuelle grave.

861. A l'extrémité de la ligne, l'étoile annonce crime, emprisonnement ou d'autres ennuis aussi graves, dus à la passion *(fig. 371).*

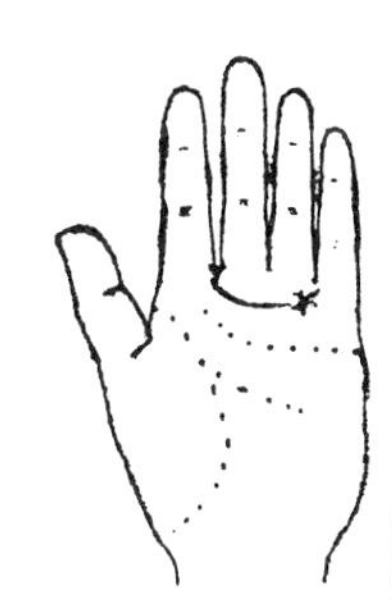
371

LES TRAITS

862. Les traits sur l'anneau de Vénus révéleront une personne sensuelle et surexcitable, mais pouvant freiner ses passions *(fig. 372).*

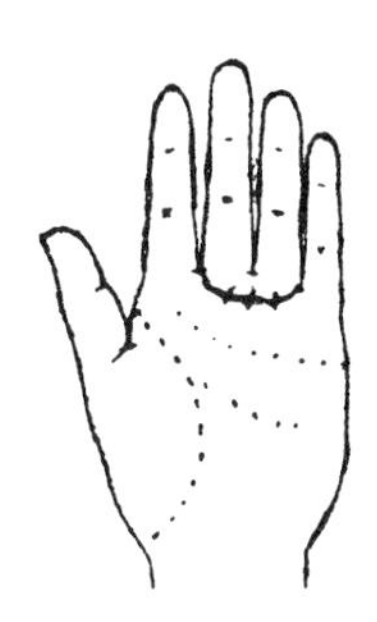
372

L'ANNEAU DE L'INDEX (L'ANNEAU DE SALOMON)

863. L'anneau de l'index est la ligne qui fait entièrement le tour de la base de ce doigt.

864. Cet anneau est parfois formé par l'extrémité de la ligne de cœur qui s'enroule autour de la racine de l'index. A cause de ses révélations on l'appelle également anneau de Salomon *(fig. 373).*

865. Le nom de l'anneau de Salomon lui est appliqué parce qu'il annonce sagesse et sérénité. On lui attribue également des aptitudes aux études sociales ou philosophiques.

866. Mais, lorsque cet anneau n'est pas entier, c'est-à-dire, lorsqu'il n'est tracé que dans la partie intérieure de la main, on admet qu'il indique le contraire de ce que révèle l'anneau entier. Il annonce donc un vaniteux, une tête chaude et un esprit querelleur *(fig. 374).*

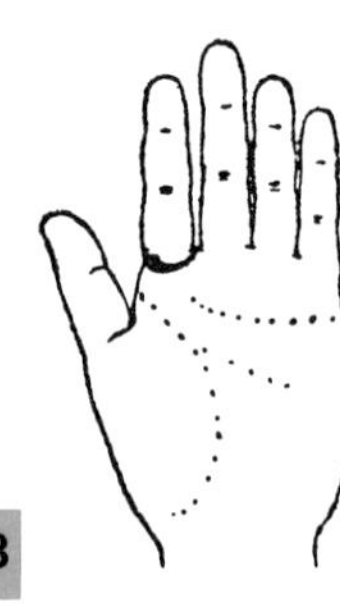

373

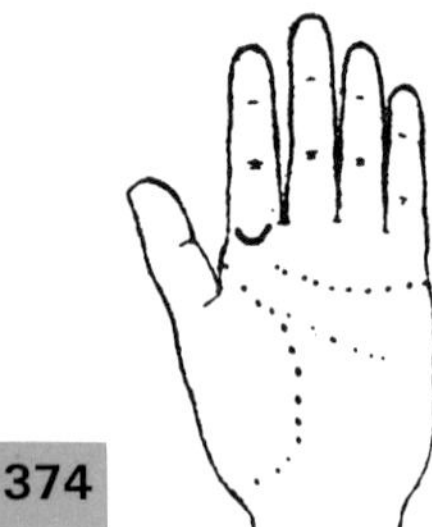

374

L'ANNEAU DU MÉDIUS (L'ANNEAU DE SATURNE)

867. L'anneau du médius, ou anneau de Saturne, se trouve tracé à la base de ce doigt *(fig. 375).*

868. L'anneau du médius révèle une insuffisance de personnalité et de sérieux, ainsi qu'un manque de persévérance. On le considère aussi comme un signe de troubles nerveux.

869. Contrairement à l'anneau de Salomon, l'anneau du médius (ainsi que les anneaux des autres doigts) n'est pas soumis à la condition restrictive de s'enrouler entièrement autour de la base du doigt.

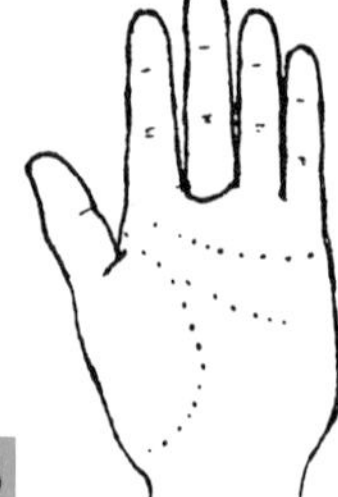

375

L'ANNEAU DE L'ANNULAIRE (L'ANNEAU DU SOLEIL)

870. On appelle anneau de l'annulaire ou anneau du soleil la ligne circulaire pouvant se trouver à la base de ce doigt *(fig. 376).*

871. L'anneau de l'annulaire est considéré comme un signe très favorable. Il annonce, paraît-il, la possibilité de réaliser ses idéaux.

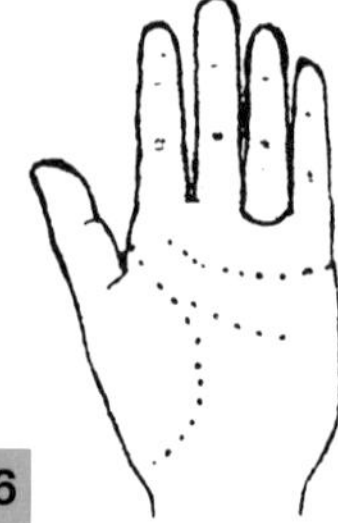

376

L'ANNEAU DE L'AURICULAIRE (L'ANNEAU DE MERCURE)

872. La ligne circulaire se trouvant à la base du petit doigt est nommée anneau de l'auriculaire ou anneau de Mercure.

873. Cet anneau aussi est de très bonne révélation. Il annoncerait, tout à la fois, sagesse, sérénité, esprit de réflexion et de réalisme *(fig. 377).*

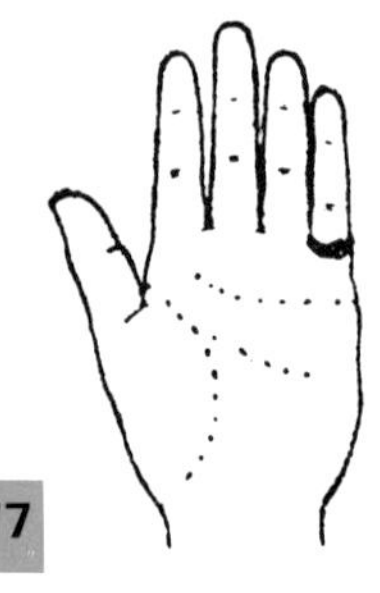

377

C H A P I T R E 45

Les Lignes de Modification

874. Ce n'est nullement par néologisme, mais par souci de rendre les subtilités de cette science aussi compréhensibles que possible, que j'ai inventé le nom générique de *lignes de modification*. Sous ce nom sont groupées plusieurs catégories de lignes ayant des révélations tout à fait différentes, mais possédant de nombreux points communs.

875. Les points communs sont les suivants :
A. Elles révèlent toutes une modification dans le cours normal de l'existence ;
B. Elles partent, toutes, du mont de Vénus.
Certaines d'entre elles étant signes de contrariété ou de chagrin, certains auteurs appellent toutes ces lignes, indistinctement « lignes de chagrin » ou « lignes de traverse ». Personnellement, je ne suis pas tout à fait d'accord, car un bon nombre de ces lignes sont de révélation bénéfique et même agréable.

VOYAGE D'AMOUR

876. La ligne bien marquée partant du mont de Vénus et venant aboutir sur le mont de Lune annonce un voyage d'amour, ou bien un simple voyage se terminant par une entente sentimentale. Au cas où cette ligne serait superficiellement marquée, elle dénoterait seulement un désir ardent de modifier une situation sentimentale *(fig. 378)*.

MODIFICATIONS FAVORABLES DANS LA SITUATION

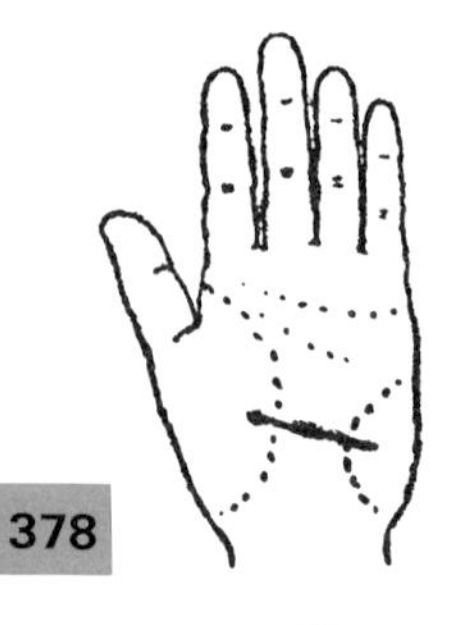

378

877. La modification favorable dans la situation matérielle en général est annoncée par la ligne partant du mont de Vénus et arrivant au préjoint du médius et de l'annulaire *(fig. 379).*

878. La ligne partant du mont de Vénus et aboutissant au mont du Soleil est signe d'amélioration de situation sociale *(fig. 380).*

879. La modification favorable dans la situation financière, commerciale ou politique est révélée par la ligne partant du mont de Vénus et aboutissant au mont de Mercure *(fig. 381).*

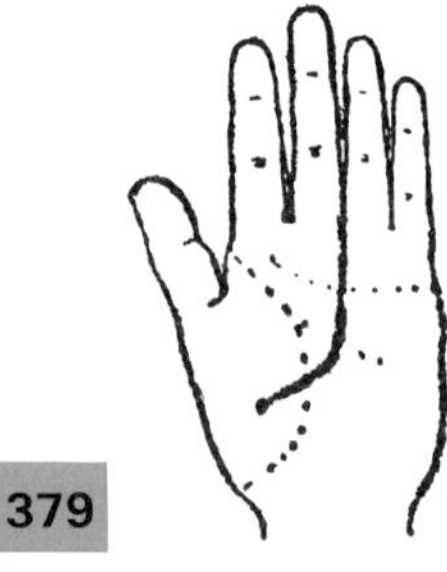

379

MARIAGE D'AMOUR

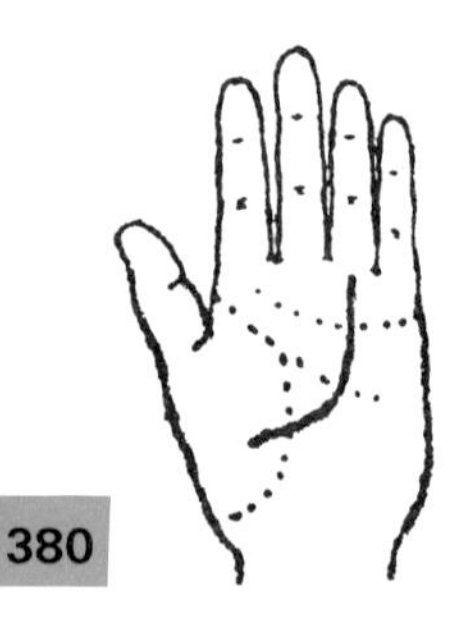

380

880. En règle générale, les lignes qui partent du mont de Vénus et, arrivées près des lignes de Saturne ou de soleil, se courbent vers le haut et finissent par se confondre avec l'une de ces lignes, sont toujours des indices favorables ; l'événement favorable annoncé par ces lignes pourra être, suivant leur présentation, du domaine sentimental ou purement matériel ou social. Nous en verrons ci-après plusieurs cas.

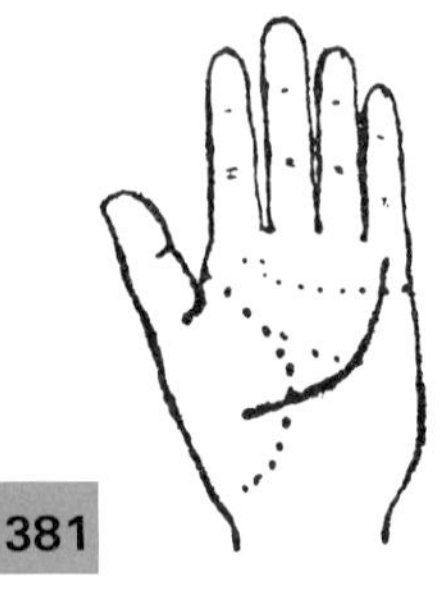

381

881. La ligne qui prend sur le mont de Vénus et, arrivée à proximité de la ligne saturnienne, se courbe vers le haut et se confond avec cette dernière, est considérée comme étant l'indice de mariage d'amour, avec une amélioration de la situation matérielle et sociale *(fig. 382).*

882. La même ligne, si elle se confond avec la ligne de soleil, en se courbant vers le haut, annoncera également un mariage d'amour, comportant des satisfactions d'ordre idéal ou spirituel *(fig. 383).*
Au cas où, pour une raison quelconque, le mariage ne pourra être envisagé, ces deux dernières lignes annonceront de grandes satisfactions et une immense joie, dont le point de départ sera l'amour.

382

MODIFICATIONS DÉFAVORABLES DANS LA SITUATION MATÉRIELLE

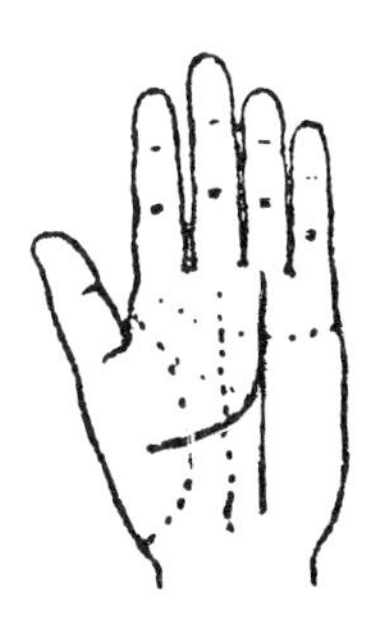
383

883. Les lignes décrites dans les paragraphes 881 et 882 seront, au contraire, des signes maléfiques lorsqu'elles seront droites sur toute leur longueur (ne se courbant pas vers le haut dans leur extrémité) et toucheront la ligne de Saturne ou de soleil *(fig.384).*

884. La modification extrêmement défavorable comme perte de situation, perte de grosses sommes ou même la ruine, est annoncée par la ligne qui part du mont de Vénus et vient toucher une croix ou une étoile sur la ligne saturnienne *(fig. 385).*

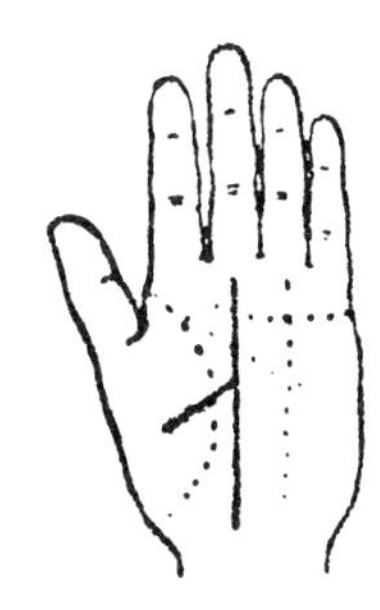
384

885. Un autre signe de modification très défavorable de la situation est la ligne qui part toujours du mont de Vénus et vient toucher une croix ou une étoile sur la ligne de soleil *(fig. 386).*

886. La différence entre les effets maléfiques de ces deux dernières lignes est le fait que, dans le premier cas, il s'agit de pertes matérielles, alors que, dans le deuxième cas, non seulement des pertes matérielles sont à envisager, mais l'honorabilité sera mise en danger.
Les malheurs annoncés par ces deux cas seront plus ou moins catastrophiques suivant qu'il existe une croix ou une étoile. Dans le cas d'une étoile, les significations de ces lignes seront beaucoup plus graves.

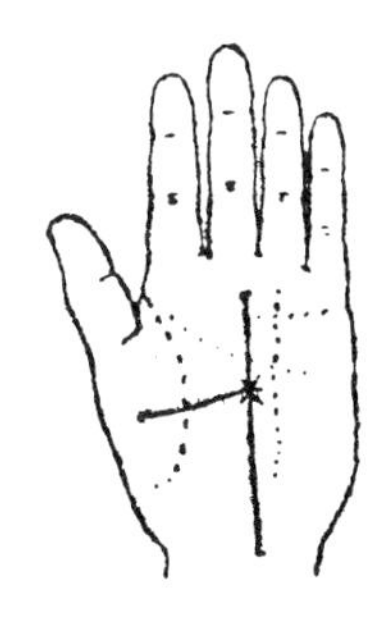
385

MODIFICATIONS DANS LES FONCTIONS SEXUELLES

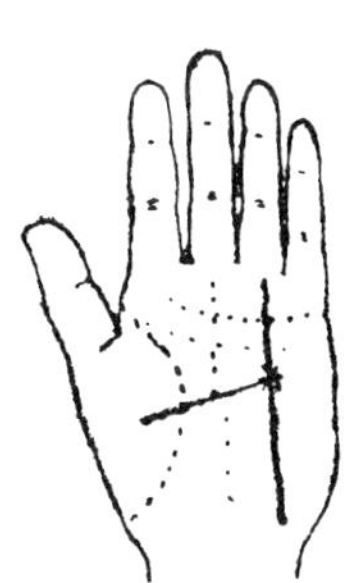
386

887. Une ligne partant du mont de Vénus et se dirigeant vers la rascette annoncera un dérangement sérieux dans le fonctionnement des organes sexuels. Et, suivant sa profondeur et sa netteté, elle pourra révéler aussi des maladies plus ou moins graves des organes du bas-ventre en général, y compris les organes sexuels *(fig. 387).*

CHAGRINS D'AMOUR

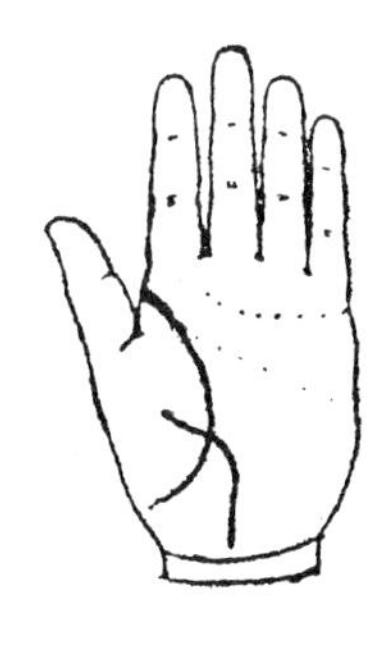
387

888. Bien que les chagrins annoncés par les indices suivants concernent, en grande partie,

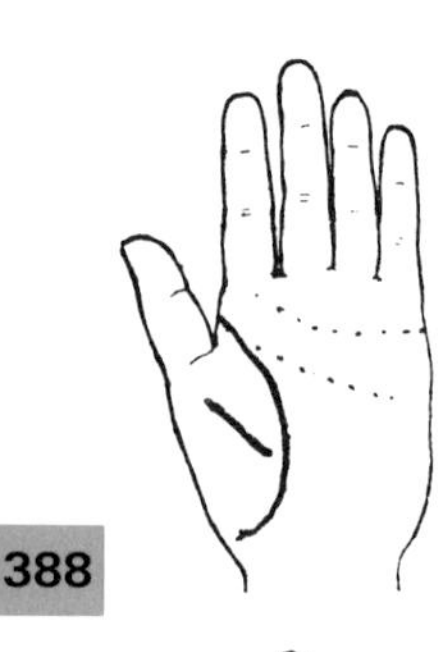
388

l'amour sexuel, ils peuvent également s'appliquer aux chagrins dus à la mésentente, à la rupture ou à la mort des personnes de la famille.

889. Le profond chagrin d'amour est révélé par une ligne très profondément marquée sur le mont de Vénus. Elle prend presque à la base de la deuxième phalange du pouce et se dirige vers le creux de la main mais souvent sans traverser la ligne de vie. Cette ligne est beaucoup plus profonde que n'importe quelle autre, et elle restera marquée pendant très longtemps. J'ai vu ce signe dans les mains de personnes ayant eu un chagrin profond datant de plusieurs dizaines d'années *(fig. 388).*

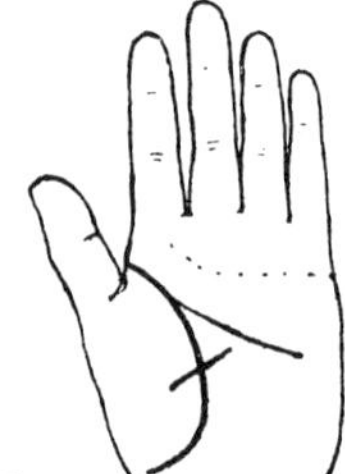
389

890. La ligne prenant sur le mont de Vénus et aboutissant dans le creux de la main (sans arriver à la ligne de tête) révèle des contrariétés et des traverses *(fig. 389).*

891. Mais si cette même ligne se termine sur la ligne de tête, elle annoncera de puissantes contrariétés et des chagrins pouvant agir sur le fonctionnement normal du cerveau, quoique provisoirement et très légèrement *(fig. 390).*

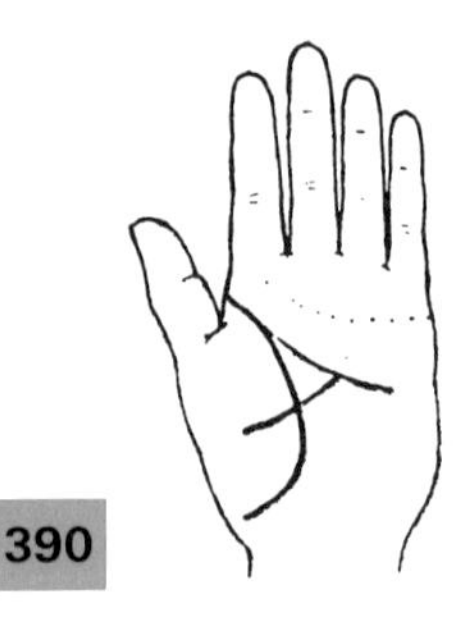
390

892. Le dérangement mental occasionné par le chagrin d'amour est annoncé par la ligne venant du mont de Vénus et se terminant sur une étoile se trouvant sur la ligne de tête *(fig. 391).*

893. Les lignes partant du mont de Vénus et traversant la ligne de tête ou de cœur indiquent des contrariétés encore plus graves que celles annoncées par la ligne du paragraphe 890 *(fig. 392).*

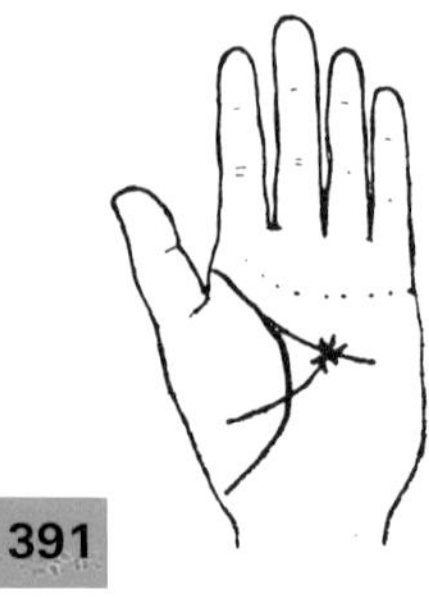
391

894. La perte matérielle causée par le chagrin d'amour est indiquée par la ligne prenant sur le mont de Vénus et traversant la ligne saturnienne *(fig. 393).*

895. Mais, si le chagrin d'amour, en plus de la perte matérielle, provoque la perte de l'honorabilité, ce cas est annoncé par la ligne prenant sur le mont de Vénus et traversant la ligne de soleil *(fig. 394).*

896. Pour plus de clarté, je précise que les effets fâcheux des deux cas ci-dessus (paragraphes 894 et 895) ne seront pas aussi

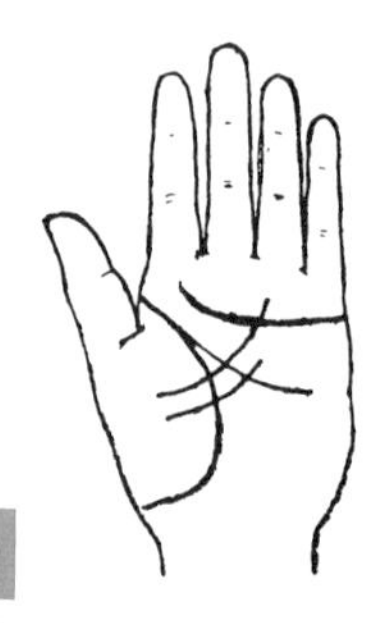
392

catastrophiques que ceux annoncés par les lignes des paragraphes 884 et 885. Il est à noter d'ailleurs que dans le cas de ces deux dernières lignes il existe une croix ou une étoile sur la ligne de Saturne ou de soleil.

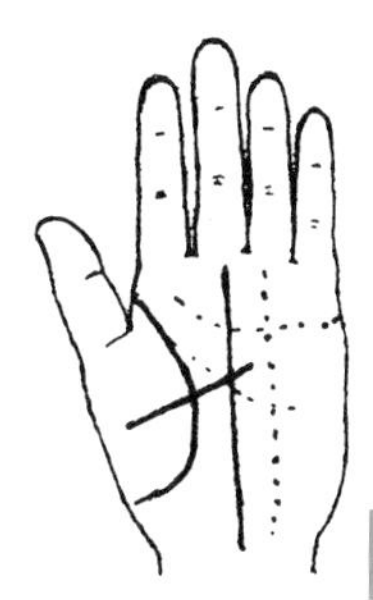
393

VEUVAGE

897. La ligne partant d'une croix qui se trouve sur le mont de Vénus et traversant la ligne de tête est l'indice de veuvage *(fig. 395).*

898. Lorsque la ligne partant d'une croix sur le mont de Vénus, vient toucher une croix sur la ligne de tête, ce sera le signe d'un dérangement cérébral grave dû à la mort d'une personne chère *(fig. 396).* Ce cas est plus agissant que celui du paragraphe 892.

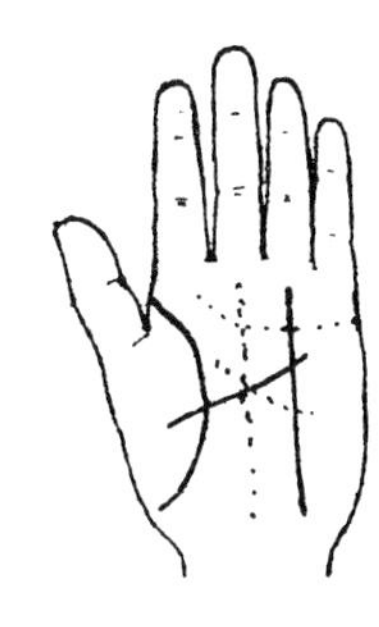
394

899. Dans le temps, on voyait distinctement les signes de veuvage. Actuellement, malgré la mort effective du conjoint, on ne les voit que rarement, et parfois il n'en existe même pas trace. En chercher les raisons ne m'incombe pas. Je me contente simplement de constater ce fait.

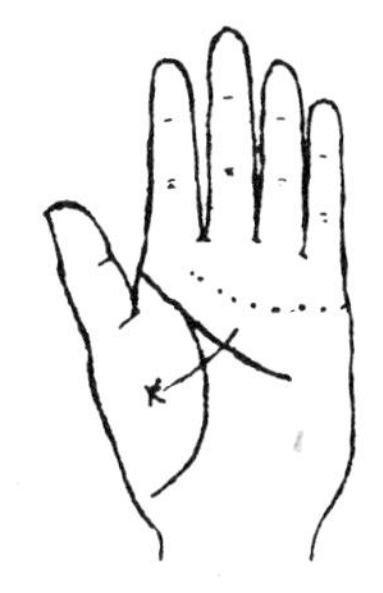
395

DIVORCE OU SÉPARATION

900. Je me contente également de constater que les signes de divorce sont maintenant aussi rarement visibles que ceux du veuvage. Les indices de séparation, de mésentente grave et de divorce sont indiqués ci-après, mais vous serez souvent obligés de voir ailleurs et de faire une synthèse de la totalité des signes trouvés. Vous examinerez les lignes d'attachement, les traits horizontaux sur le mont de Jupiter et vous y grefferez tous les signes révélant un désir de changement de la situation matrimoniale.

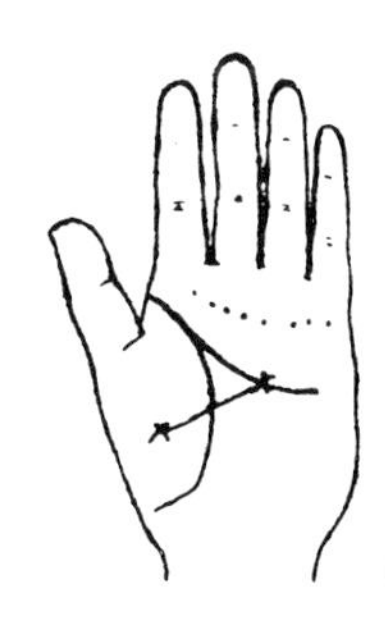
396

901. La ligne qui part du mont de Vénus et touche une ligne d'attachement annonce rupture et séparation *(fig. 397).*

902. La mésentente très grave, pouvant se terminer par le divorce, est annoncée par la ligne qui part du mont de Vénus et coupant la ligne de tête se termine sur une croix. Cette croix pourra aussi ne pas toucher l'extrémité

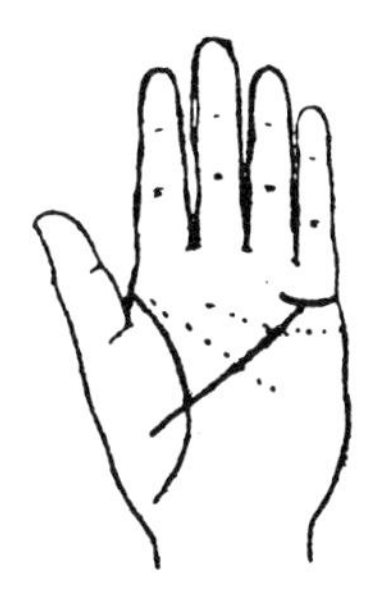
397

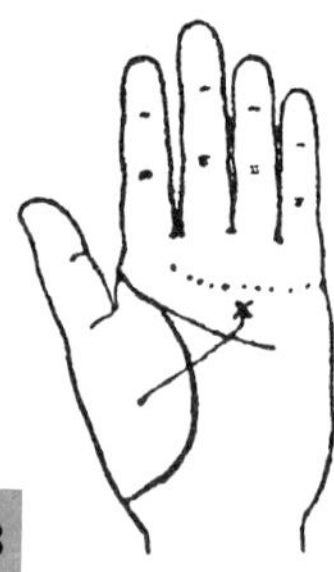
398

de cette ligne et se trouver un peu plus haut ou un peu plus bas *(fig. 398).*

903. Toutefois, le divorce nécessite une action en justice, donc un procès. Par conséquent, la ligne ci-dessus révélera effectivement le divorce lorsqu'elle traversera la petite ligne verticale de procès.

LIGNES DE PROCÈS

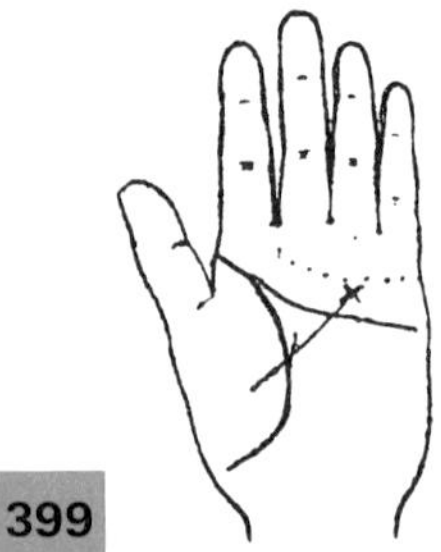
399

904. La ligne partant du mont de Vénus et se terminant dans la paume indique procès, à la condition qu'elle traverse une petite ligne verticale qui part de la ligne de vie *(fig. 399).*

905. Lorsque la ligne de procès part d'une croix se trouvant sur le mont de Vénus, elle annonce procès ou, tout au moins, un désaccord très profond avec des parents ou des associés *(fig. 400).*

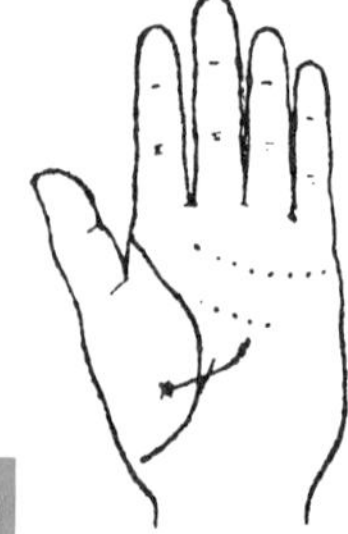
400

906. La ligne de procès se terminant sur une croix sur la ligne de Saturne ou de soleil annonce un procès catastrophique *(fig. 401).*
S'il n'existe pas de croix, c'est simplement un procès malheureux.

907. Mais, si la ligne de procès, arrivée au voisinage de la ligne de Saturne ou de soleil, se courbe vers le haut et finit par se confondre avec ces dernières, le résultat du procès sera très avantageux *(fig. 402).*

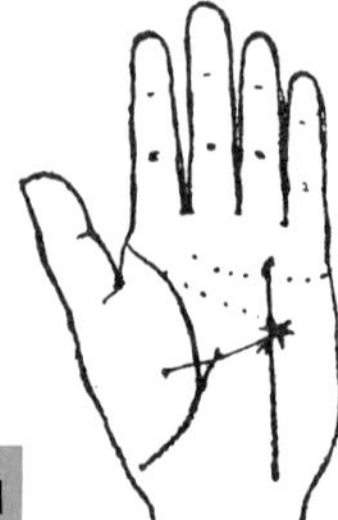
401

402

CHAPITRE 46

Les Espaces dans la Paume
L'Espace de Réflexion
Le Quadrangle
Le Grand Triangle
Le Petit Triangle
La Plaine de Mars

908. En dehors de l'étude des lignes, des signes et de tous les autres éléments révélateurs de la main, la chirologie s'intéresse également à certains espaces de la paume.

909. Ces espaces sont les suivants :
A. L'Espace de Réflexion ;
B. Le Quadrangle ;
C. Le Grand Triangle ;
D. Le Petit Triangle ;
E. La Plaine de Mars.

L'ESPACE DE RÉFLEXION

910. En commençant par le haut de la paume, on trouve d'abord un espace entre la ligne de cœur et la base des doigts. J'appelle cet espace *Espace de Réflexion*.

911. L'Espace de Réflexion sera, forcément, plus ou moins large suivant que la ligne de cœur sera dessinée plus ou moins haut dans la main.

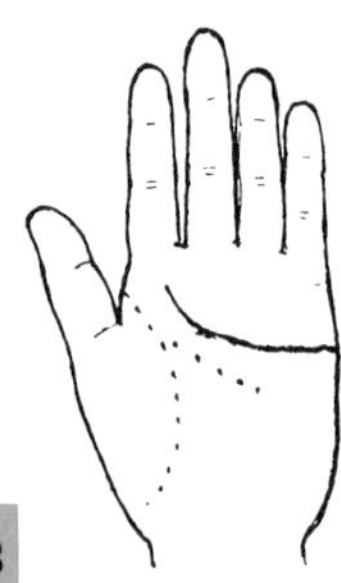

403

912. L'Espace de Réflexion large annonce une capacité de mûre réflexion et d'action avec circonspection. Il indiquera donc une belle intelligence équilibrée *(fig. 403).*

913. L'Espace de Réflexion rétréci révèle une personne agissant, presque toujours, par impulsion *(fig.404).*

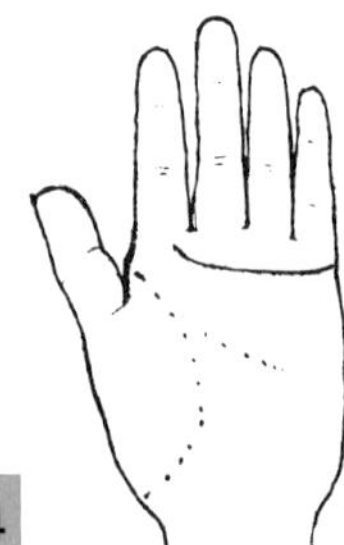

404

LE QUADRANGLE

914. L'espace se trouvant entre la ligne de coeur et la ligne de tête s'appelle *Quadrangle (fig. 405).*

915. Pour que le Quadrangle soit régulier et grand, il faut que les lignes de cœur et de tête soient assez longues, bien à leur place, intactes, et nettement marquées.

916. Le Quadrangle suffisamment large, régulier et grand, annonce un caractère bienveillant et généreux. Il indique également un jugement précis.

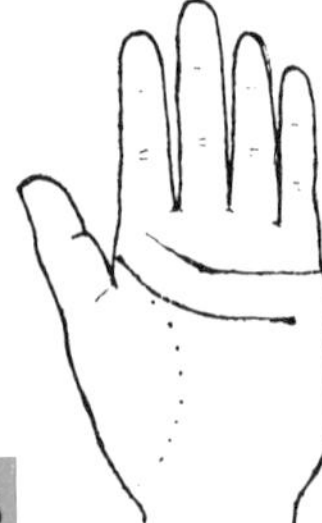

405

917. Le Quadrangle étroit révèle un esprit calculateur, une personne réaliste et, suivant le cas, matérialiste *(fig. 406).*

918. Si, à cause de l'inexistence de la ligne de cœur ou de tête, le Quadrangle manque, ce cas révèle une personne très influençable *(fig. 407).*

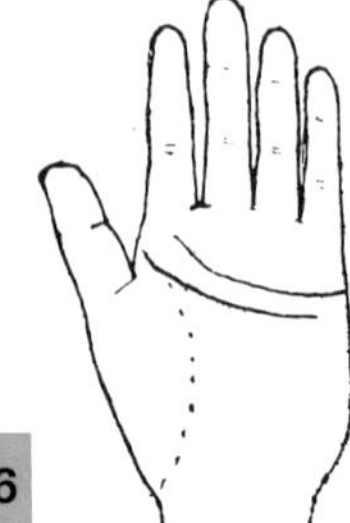

406

LE GRAND TRIANGLE

919. L'espace triangulaire existant entre les lignes de tête et de vie s'appelle le Grand Triangle. Il est délimité par la ligne de Mercure, ou, en son absence, par la ligne de soleil ou de Saturne *(fig. 408).*

920. Comme tout triangle, le Grand Triangle aussi possède forcément trois angles, dont le plus important et le plus significatif est celui qui existe à l'endroit où les lignes de tête et de vie se séparent. Il s'appelle « angle suprême ».

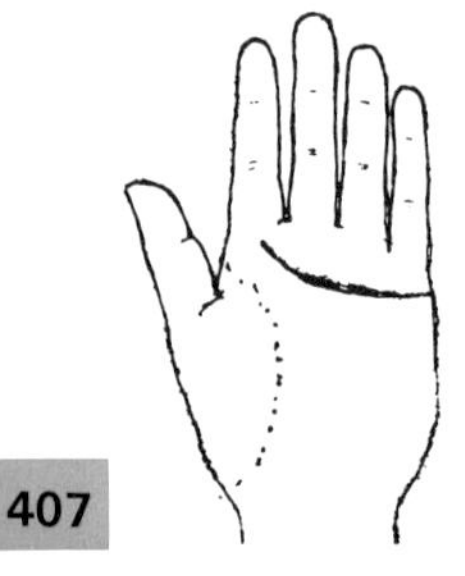

407

921. C'est l'importance de l'ouverture de l'angle suprême qui déterminera la largeur ou l'étroitesse du Grand Triangle ; en d'autres termes, ce dernier sera large ou rétréci, suivant que les lignes de tête et de vie se trouveront rapprochées ou éloignées *(fig. 409).*

922. Le Grand Triangle large, régulier et bien formé est le signe d'équilibre physique et intellectuel et d'une bonne moralité. Il indique donc une bonne santé, une intelligence vive, un esprit d'entreprise, de l'audace ainsi qu'un cœur bon et généreux.

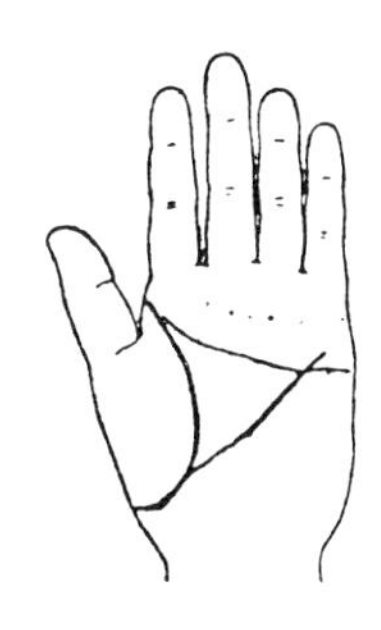

408

923. Donc, suivant l'origine et la situation de chacun, un bon Grand Triangle annoncera une personne jouissant de l'estime de son entourage et pouvant arriver à une situation satisfaisante.

924. Si une ou plusieurs lignes composent le Grand Triangle (lignes de vie, de tête et de Mercure) sont mal faites, le Grand Triangle sera aussi forcément mal formé. Le Grand Triangle mal formé indique une constitution plus ou moins bien équilibrée *(fig. 410).*

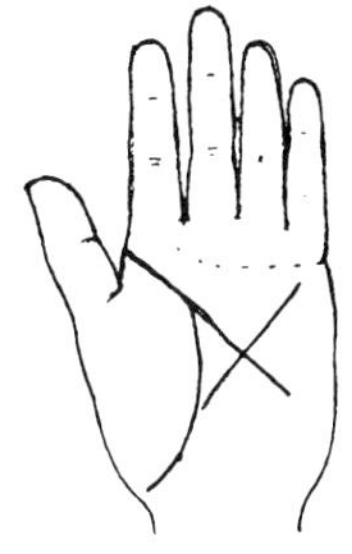

409

925. Le Grand Triangle étroit annonce avarice, mesquinerie et ténacité.

926. Lorsque les lignes de tête et de vie ne se touchent pas à leur départ, l'angle suprême disparaît. L'absence de l'angle suprême annonce impulsivité, insouciance et, suivant le cas, instabilité.

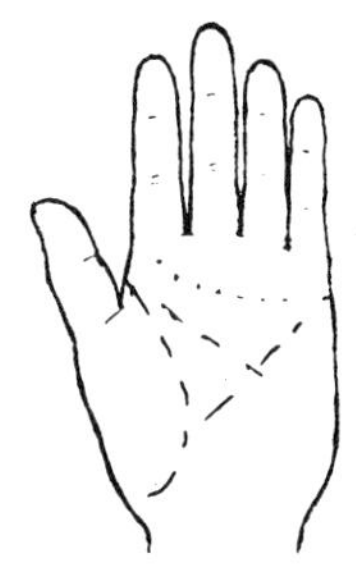

410

LE PETIT TRIANGLE

927. L'espace triangulaire formé par les lignes de Saturne, de Mercure et de tête est appelé le *Petit Triangle (fig. 411).*

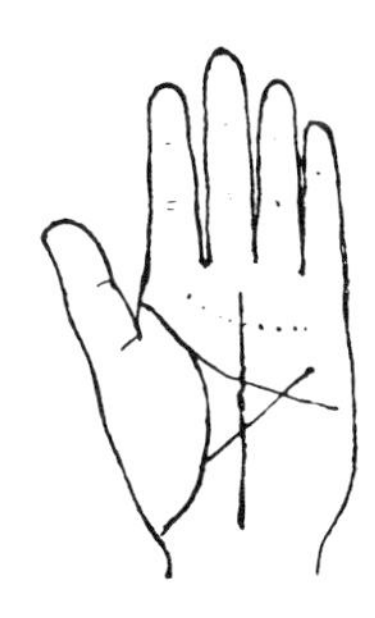

411

928. Il est inutile d'insister sur le fait que pour avoir sa pleine signification le Petit Triangle doit être formé par des lignes intactes et bien marquées.

929. Un bon Petit Triangle annonce une grande intelligence et une remarquable assimilation. Il révèle également des aptitudes aux études, du goût pour les recherches.

930. Les qualités exceptionnelles attribuées à un bon Petit Triangle sont, naturellement, subordonnées à l'absence de signes maléfiques, comme imagination excessive, manque d'énergie et de persévérance.

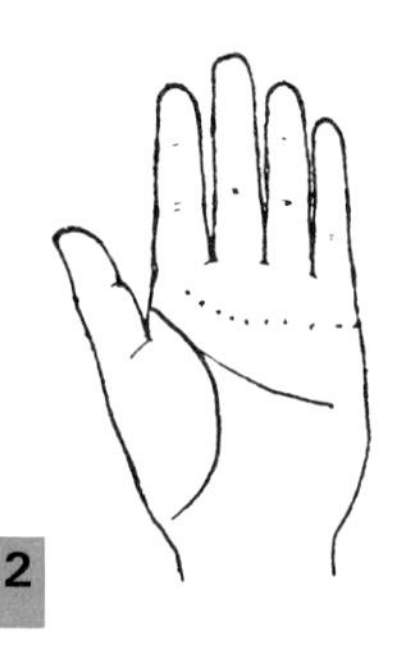

412

931. Un Petit Triangle mal formé annonce une insuffisance du pouvoir de concentration et une instabilité dans les idées.

932. L'absence totale du Petit Triangle n'est pas forcément un signe malheureux, mais elle annonce une vie faite de nombreuses difficultés *(fig. 412).*

LA PLAINE DE MARS

933. *La Plaine de Mars* est la partie centrale de la paume, que l'on appelle couramment le creux de la main.

934. Le fait que je traite la Plaine de Mars en tout dernier lieu, à la fin de ce livre, ne doit pas faire penser que ses révélations sont de peu d'importance ou même négligeables. Ce serait une grave erreur.

935. La Plaine de Mars est considérée comme le prolongement du mont de Mars dans la paume, car leurs révélations sont presque identiques, avec la différence suivante : le mont de Mars annonce force de résistance, courage et sang-froid, tandis que la Plaine de Mars dénote capacité de lutte effective et d'action instinctive.

936. Une bonne Plaine de Mars doit être suffisamment dure et suffisamment charnue, mais sans excès, bien entendu.

937. La Plaine de Mars maigre (ne pas confondre avec la main creuse) révèle faiblesse physique et maladie affectant la constitution générale. En cas d'extrême maigreur elle pourra annoncer la possibilité de mort.

938. Molle et sans résistance, la Plaine de Mars annonce une insuffisance de résistance physique, faiblesse morale et paresse intellectuelle.

939. La Plaine de Mars dure indique activité, ténacité et un esprit de lutte instinctif.

940. Charnue et proéminente, elle annonce brusquerie, colère, violence et superficialité intellectuelle.

941. Et, si la Plaine de Mars est épaisse et dure en même temps, elle indiquera une brusquerie excessive, colère et violence allant jusqu'à la cruauté. Elle annoncera également un être d'une intelligence primitive.

Table des Matières

Achevé d'imprimer en janvier 1989
sur les presses de l'Imprimerie Nouvelle Lescaret, à Paris,
pour France Loisirs

Dépôt légal : janvier 1989
N° d'éditeur 14766